日建学院

改訂七版

1級 建築施工管理技士

一次対策 項目別ポイント問題

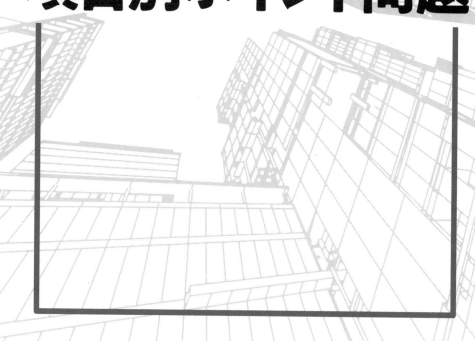

はじめに

■試験のポイント

近年の１級建築施工管理技士・一次合格率は、約35%から50%となっており、その年度の問題の難易度により、変動しています。これは、一定以上の得点者を合格させるという「基準点試験」である為です。

したがって、**基本をしっかりと理解しなければならない**試験といえます。

■本書のねらい

本書は、過去の出題から出題頻度が高い内容や重要設問肢を分野別に編集したもので、学習のまとめや、通勤時間や休憩時間の利用といった、時間の有効活用に最適な内容となっています。

このように、本書は、項目別の「出題傾向を把握する問題集」「重要事項を把握する問題集」という主旨で作成されています。

合格のために必要なのは、過去問題の攻略です。そして、そのためにはなんといっても「繰り返し」学習することです。「繰り返し」によって問題の解き方が徐々に身についてくるとともに、新たな発見があり、学習の楽しみが湧いてくるものです。

また、既刊の、過去問題を分野別に編集した『**１級建築施工管理技士 一次対策問題解説集（２分冊)**』を併用することで、より一層理解を深めることができます。

本書の内容を繰り返し学習することで、試験における項目別の出題内容を理解し、学科試験に合格されますよう、心よりお祈り申し上げます。

日建学院教材研究会

本書においては、受験生の皆様の試験対策のために、試験出題以降の法令及び各種基準の改正を受け、問題及び解答･解説が**現行の規定に適合するよう、日建学院教材研究会が独自に改訂を加え、最新の法令及び各種基準に適合した内容**としています。

1級建築施工管理技士の受験の流れ（令和6年度の例）

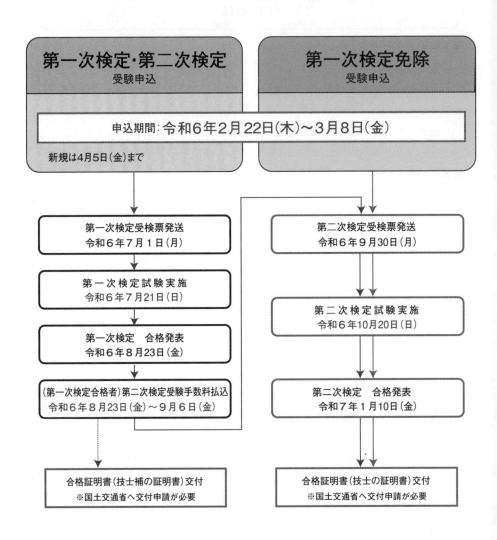

第一次検定・第二次検定 受験申込

申込期間：令和6年2月22日（木）～3月8日（金）

新規は4月5日（金）まで

- 第一次検定受検票発送　令和６年７月１日（月）
- 第一次検定試験実施　令和６年７月21日（日）
- 第一次検定　合格発表　令和６年８月23日（金）
- （第一次検定合格者）第二次検定受験手数料払込　令和６年８月23日（金）～９月６日（金）
- 合格証明書（技士補の証明書）交付　※国土交通省へ交付申請が必要

第一次検定免除 受験申込

申込期間：令和6年2月22日（木）～3月8日（金）

- 第二次検定受検票発送　令和６年９月30日（月）
- 第二次検定試験実施　令和６年10月20日（日）
- 第二次検定　合格発表　令和７年１月10日（金）
- 合格証明書（技士の証明書）交付　※国土交通省へ交付申請が必要

※ 日程及び申込等の詳細については、
（一財）建設業振興基金ホームページ（https://www.kensetsu-kikin.or.jp）をご参照ください。

改訂七版　1級建築施工管理技士

一次対策項目別ポイント問題

●目　次●

❶ 建築学

❷ 共通

❸ 施工（躯体工事）

❹ 施工（仕上げ工事）

❺ 施工管理法

❻ 法　　規

1

建築学

❶ 建築学

1 計画原論

1-1

換気に関する記述として、**適当**か、**不適当**か、判断しなさい。

Check □□□

問題1
建材や接着剤などから発生するホルムアルデヒドは、室内空気汚染の原因となり、室内空気環境を評価するための対象物質の一つである。

Check □□□

問題2
室内の許容二酸化炭素濃度は、一般に10,000ppm（１％）とする。

Check □□□

問題3
第２種機械換気方式は、室内圧を負圧に保つことができるので、クリーンルームや病院の手術室などに用いられる。

Check □□□

問題4
室内外の温度差による自然換気量は、他の条件が同じであれば、流入口と流出口との高低差が大きいほど多い。

Check □□□

問題5
風上側と風下側に外部開口部をもつ室における、風力による自然換気量は、風向きが一定であれば、外部風速に比例する。

Check □□□

問題6
静穏時の呼吸による二酸化炭素濃度をもとにして定めた場合、成人１人当たりの必要換気量は、$30m^3/h$ 程度である。

Check □□□

問題7
在室者の呼吸による必要換気量は、室内の二酸化炭素発生量を、室内の許容二酸化炭素濃度と外気の二酸化炭素濃度の差で除して求める。

解 説

問題1　正しい

問題2　誤り

二酸化炭素濃度（含有率）は、**1,000ppm（0.1%）**以下、**一酸化炭素**濃度は、6ppm（0.0006%）以下である。

問題3　誤り

第２種機械換気方式は、給気は給気機等の機械で行い、排気は自然排気とする方式で、クリーンルーム、手術室、ボイラー室、発電室等に使用し、**室内圧**は**正圧**となる。

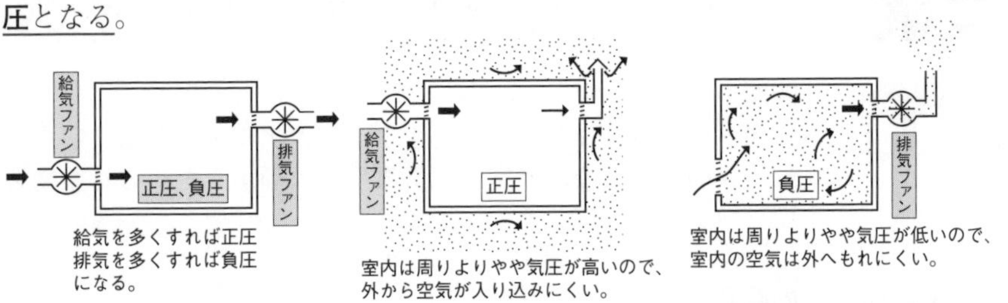

第１種換気方式　　**第２種換気方式**　　**第３種換気方式**

関連　**第３種**機械換気方式は、自然給気と排気機による換気方式で、**浴室や便所**などに用いられる。

問題4　正しい　⇨　右図

関連　温度差による自然換気の場合、室内外の圧力差が０となる垂直方向の位置を**中性帯**といい、この部分に開口部を設けても換気はほとんど起こらない。

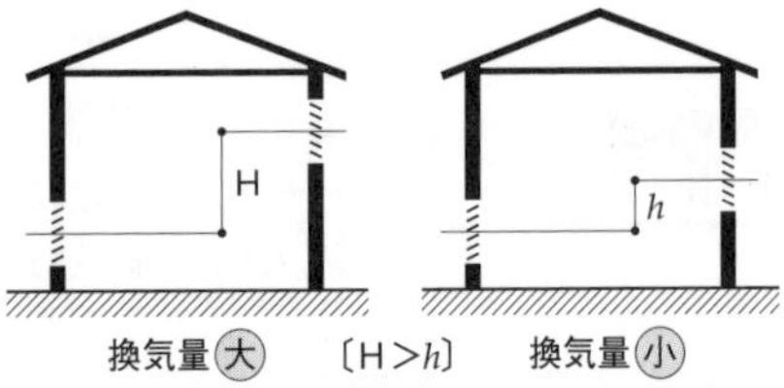

問題5　正しい

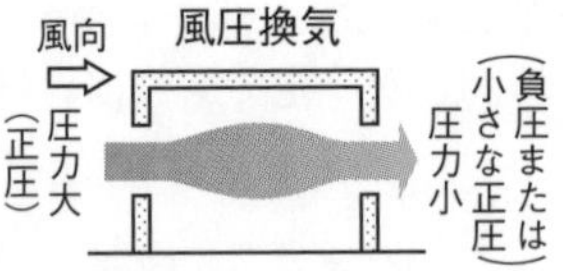

開口部面積 → A

$$Q_W = \alpha \cdot A \cdot V\sqrt{C_f - C_b}$$

V ← 風速

関連　風圧力による換気量は、他の条件が同じであれば、**風上側と風下側の風圧係数の差**（$C_f - C_b$）**の平方根**に**比例**する。

問題6　正しい

問題7　正しい

関連　**必要換気量**は、室内の空気環境を良好な状態に保つために必要とされる最小限の取入れ外気量である。

1-2 伝熱・結露に関する記述として、**適当**か、**不適当**か、判断しなさい。

Check □□□

問題1
壁体の熱貫流抵抗は、熱伝達抵抗と熱伝導抵抗の和によって得られる。

Check □□□

問題2
壁体の含湿率が増加すると、壁体の熱伝導率は小さくなる。

Check □□□

問題3
外断熱の施された熱容量の大きな壁は、室温の著しい変動の抑制に有効である。

Check □□□

問題4
外皮平均熱貫流率は、建物の断熱性能評価の指標であり、この値が小さいほど断熱性能が高い。

Check □□□

問題5
相対湿度は、湿り空気中に含まれている水蒸気分圧のその温度における飽和水蒸気分圧に対する割合で示される。

Check □□□

問題6
露点温度とは、湿り空気が冷やされて空気中に存在する一部の水蒸気が凝縮し水滴となり始める温度をいう。

Check □□□

問題7
絶対湿度を一定に保ったまま乾球温度を上昇させると、相対湿度は高くなる。

Check □□□

問題8
冬季の暖房時に、外壁出隅部の室内側は、温度が低下し結露しやすい。

Check □□□

問題9
表面結露は、壁面で空気が冷却され露点温度以下になると壁表面に生じる。

Check □□□

問題10
内部結露は、壁体内部の水蒸気圧が温度に応じた飽和水蒸気圧より低い場合に生じる。

解　説

問題１　正しい

問題２　誤り

壁体内に含まれる空気は熱伝導率の小さいものであるが、**含湿率**が**増加**することにより、水分を含むことになるので**熱伝導率**は**大きく**なり、**結露の原因**ともなる。

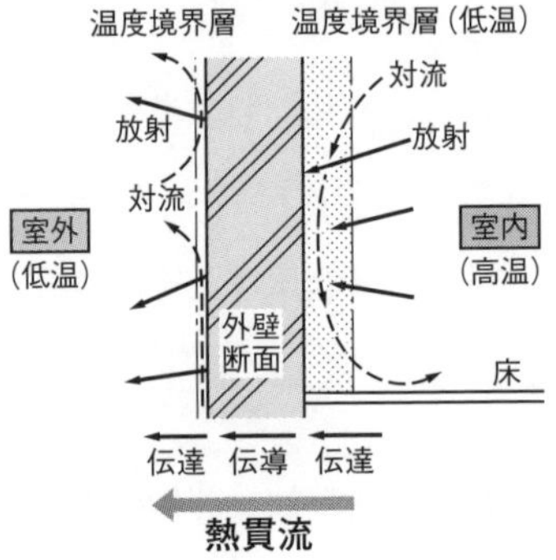

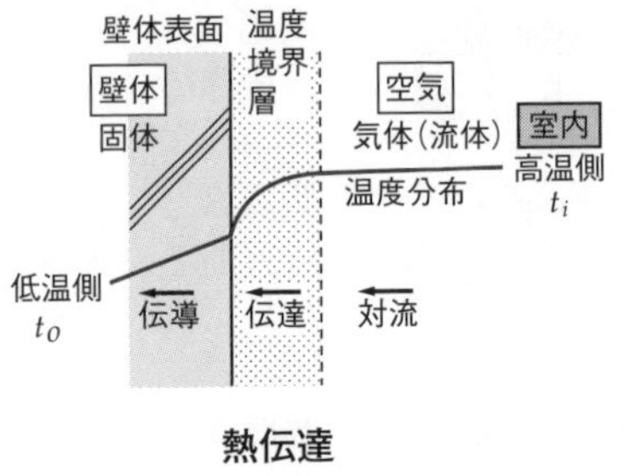

問題３～６　正しい

問題７　誤り

水蒸気量に変化がなく、気温を上昇させると、**相対湿度**は**低く**なる。

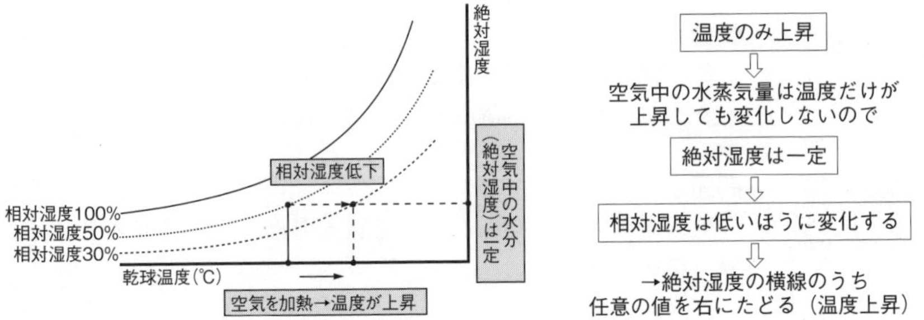

問題８　正しい

関連　壁体に比べ大きな熱伝導率を持つ部材が壁内部にあると熱が集中して流れ、**熱橋**となり**結露しやすい**。

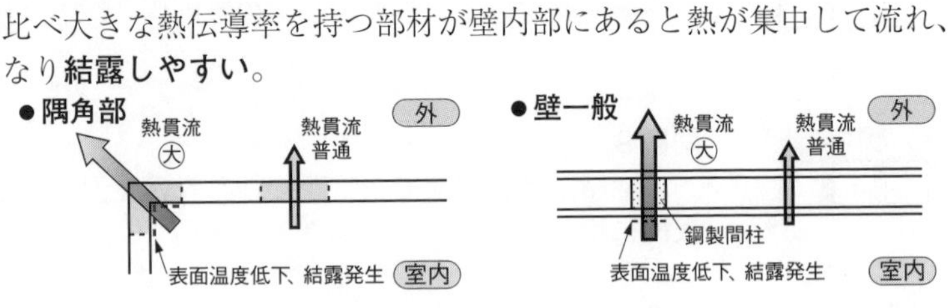

ヒートブリッジ

問題９　正しい

問題10　誤り

内部結露は、壁体内部の水蒸気圧が、壁体内部の温度に応じた飽和水蒸気圧より**高い**場合に生じる。

1-3 日照・日射・日影に関する記述として、**適当**か、**不適当**か、判断しなさい。

Check □□□

問題1
日照率とは、1日（24時間）に対する日照時間の比を百分率で表した値である。

Check □□□

問題2
同じ日照時間を確保するためには、緯度が高くなるほど南北の隣棟間隔を大きくとる必要がある。

Check □□□

問題3
建物の高さを高くした場合、日影は遠くへ伸びるが、一定の高さを超えると長時間影となる範囲はあまり変化しない。

Check □□□

問題4
日差し曲線は、地平面上のある点が周囲の建物によって、日照時間にどのような影響を受けるか検討するのに用いられる。

Check □□□

問題5
日照図表を用いると、冬至などの特定日に、対象となる建物が特定の地点に及ぼす日照の影響を知ることができる。

Check □□□

問題6
南面の垂直壁の可照時間は、春分より夏至の方が長い。

Check □□□

問題7
冬至における南向き鉛直面の終日の直達日射量は、水平面の直達日射量より大きい。

Check □□□

問題8
東向き鉛直面と西向き鉛直面の終日の直達日射量は、季節にかかわらず西向き鉛直面の方が大きい。

Check □□□

問題9
建物の高さが同じである場合、東西に幅が広い建物ほど影の影響の範囲が大きくなる。

Check □□□

問題10
ブラインドは、窓面の内側より外側に設置したほうが室内への熱負荷を軽減できる。

解説

問題１　誤り

$$日照率 = \frac{日照時間}{可照時間} \times 100\ (\%)$$

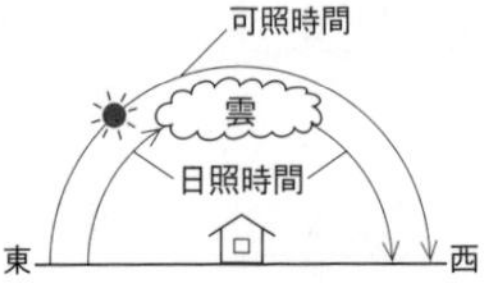

日の出から日没までの時間を**可照時間**、実際に**日照のあった時間**を**日照時間**という。1日（24時間）に対する比ではない。

問題２～問題５　正しい

問題６　誤り　問題７　正しい　問題８　誤り

北緯35°付近の終日の直達日射量の変化は、図の通りである。

- 南面の垂直壁の可照時間は、春秋分では12時間、夏至では7時間なので、春分より**夏至**の方が**短い**。⇨**問題６**
- 冬至における南向き鉛直面の終日の直達日射量は、水平面の直達日射量より大きい。⇨**問題７**
- **東向き鉛直面**と**西向き鉛直面**の終日の直達日射量は、季節にかかわらず**同じ**である。⇨**問題８**

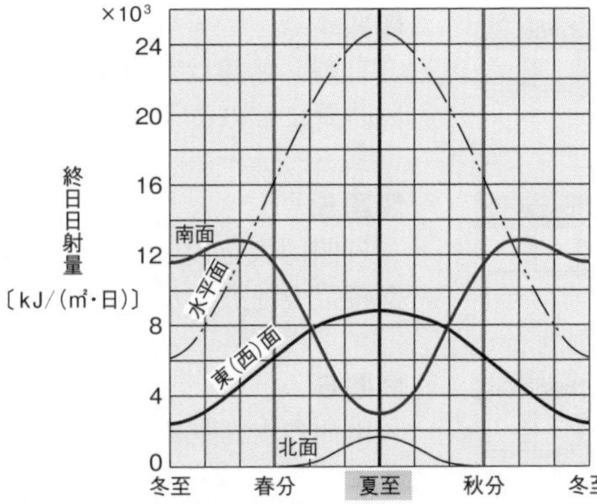

鉛直壁面・水平面の終日日射量（北緯35°）

問題９　正しい

関連　東西に隣接した建物間の北側の少し離れた場所に生じる、長時間日影となる領域を、**島日影**という。

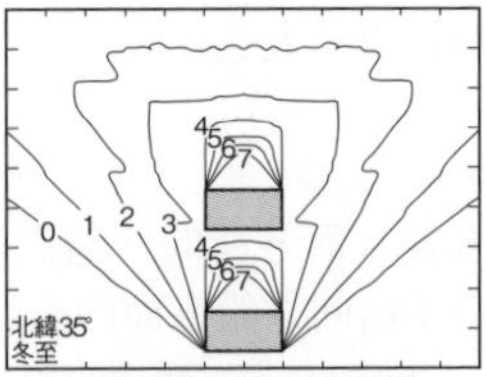

W×*D*×*H*＝20×10×30

南北に平行に配置

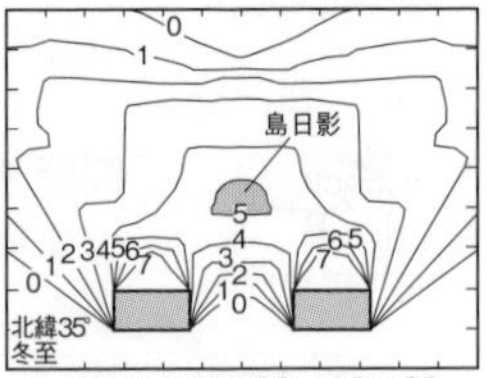

W×*D*×*H*＝20×10×30

東西に平行に配置

問題10　正しい

右図。

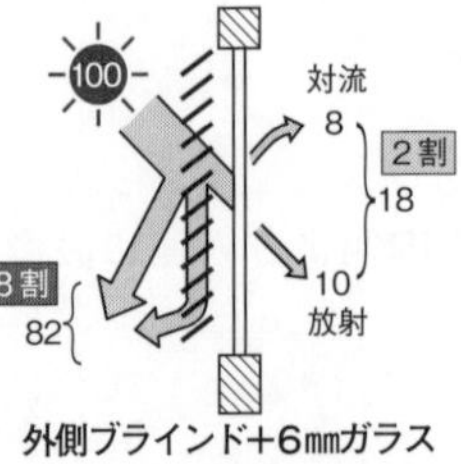

外側ブラインド＋6㎜ガラス

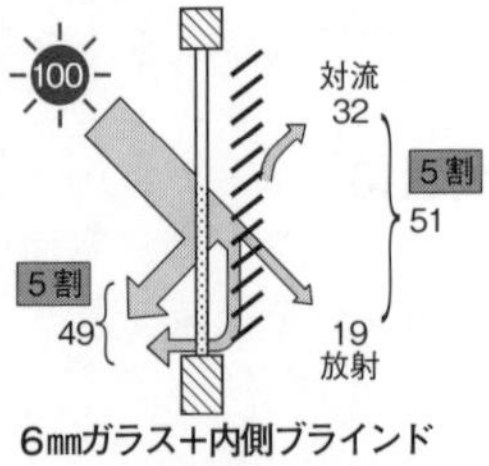

6㎜ガラス＋内側ブラインド

1-4

採光及び照明に関する記述として、**適当**か、**不適当**か、判断しなさい。

Check □□□

問題 1

全天空照度とは、天空光が遮蔽されることのない状況で、直射日光を除いた全天空による、ある点の水平面照度をいう。

Check □□□

問題 2

光度とは、反射面を有する受照面の光の面積密度をいう。

Check □□□

問題 3

昼光による室内の採光では、一般に天空光を活用することを考える。

Check □□□

問題 4

昼光率とは、全天空照度に対する室内のある点の天空光による照度の比をいう。

Check □□□

問題 5

ある点における間接昼光率は、壁や天井などの室内表面の反射率の影響を受ける。

Check □□□

問題 6

形状と面積が同じ側窓は、その位置を高くしても、昼光による室内の照度分布の均斉度は変わらない。

Check □□□

問題 7

人工照明は、人工光源の直接光と反射光を利用して行われる。

Check □□□

問題 8

グレアとは、高輝度な部分、極端な輝度対比や輝度分布などによって感じられるまぶしさをいう。

解　説

問題1　正しい

関連 照度とは、受照面の単位面積当たりの入射光束をいう。

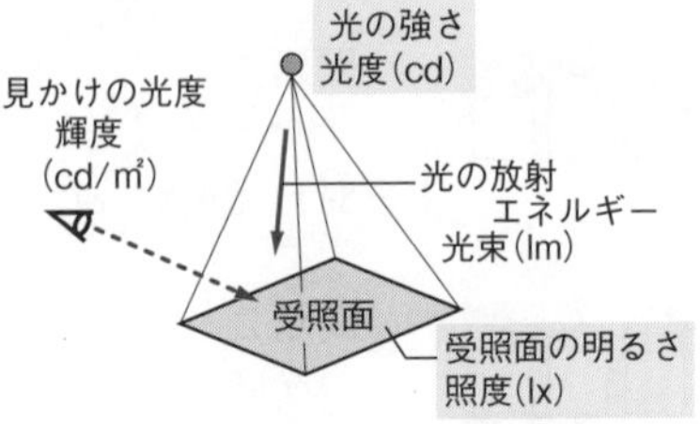

問題2　誤り

光度とは、点光源のある方向の光の強さを示す量をいう。

問題3　正しい
問題4　正しい
問題5　正しい

【参考】
室内の採光計画においては、一般に、変動しない明るさの指標である昼光率を用いる。

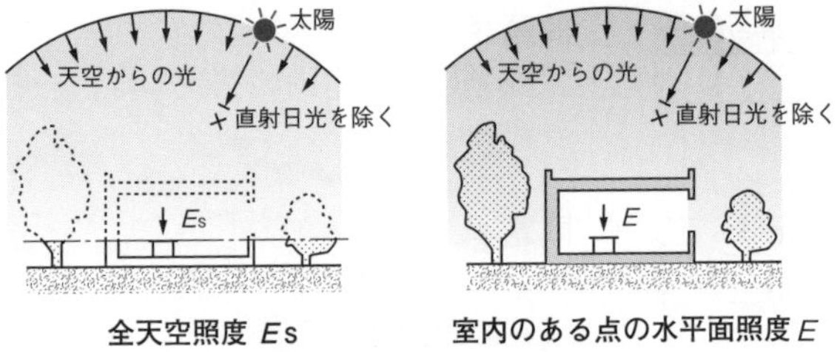

$$昼光率D=\frac{E}{E_s}\times 100\ (\%)$$

問題6　誤り

均斉度は、室内の明るさが均一かどうかを知るための指標で、室内の最大照度と最小照度の比である。窓が**高い**位置にあるほど窓付近と室奥との照度差が少なくなるため明るさが均一となり**均斉度**が**上がる**。窓が低い位置にある場合は、窓直下の照度が最大となり室奥に行くにしたがって急激に照度が小さくなるため、照度差が大きく均斉度は小さくなる。

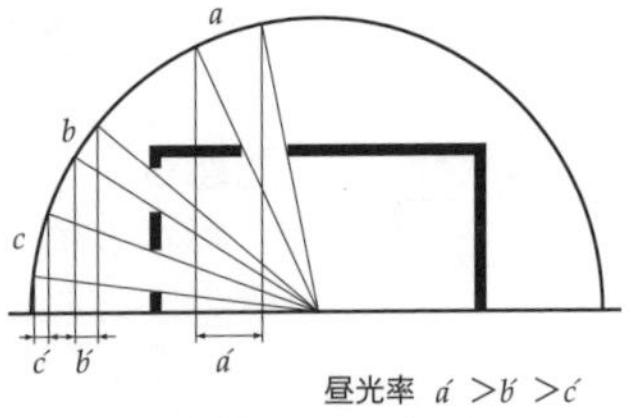

室中心付近の昼光率

関連 **天窓**は側窓に比べて採光量や照度分布等が**優れている**。建築基準法では、天窓の面積は側窓の3倍の面積に相当するとみなす。

問題7　正しい
問題8　正しい

【参考】日本産業規格(JIS)に定める人工照明による照度基準

- 事務所の製図室⇨ 500 ～ 1,000 lx
- 学校の廊下⇨ 75 ～ 150 lx
- **劇場**や映画館などのロビー⇨ **150 ～ 300 lx**
- 事務所の屋内非常階段⇨ 30 ～ 75 lx

1-5 音に関する記述として、**適当**か、**不適当**か、判断しなさい。

Check □□□

問題1

室内の向かい合う平行な壁の吸音性が高いと、フラッターエコーが発生しやすい。

Check □□□

問題2

障害物が音波の波長より小さいと、音波が障害物の背後に回り込む現象を回折という。

Check □□□

問題3

聞こうとしている音が、それ以外の音の影響によって聞きにくくなることをカクテルパーティ効果という。

Check □□□

問題4

無指向性の点音源からの音の強さは、音源からの距離の２乗に反比例する。

Check □□□

問題5

同じ音圧レベルの騒音源が２つになった場合、音圧レベルは１つの場合より約３dB大きくなる。

Check □□□

問題6

室内騒音の程度を評価するためにＮＣ値が用いられるが、ＮＣ値は大きいほど静かに感じる。

Check □□□

問題7

吸音率は、壁などの境界面に入射する音のエネルギーに対する反射されなかった音のエネルギーの比で表される。

Check □□□

問題8

同じ透過損失の値をもつ２枚の壁を一定の距離以上離すと、１枚の時に比べて透過損失は２倍の値となる。

Check □□□

問題9

コンクリート間仕切壁の音の透過損失は、一般に高周波数域より低周波数域のほうが大きい。

Check □□□

問題10

残響時間とは、音が鳴りやんでから、はじめの音圧レベルより60ｄＢ減衰するのに要する時間のことをいう。

解説

問題1　誤り

室内の天井と床、両側壁などが互いに平行でかつ反射材料でできている場合、音の反射が規則的に繰り返され、二重、三重に聞こえる現象を、**フラッターエコー**（鳴き竜）という。室内の向かい合う平行な壁の**吸音性**が**高い**と、**発生しにくい**。

関連
- 直接音から1/20秒以上遅れて大きな反射音があることによって、音が二重に聞こえる現象を**エコー**（反響）という。
- 同じ周波数の音波が２つ同時に存在するとき、全体の音圧が同位相の場合大きくなり、逆位相の場合、小さくなる現象を**干渉**という。

問題2　正しい

関連　音波の**回折**現象は、障害物がその波長より小さいと起こりやすい。

問題3　誤り

カクテルパーティ効果とは、２つ以上の音を同時に聞いているとき、その中の１つの音を選択して、聴取できることをいう。設問の記述は、**マスキング現象**。

関連　**マスキング効果**は、マスキングする音とマスキングされる音の**周波数が近い**ほど**大きい**。

問題4　正しい（右図）　**問題5　正しい**

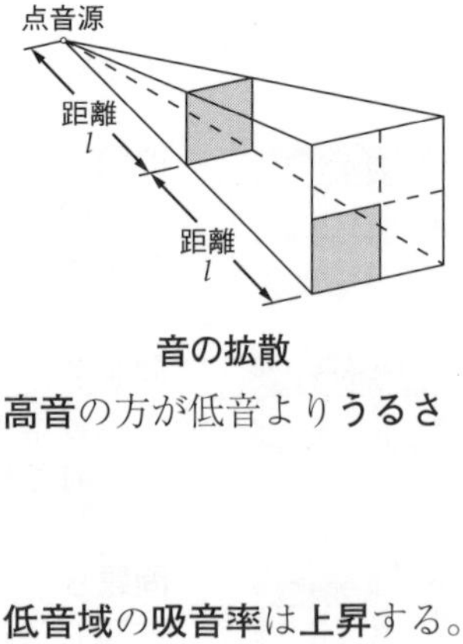

音の拡散

問題6　誤り

騒音のオクターブバンドごとの音圧レベルの測定結果を図にプロットしてすべての点を上回る最小の曲線をＮＣ値と呼び、**大きい**ほど許容する騒音は**うるさく**感じる。

関連　騒音の感じ方は、同じ音圧レベルでも、一般に**高音**の方が低音より**うるさく**感じる。

問題7　正しい

関連　剛壁と多孔質材料との間に空気層を設けると、**低音域**の**吸音率**は**上昇**する。

問題8　正しい

関連　床衝撃音レベルの遮音等級を表す**Ｌ値**は、値が**小さい**ほど**遮音性能**が**高い**。

問題9　誤り

コンクリート間仕切壁の**透過損失**は、低周波数域より**高周波数域**の方が**大きい**。

関連　単層壁の透過損失は、一般に壁の面密度が大きいほど大きくなる。

問題10　正しい

関連　**残響時間**は、**室容積**に**比例**し、室内の**総吸音力**に**反比例**する。

1-6

マンセル表色系に関する記述として、**適当**か、**不適当**か、判断しなさい。

Check □□□

問題 1

マンセル色相環において、対角線上にある２つの色は、補色の関係にある。

Check □□□

問題 2

明度は、色の明るさを表し、理想的な黒を10、理想的な白を０として、10段階に分けている。

Check □□□

問題 3

彩度は、色の鮮やかさの程度を表し、マンセル色立体では、無彩色軸からの距離で示す。

Check □□□

問題 4

鮮やかさが増すにつれて、彩度を表す数は大きくなる。

Check □□□

問題 5

マンセル記号「５Ｙ８/10」のうち、数値「８」は明度を表す。

Check □□□

問題 6

「５Ｒ６/10」の記号のうち、「５Ｒ」は色相を表す。

解説

問題１　正しい

マンセル色相環では、ＲとＢＧ、ＹＲとＢ等のように向い合せの色どうしは補色になっており、向い合う色相は、混色すると無彩色になる。⇨ 右図

問題２　誤り

マンセル表色系では、無彩色は記号Ｎと明度だけで表す。

〔例〕白：Ｎ９、灰：Ｎ５、黒：Ｎ１

明度は**理想的な黒を０、理想的な白を 10** として、０～10 の **11 段階**に分ける。しかし、実際には理想的な黒や白は得られないので１～９の値になる。

問題３　正しい

中心の無彩色軸から距離が離れるほど、鮮やかさが増す。

問題４　正しい

中心の彩度は０であり、中心から離れるほど鮮やかさが増し、数値も大きくなる。

問題５・６　正しい

マンセル記号「５Ｙ８/10」とは、「**色相・明度／彩度**」を表し、５Ｙは色相、８は明度、10 は彩度を示している。

同様に、「５Ｒ６/10」とは、５Ｒは色相、６は明度、10 は彩度を示している。

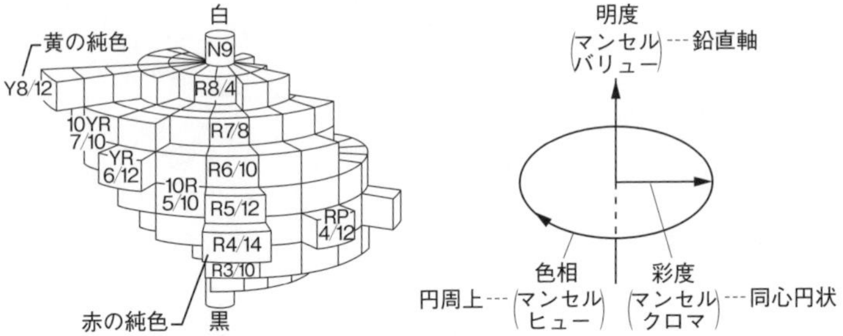

マンセル色立体

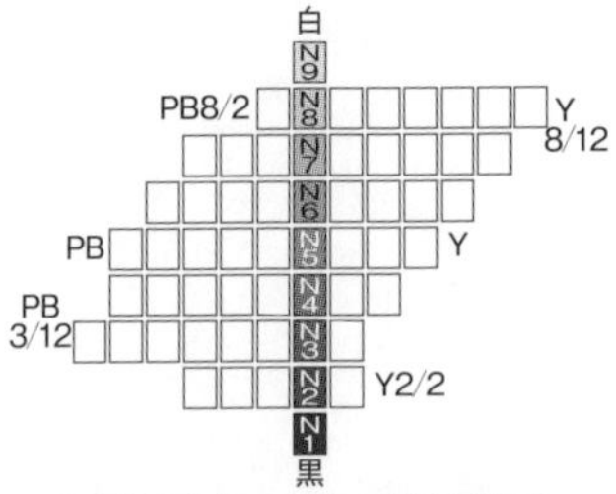

明度軸を中心に左右に補色関係の2つの色相が各明度・彩度で現れる。

マンセル色立体（垂直断面）

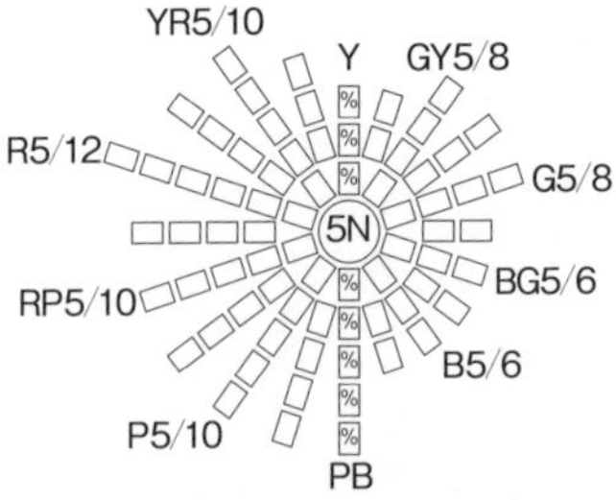

各色相・彩度の等明度断面が現れる。

マンセル色立体（水平断面）

2　一般構造

2-1

建築物に加わる荷重、外力に関する記述として、**適当**か、**不適当**か、判断しなさい。

Check □□□

問題1

固定荷重は、容易に取り外したり移動することのない建築物の構成部分の重さによる荷重であり、これには仕上材の荷重を含めない。

Check □□□

問題2

劇場、映画館等の客席の積載荷重は、固定席の方が固定されていない場合より小さい。

Check □□□

問題3

積雪荷重は、積雪の単位荷重に屋根の水平投影面積及びその地方における垂直積雪量を乗じて計算する。

Check □□□

問題4

風圧力を求めるために用いる風力係数は、建築物の外圧係数と内圧係数の積により算出する。

Check □□□

問題5

基準風速V_0はその地方の再現期間50年の10分間平均風速値に相当する。

Check □□□

問題6

外装材用風荷重は、建築物の構造骨組用風荷重に比べ、単位面積当たりの値は小さくする。

Check □□□

問題7

地震層せん断力は、２階に生じる地震層せん断力より１階に生じる地震層せん断力の方が大きい。

Check □□□

問題8

保有水平耐力計算において、多雪区域の積雪時における長期応力度計算に用いる荷重は、固定荷重と積載荷重の和に、積雪荷重に0.7を乗じた値を加えたものである。

解説

問題1　誤り

固定荷重には、取り外したり移動することのない**仕上材も含める**。

問題2　正しい

問題3　正しい

関連 **雪止めが無い**屋根の積雪荷重は、屋根勾配が**60度を超える**場合には**0とする**ことができる。

問題4　誤り

風力係数＝閉鎖型及び開放型の建築物の外圧係数（C_{pe}）－閉鎖型及び開放型の建築物の内圧係数（C_{pi}）で算出されるので、積ではなく**差**である。

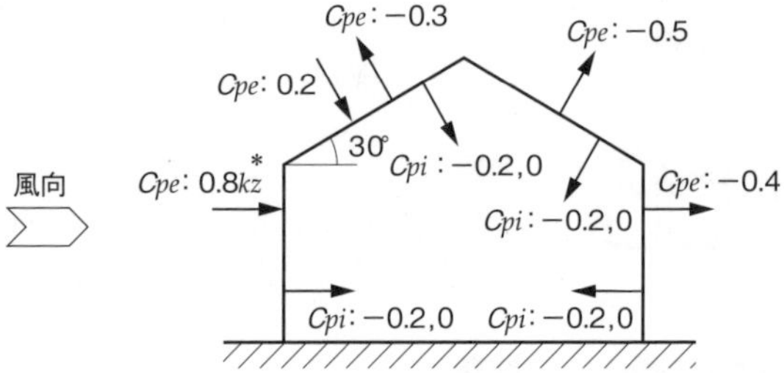

問題5　正しい

関連 防風林などにより風を有効にさえぎることができる場合、風荷重は低減することができる。

問題6　誤り

外装材用風荷重は、風圧の最大値に対するもので、構造骨組用風荷重の風圧の平均値とするものに比べ、**単位面積当たりの値は大きい**。

問題7　正しい

関連 **多雪区域**における地震層せん断力は、固定荷重、積載荷重及び**積雪荷重**の和に地震層せん断力係数を乗じて計算する。

問題8　正しい

2-2 基礎構造に関する記述として、**適当**か、**不適当**か、判断しなさい。

〈直 接 基 礎〉

Check □□□

問題1

建物に水平力が作用するときは、基礎の滑動抵抗の検討を行う。

Check □□□

問題2

地盤の調査深度は、基礎スラブの大きさや形状を考慮して決める。

Check □□□

問題3

圧密沈下の許容値は、独立基礎の方がべた基礎に比べて大きい。

〈杭　基　礎〉

Check □□□

問題4

支持杭を用いた杭基礎の許容支持力には、基礎スラブ底面における地盤の支持力は加算しない。

Check □□□

問題5

埋込み杭は、打込み杭に比べて極限支持力に達するまでの沈下量が大きい。

Check □□□

問題6

支持杭を用いた杭基礎の場合、杭周囲の地盤沈下によって杭周面に働く正の摩擦力を考慮する。

Check □□□

問題7

地盤から求める単杭の引抜き抵抗力には、杭の自重から地下水位以下の部分の浮力を減じた値を加えることができる。

Check □□□

問題8

群杭の杭１本当たりの水平荷重は、同じ杭頭水平変位の下では、一般に単杭の場合に比べて小さくなる。

Check □□□

問題9

既製コンクリート杭の鉛直支持力を求める方法としては、杭の載荷試験が最も信頼できる。

Check □□□

問題10

既製コンクリート杭における杭と杭の中心間隔は、杭径が同じ場合、打込み杭の方が埋込み杭より小さくすることができる。

解説

問題1　正しい

問題2　正しい

関連 基礎底面の面積が同じであっても、その形状が正方形と長方形とでは、地盤の許容応力度は異なる。

問題3　誤り

圧密沈下の許容値は、独立基礎の場合5cm、べた基礎の場合15cmとされており、**独立基礎**の方がべた基礎より**小さい**。

関連 **基礎梁の剛性**を**大きく**することにより、基礎フーチングの沈下を平均化できる。

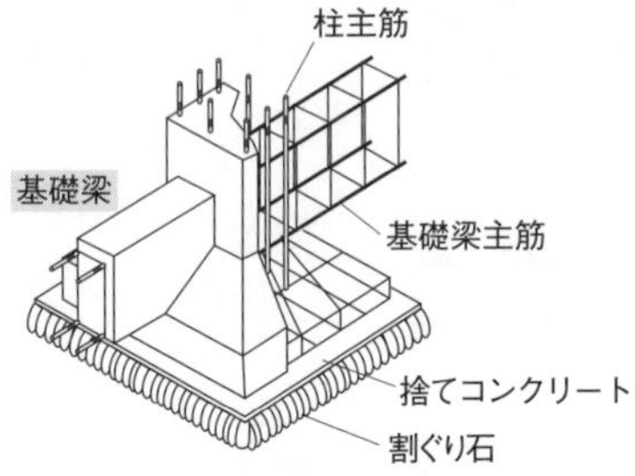

問題4・5　正しい

関連 杭の**極限鉛直支持力**は、極限**先端支持力**と極限**周面摩擦力**との和で表す。

問題6　誤り

支持杭を用いた杭基礎の場合、杭周囲の地盤沈下によって杭周面には**下向き**の摩擦力が働く（**負の摩擦力**）。杭の支持力を計算する場合に考慮する。

関連 杭周囲の地盤に沈下が生じると、杭に作用する**負の摩擦力**は、一般に摩擦杭より**支持杭**のほうが**大きい**。

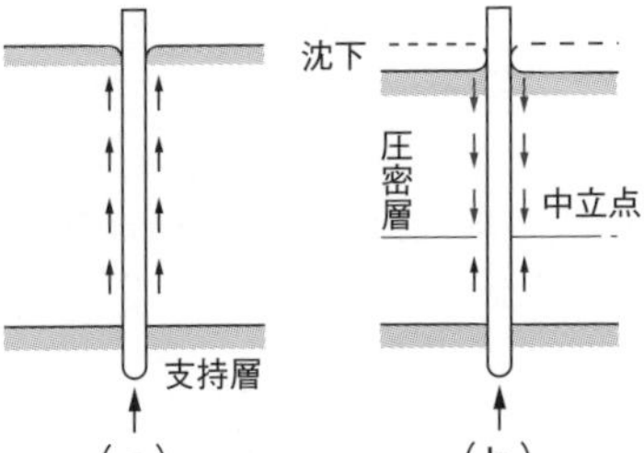

（a）　（b）

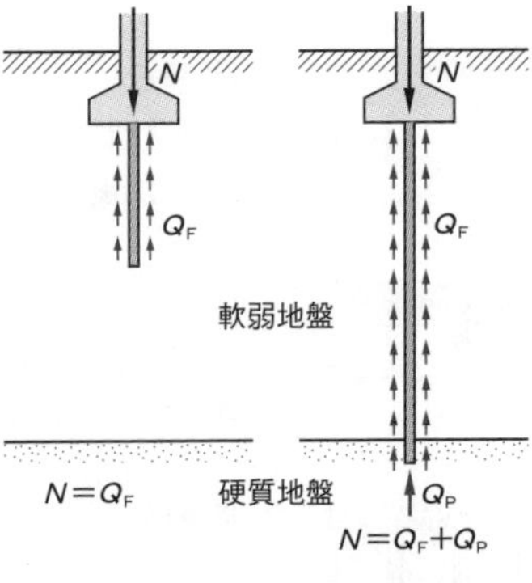

摩擦杭　支持杭

問題7　正しい

問題8　正しい

関連 地震時に杭が**曲げ破壊**する場合には、破壊は一般に**杭上部**に発生しやすい。

問題9　正しい

問題10　誤り

打込み杭の中心間隔は、杭頭部の径の2.5倍以上、かつ75cm以上であり、埋込み杭の中心間隔は、杭最大径の２倍以上で、**打込み杭**の方が**杭の中心間隔**は**大きく**なる。

2-3 鉄筋コンクリート構造に関する記述として、**適当**か、**不適当**か、判断しなさい。

〈 梁 〉

Check □□□

問題1

一般に梁の圧縮鉄筋は、じん性の確保やクリープによるたわみの防止に有効である。

Check □□□

問題2

梁のあばら筋にD10の異形鉄筋を用いる場合、その間隔は梁せいの1/2以下、かつ、250㎜以下とする。

Check □□□

問題3

大梁は大地震に対してねばりで抵抗させるため、原則として、両端での曲げ降伏がせん断破壊に先行するよう設計される。

Check □□□

問題4

梁に貫通孔を設けた場合の構造耐力の低下は、せん断耐力より曲げ耐力の方が著しい。

〈 柱 〉

Check □□□

問題5

普通コンクリートを使用する場合、柱の小径は、原則としてその構造耐力上主要な支点間の距離の1/15以上とする。

Check □□□

問題6

柱の主筋の断面積の和は、コンクリートの断面積の0.4%以上とする。

Check □□□

問題7

帯筋比は、0.2%以上とする。

Check □□□

問題8

柱は、地震時のぜい性破壊の危険を避けるため、軸方向圧縮応力度が大きくなるように計画する。

Check □□□

問題9

柱の変形能力を高めるため、曲げ降伏強度がせん断強度を上回るように計画する。

Check □□□

問題10

同一階に同一断面の長柱と短柱が混在する場合は、地震時に短柱の方が先に破壊しやすい。

解 説

問題1～3　正しい

関連 梁の**せん断耐力**は、一般に**あばら筋量**を**増やす**ことにより**増加**する。

問題4　誤り

梁に貫通孔を設けると、コンクリートの有効断面積が減少し、曲げ耐力より**せん断耐力の低下**の方が**著しい**。

関連 梁に２個以上の**貫通孔**を設ける場合、**孔径**は**梁せいの１/３以下**、**中心間隔**は**孔径の３倍以上**とするのがよい。

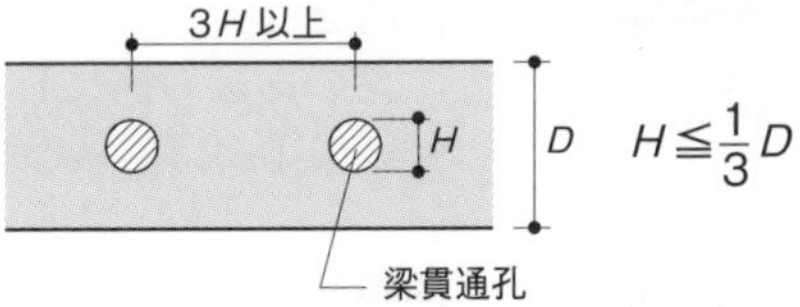

問題5　正しい ⇨ 右図

問題6　誤り

柱の主筋の**断面積の和**は、コンクリート断面積の**0.8%以上**とする。

関連 柱の**引張鉄筋比**が**大きく**なると、**付着割裂破壊**が**生じやすく**なる。

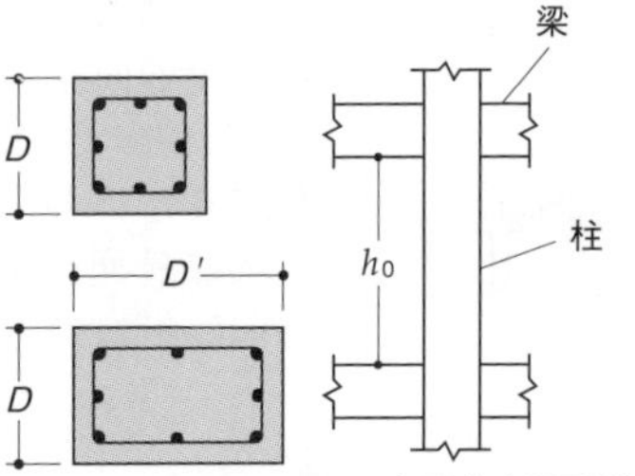

h_0：主要支点間距離

●普通コンクリート：$D \geqq \frac{h_0}{15}$

●軽量コンクリート：$D \geqq \frac{h_0}{10}$

問題7　正しい

関連 **柱の靭性を確保**するためには、**帯筋**の径を太くするよりも、**間隔を密に**することや中子筋を用いることが有効である。

問題8　誤り

柱の軸方向圧縮応力度が大きい場合、地震力に対して変形能力が小さくなり、脆性破壊の危険性が高くなるため、**軸方向圧縮応力度**を**小さく**して、柱の**じん性**を**高める**。

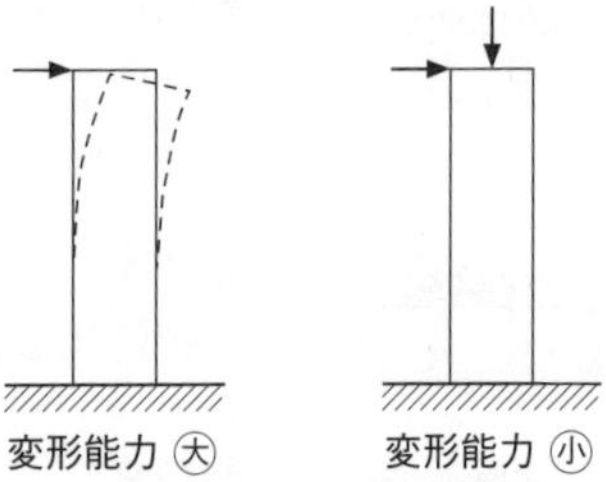

問題9　誤り

柱の曲げ降伏強度がせん断強度を上回ると、せん断破壊を起こしやすい柱となるので、**せん断耐力**は**曲げ耐力**を**上回る**ように計画する。

関連 柱のじん性を確保するため、**短期軸方向力**を柱のコンクリート**全断面積**で除した値は、コンクリートの**設計基準強度**の**１/３以下**とする。

問題10　正しい

【参考】柱梁接合部

柱梁接合部内の**帯筋間隔**は、原則として**150㎜以下とし、かつ、隣接する柱の帯筋間隔の1.5 倍以下**とする。

2-4 鉄筋コンクリート構造に関する記述として、**適当**か、**不適当**か、判断しなさい。

〈耐　力　壁〉

Check □□□

問題1

耐震壁は、地震時にねじれ変形が生じないよう、建物の重心と剛心との距離が小さくなるように配置する。

Check □□□

問題2

耐震壁の剛性評価に当たっては、曲げ変形、せん断変形を考慮するが、回転変形は考慮しない。

Check □□□

問題3

耐震壁の立面配置は、耐震計画上、市松模様状に分散して配置することは望ましくない。

Check □□□

問題4

腰壁、垂れ壁、そで壁等は、柱及び梁の剛性やじん性への影響を考慮して計画する。

〈配筋・その他〉

Check □□□

問題5

異形鉄筋相互のあきは、呼び名の数値の1.5倍、粗骨材の最大寸法の1.25倍、25㎜のうち最も大きな数値以上とする。

Check □□□

問題6

柱に用いるスパイラル筋の重ね継手の長さは、50ｄ（ｄは呼び名の数値、又は鉄筋径）以上、かつ300㎜以上とする。

Check □□□

問題7

梁主筋を柱にフック付き定着とする場合、定着長さは鉄筋末端のフックを含めた長さとする。

Check □□□

問題8

平面的に長大な建物には、コンクリートの乾燥収縮や不同沈下等の問題が生じやすいので、エキスパンションジョイントを設ける。

Check □□□

問題9

煙突等の屋上突出部は、剛性が急変するため大きな地震力が作用するので、設計震度を増大させて計画する。

解　説

問題1　正しい

関連　地震時の応力集中による変形・損傷を避けるため、**各階の剛性**に大きな**偏りがない**ように計画する。

問題2　誤り

耐震壁の剛性評価に当たっては、**曲げ変形**、**せん断変形**に加え、**回転変形も考慮**する必要がある（基礎の回転が、耐震壁の剛性に対して非常に大きな影響を与えるため）。

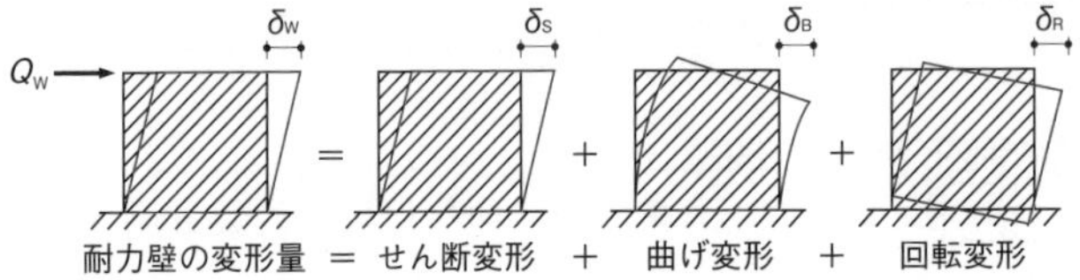

問題3　誤り

耐震壁の立面配置は、**上下同一位置**に配置するか、**市松模様状**に分散させ、**バランスよく配置**する。

問題4　正しい

関連　垂れ壁や腰壁により**短柱**となった柱は、水平力が集中するので、壁と柱の間を構造的に**絶縁**するなど考慮する。

問題5　正しい

問題6　正しい

問題7　誤り

鉄筋の定着や重ね継手においてフックをつける場合には、**鉄筋末端部のフック部分を含まない**ものとする。

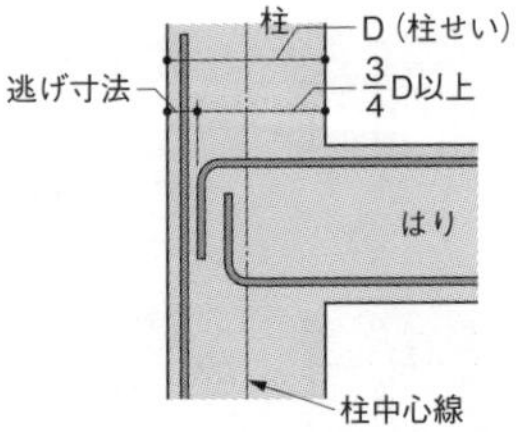

関連　梁主筋を外柱にフック付き定着とする場合、鉄筋の**折曲げ起点**は**柱せいの3/4倍以上**のみ込ませた位置とする。

問題8　正しい

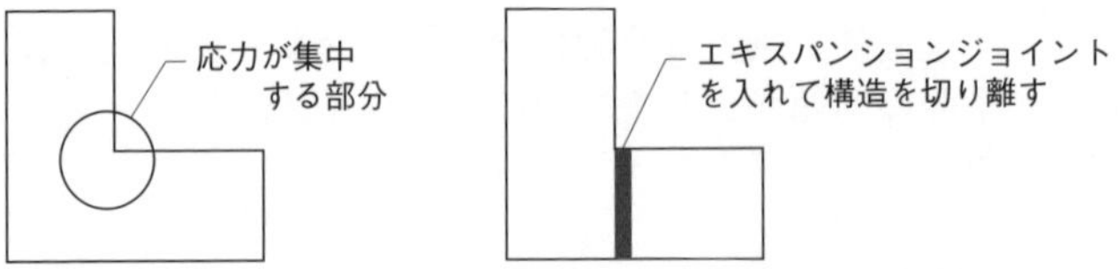

関連　建物に設けるエキスパンションジョイント部の**あき寸法**は、建物相互の変形量や建物の**高さを考慮**する。

問題9　正しい

2-5　鉄骨構造に関する記述として、**適当**か、**不適当**か、判断しなさい。

Check □□□

問題1
梁の材質をＳＮ400からＳＮ490に変えても、荷重条件が同一ならば、梁のたわみは同一である。

Check □□□

問題2
圧縮材は、細長比が小さいものほど座屈しやすい。

Check □□□

問題3
荷重点スチフナーは、Ｈ形鋼の大梁と小梁の接合部などに、大梁の座屈補強のために設けられる。

Check □□□

問題4
中間スチフナは、梁の材軸と直角方向に配置し、主としてウェブプレートのせん断座屈補強として用いる。

Check □□□

問題5
構造用鋼管は、曲げモーメントに対して横座屈を生じにくい。

Check □□□

問題6
角形鋼管柱とＨ形鋼梁の剛接合の仕口部には、ダイアフラムを設けて力が円滑に流れるようにする。

Check □□□

問題7
根巻き柱脚は、露出柱脚よりも高い回転拘束をもつ柱脚が構成できる。

Check □□□

問題8
高層建築、大型工場など大規模な構造物で、圧縮と引張りに抵抗する筋かいには、一般にＨ形鋼や鋼管が用いられる。

Check □□□

問題9
引張材の接合を高力ボルト摩擦接合とする場合は、母材のボルト孔による欠損を考慮して、引張応力度を計算する。

Check □□□

問題10
部材の引張力によってボルト孔周辺に生じる応力集中の度合は、普通ボルト接合の場合より高力ボルト摩擦接合の方が少ない。

解　説

問題１　正しい

問題２　誤り

細長比λは、次式で求められる。

$$細長比(\lambda)=\frac{座屈長さ(l_k)}{断面二次半径(i)}$$

座屈長さが大きくなるほど、また、断面二次半径が小さくなるほど、細長比は大きくなる。したがって、細長い圧縮材となり、**細長比が大きい**ほど、**座屈しやすい**。

問題３・４　正しい

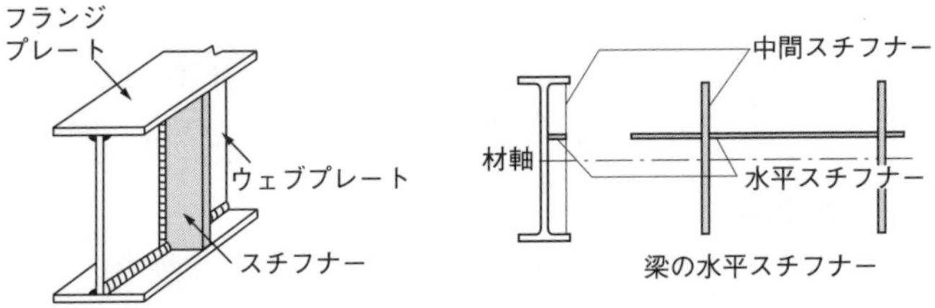

関連　H形鋼梁の材軸に直角方向に配置する中間スチフナは、局部座屈の補強として用いる。

問題５　正しい

問題６　正しい

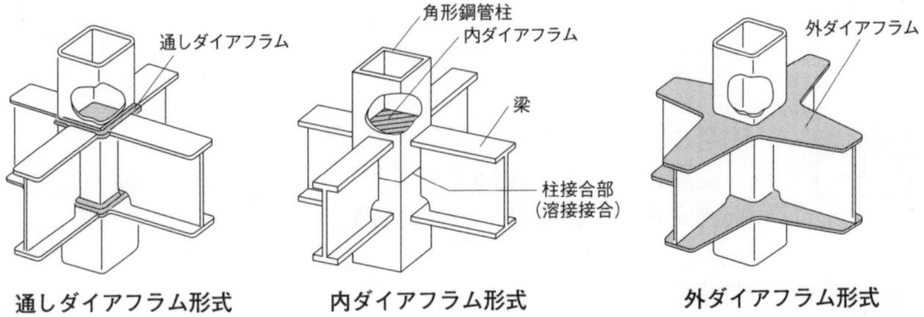

問題７　正しい

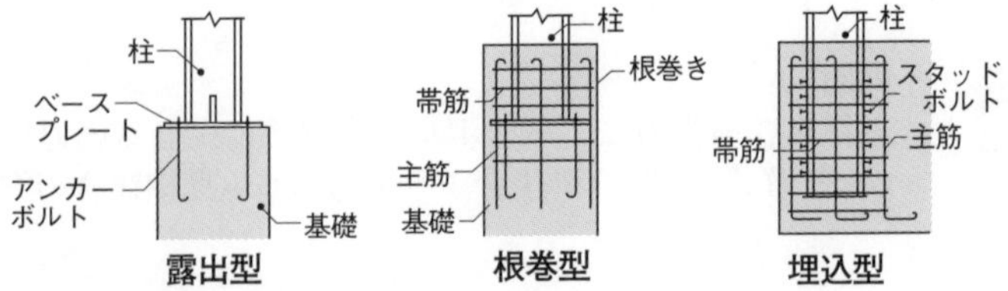

問題８～10　正しい

2-6

鉄骨構造の接合に関する記述として、**適当**か、**不適当**か、判断しなさい。

〈高力ボルト接合〉

Check □□□

問題1

高力ボルトの相互間の中心距離は、ボルト径の２倍以上とする。

Check □□□

問題2

せん断応力のみを受ける高力ボルト摩擦接合の場合、繰返し応力によるボルトの疲労を考慮する必要がある。

Check □□□

問題3

高力ボルト摩擦接合における許容せん断力は、二面摩擦の場合は、一面摩擦の１/２である。

Check □□□

問題4

引張力とせん断力を同時に受ける高力ボルトの許容せん断応力度は、引張力を受けないときの許容値より低減させる。

〈溶　　接〉

Check □□□

問題5

応力を伝達させる主な溶接継目の形式は、完全溶込み溶接、部分溶込み溶接、隅肉溶接とする。

Check □□□

問題6

片面溶接による部分溶込み溶接は、継目のルート部に、曲げ又は荷重の偏心による付加曲げによって生じる引張応力が作用する箇所に使用してはならない。

Check □□□

問題7

十分な管理が行われる場合、完全溶込み溶接の許容応力度は、接合される母材の許容応力度とすることができる。

Check □□□

問題8

スカラップは、溶接線の交差による割れ等の溶接欠陥や材質劣化を防ぐために設けられる。

Check □□□

問題9

溶接と高力ボルトを併用する継手で、溶接を先に行う場合は両方の許容耐力を加算してよい。

解　説

問題１　誤り

高力ボルト、ボルト又はリベットの相互間の**中心距離**は、その径の**2.5 倍以上**としなければならない。

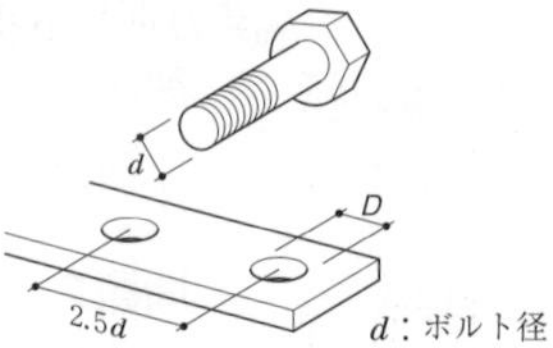

ボルト径と孔径

問題２　誤り

高力ボルト摩擦接合は、被接合部分に繰返しのせん断力を受けても、高力ボルトの応力は変動しないので、**疲労**による**低減**は**しない**。

問題３　誤り

高力ボルト摩擦接合の長期及び短期応力に対する許容せん断力は、**二面摩擦**の場合、**一面摩擦の２倍**である。

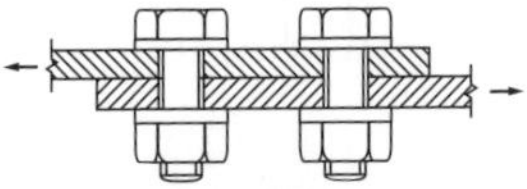
１面摩擦

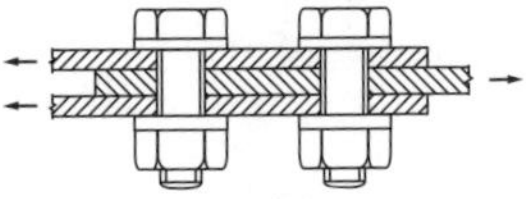
２面摩擦

	許容せん断応力度（N/ mm^2）	
	長期に生ずる力	短期に生ずる力
一面せん断	0.3 T_0	長期に生ずる力の 1.5 倍
二面せん断	0.6 T_0	

関連　高力ボルトの摩擦接合面は、**自然発生の赤錆**状態であれば、**すべり係数0.45**を確保できる。

問題４　正しい

問題５　正しい

問題６　正しい　⇨ 右図

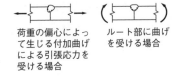

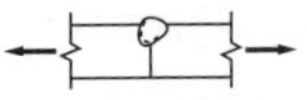
荷重の偏心によって生じる付加曲げによる引張応力を受ける場合

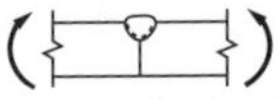
ルート部に曲げを受ける場合

問題７　正しい

関連　完全溶込み溶接によるＴ継手の余盛は、溶接部近傍の応力集中を緩和する上で重要である。

問題８　正しい　⇨ 右図

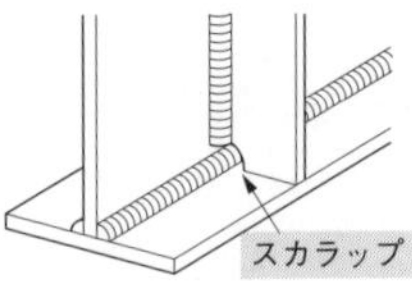

問題９　誤り

溶接と高力ボルトの併用継手の場合、**高力ボルト**の締付け**を先**に、溶接を後に行う場合は、**両方**の許容耐力を**加算**することが**できる**。

3　建築材料

3-1

セメント・骨材・コンクリートに関する記述として、**適当**か、**不適当**か、判断しなさい。

Check □□□

問題１

セメントは、時間の経過とともに水和反応が進行し、強度が発現していく水硬性材料である。

Check □□□

問題２

中庸熱ポルトランドセメントは、水和熱の発生を少なくするようにつくられたセメントである。

Check □□□

問題３

高炉セメントＢ種を用いたコンクリートは、普通ポルトランドセメントを用いたものに比べ、化学的な作用や海水に対する耐久性が高い。

Check □□□

問題４

フライアッシュセメントＢ種は、普通ポルトランドセメントに比べて、水和熱が小さく、マスコンクリートに適している。

Check □□□

問題５

セメントの貯蔵期間が長いと、空気中の水分や二酸化炭素を吸収し、風化による品質劣化を起こしやすい。

Check □□□

問題６

セメント粒子の細かさは、比表面積（ブレーン値）で示され、その値が小さいほど、凝結や強度発現は早くなる。

Check □□□

問題７

単位水量の小さいコンクリートほど、乾燥収縮が小さくなる。

Check □□□

問題８

コンクリートにＡＥ剤を混入すると、凍結融解作用に対する抵抗性が改善される。

Check □□□

問題９

コンクリートのヤング係数は、圧縮強度が大きくなるほど、小さくなる。

解説

問題1　正しい

関連 **ポルトランドセメント**は、セメントクリンカーに**凝結時間調整用**のせっこ**う**を加え、粉砕してつくられる。

問題2～5　正しい

問題6　誤り

比表面積は、セメント粒子の細かさを示す値で、値が**大きい**ほど**細かく**、**早期強度**が**大きい**。

関連 **早強ポルトランドセメント**は、比表面積(ブレーン値)を**大きく**して、**早期強度**を**高めた**セメントである。

問題7　正しい

単位水量の少ないコンクリートを用いることにより、コンクリートの乾燥収縮率は小さくなり、ブリーディング、打込み後の沈降等を防ぐことができる。

関連 **単位セメント量**が**過大**なコンクリートは、**ひび割れ**が**発生しやすい**。

問題8　正しい

関連 空気量が１％増加すると、コンクリートの圧縮強度は４～６％低下する。

問題9　誤り

コンクリートの**ヤング係数**は、

$$E = 3.35 \times 10^4 \times \left(\frac{\gamma}{24}\right)^2 \times \left(\frac{F_C}{60}\right)^{\frac{1}{3}}$$

で求められ、**圧縮強度**（設計基準強度：F_C）と、気乾単位容積重量（γ）が**大きく**なれば、**ヤング係数**も**大きく**なる。

【参考】アルカリ骨材反応（アルカリシリカ反応）

- ●コンクリートの圧縮強度を大きくしても、アルカリ骨材反応の抑制効果はない。
- ●**アルカリ骨材反応を抑制**するため、
  - 普通ポルトランドセメントを使用する場合、コンクリート１m^3中に含まれるアルカリの総量(酸化ナトリウム換算)を3.0kg以下とする。
  - 低アルカリ形のポルトランドセメントを使用する。
  - 高炉セメントを用いる場合、Ｂ種又はＣ種を使用する。
  - アルカリシリカ反応性試験で無害と判定された骨材を使用する。

3-2 鋼材に関する記述として、**適当**か、**不適当**か、判断しなさい。

Check □□□

問題1
引張応力とひずみは、下降伏点まで比例関係にある。

Check □□□

問題2
炭素量が増加すると、引張強さと伸びが増加する。

Check □□□

問題3
鋼にマンガンやケイ素を添加すると、溶接性が改善される。

Check □□□

問題4
ヤング係数は、コンクリートの約10倍である。

Check □□□

問題5
構造用鋼材には、主として軟鋼が用いられる。

Check □□□

問題6
引張強さは、250～300℃で最大となり、それ以上温度が上がると急激に低下する。

Check □□□

問題7
引張強さに対する降伏点の割合を降伏比と呼び、一般に高張力鋼になるとその値は大きくなる。

Check □□□

問題8
建築構造用圧延鋼材ＳＮ 400 Ａの数値400は、上降伏点を示す。

Check □□□

問題9
ＳＭ鋼は、モリブデン等の元素を添加することで耐火性を高めた鋼材である。

Check □□□

問題10
ＴＭＣＰ鋼は、熱加工制御により製造された、高じん性で溶接性に優れた鋼材である。

Check □□□

問題11
低降伏点鋼は、添加元素を極力低減した純鉄に近い鋼で、強度を低くし、延性を高めた鋼材である。

解　説

問題1　誤り

引張応力とひずみとの関係は、降伏点の手前の弾性域内の途中まで比例関係にあるが、弾性域内でも**比例限度**を過ぎると元には戻らず、ひずみが多少残る。

⇨ **右図参照**。

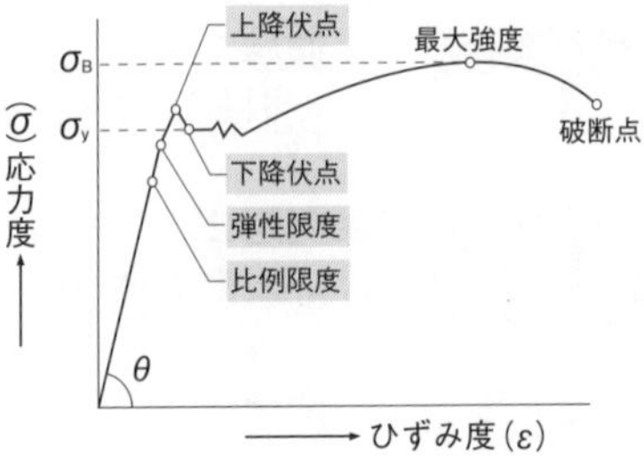

問題2　誤り

鋼材は、炭素量を増すと引張強度と硬度は増加するが、**じん性**や**伸び**は**低下**する。

⇨ **右図参照**。

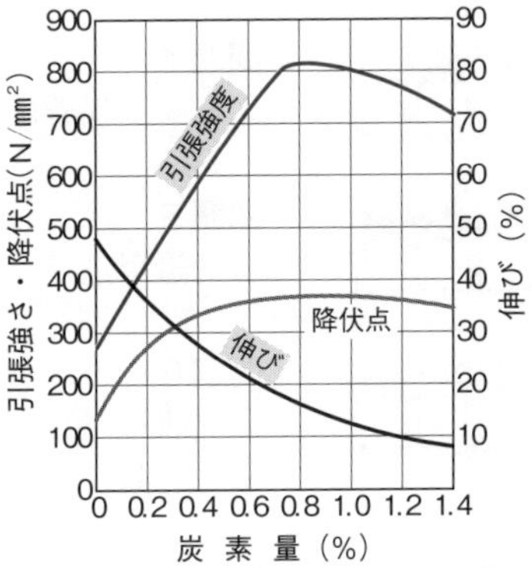

問題3　正しい

関連
- 銅を添加すると、耐候性・耐食性が改善される。
- クロムを添加すると、耐食性が向上する。
- モリブデンを添加すると、高温時の強度低下が少なくなる。

問題4～7　正しい

問題8　誤り

ＳＮ 400 Ａの数値 **400** は、**引張強さの下限値**を示す。

関連　ＳＮ鋼の**Ｂ種**及び**Ｃ種**は、炭素当量の上限を規定して**溶接性を改善**した鋼材である。

問題9　誤り

SM 鋼（溶接構造用圧延鋼材）は溶接性を考慮し、鋼材中の炭素を減らしてマンガン、ケイ素等の含有料を調整したもので、SS 鋼（一般構造用圧延鋼材）に比べて**溶接作業性に優れた鋼材**である。

問題10　正しい

問題11　正しい

3-3

建築用ガラスに関する記述として、**適当**か、**不適当**か、判断しなさい。

Check □□□

問題1

複層ガラスは、２枚のガラスの間に乾燥空気層を設けて密封したもので、結露防止に効果がある。

Check □□□

問題2

合わせガラスは、２枚以上のガラスをプラスチックフィルムで張り合わせたもので、防犯に効果がある。

Check □□□

問題3

熱線吸収板ガラスは、板ガラスの表面に金属皮膜を形成したもので、冷房負荷の軽減に効果がある。

Check □□□

問題4

強化ガラスは、板ガラスを熱処理してガラス表面に強い圧縮応力層を形成したもので、衝撃強度が高い。

Check □□□

問題5

倍強度ガラスは、フロート板ガラスを軟化点まで加熱後、両表面から空気を吹き付けて冷却し、耐風圧強度を約２倍程度に高めたガラスである。

Check □□□

問題6

型板ガラスは、ロールアウト法により、ローラーに彫刻された型模様をガラス面に熱間転写して製造された、片面に型模様のある板ガラスである。

解　説

問題１　正しい

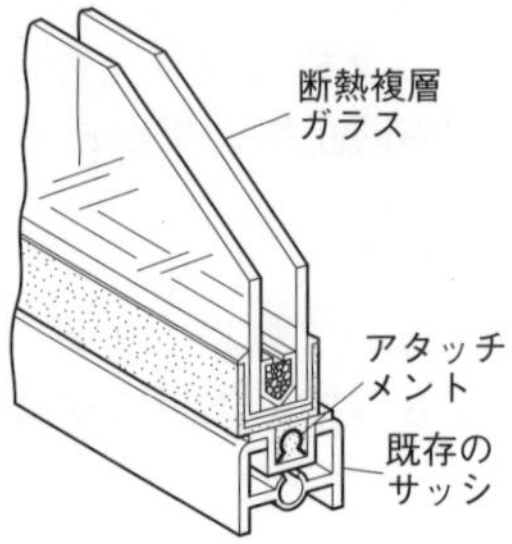

問題２　正しい

合わせガラスは、２枚以上のガラスの間に接着力の強い特殊フィルムを挟み、高温高圧で接着したガラスで、合成樹脂を注入し、接着するものもある。破損しても破片が飛び散らないようにしたものである。

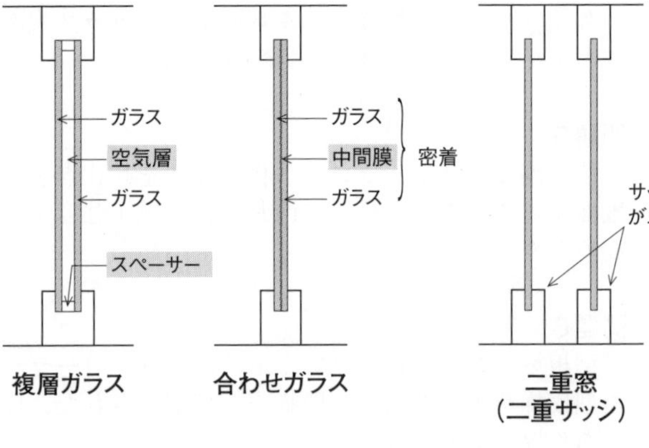

問題３　誤り

熱線吸収板ガラスは、ガラス原材料に日射吸収特性に優れた金属を加え着色し、主として近赤外領域を吸収する性能をもたせたガラスである。

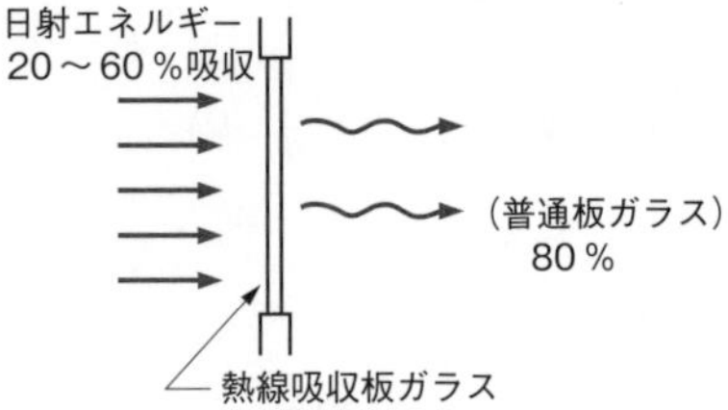

問題４　正しい

問題５　正しい

問題６　正しい

3-4 防水材料に関する記述として、**適当**か、**不適当**か、判断しなさい。

〈アスファルト防水材料〉

Check □□□

問題1

有機溶剤タイプのアスファルトプライマーは、ブローンアスファルトなどを揮発性溶剤に溶解したものである。

Check □□□

問題2

アスファルトルーフィング1500は、アスファルトを１巻当たり1,500ｇ浸透させたものである。

Check □□□

問題3

ストレッチルーフィングは、合成繊維不織布にアスファルトを浸透させたものである。

Check □□□

問題4

改質アスファルトルーフィングシートには、Ⅰ類とⅡ類があり、Ⅰ類の方が低温時の耐折り曲げ性がよい。

〈ウレタンゴム系塗膜防水材料〉

Check □□□

問題5

屋根用ウレタンゴム系防水材は、引張強さ、伸び率、抗張積などの特性によって、高伸長形(旧１類)と高強度形に区分される。

Check □□□

問題6

１成分形のウレタンゴム系防水材は、乾燥硬化によりゴム弾性のある塗膜を形成する。

Check □□□

問題7

２成分形ウレタンゴム系の塗膜防水材は、防水材と空気中の水分が反応して塗膜を形成する。

Check □□□

問題8

塗膜防水に用いる補強布は、必要な塗膜厚さの確保と立上り部や傾斜面における防水材の垂れ下がりの防止に有効である。

Check □□□

問題9

通気緩衝シートは、塗膜防水層の破断やふくれの発生を低減するために用いる。

解説

問題１　正しい

(類題) **フラースぜい化点**とは、低温時におけるアスファルトのぜい化温度を示し、その値の低いものほど低温特性のよいアスファルトといえる。

問題２　誤り

アスファルトルーフィング1500は、製品の**単位面積質量が1,500（g／㎡）以上**のものをいう。

問題３　正しい

関連 **ストレッチルーフィング1000**の数値1000は、製品の抗張積（引張強さと最大荷重時の伸び率との積）を表している。

問題４　誤り

改質アスファルトルーフィングシートには、温度特性によるⅠ類とⅡ類の区分があり、**Ⅱ類**の方が**低温時の耐折り曲げ性**が**よい**。

関連 **改質アスファルト**とは、合成ゴム又はプラスチックを添加して性質を改良したアスファルトである。

問題５　正しい

関連 屋根用ウレタンゴム系の塗膜防水材には、高伸長形(旧１類)と高強度形があり、**高伸長形**が主として**露出用**に用いられる。

問題６　誤り

１成分形のウレタンゴム系防水材は、**空気中の水分**を**硬化に利用**するものである。

問題７　誤り

２成分形ウレタンゴム系は、**主剤と硬化剤が反応硬化**してゴム弾性のある塗膜を形成するものである。

関連 ２成分形のウレタンゴム系防水材は、施工直前に主剤、硬化剤の２成分に、必要によって硬化促進剤、充填材などを混合して使用する。

問題８　正しい

関連 塗付けタイプゴムアスファルト系防水材は、ゴムアスファルトエマルションだけで乾燥造膜するものと、硬化剤を用いて反応硬化させるものがある。

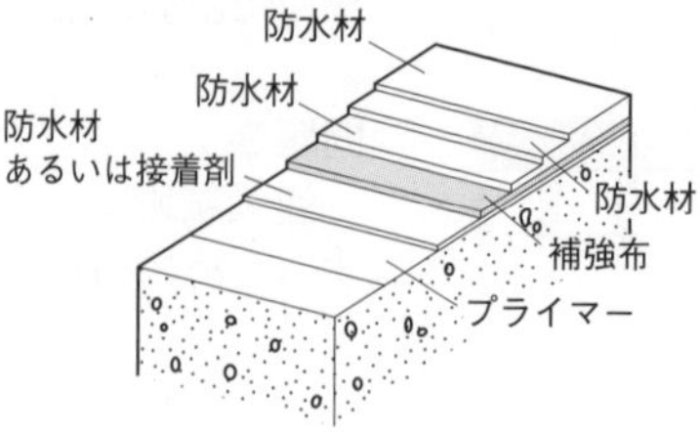

問題９　正しい

3-5

日本産業規格（JIS）による建築用シーリング材に関する記述として、**適当**か、**不適当**か、判断しなさい。

Check □□□

問題1

シーリング材のクラスは、目地に対する拡大率、縮小率などで区分されている。

Check □□□

問題2

シーリング材の引張応力による区分で、ＬＭは低モジュラスを表す。

Check □□□

問題3

シーリング材のタイプＦは、グレイジング以外の用途に使用するシーリング材である。

Check □□□

問題4

不定形シーリング材とは、施工時に粘着性のあるペースト状のシーリング材のことである。

Check □□□

問題5

１成分形シーリング材は、あらかじめ施工に供する状態に調製されているシーリング材である。

Check □□□

問題6

２成分形不定形シーリング材は、空気中の水分や酸素と反応して表面から硬化する。

Check □□□

問題7

２成分形シーリング材は、基剤と着色剤の２成分を施工直前に練り混ぜて使用するシーリング材である。

Check □□□

問題8

モジュラスとは、試験片に一定の伸びを与えたときの引張応力をいう。

Check □□□

問題9

２面接着とは、シーリング材が相対する２面で被着体と接着している状態をいう。

解説

問題１　正しい

問題２　正しい

問題３　正しい

関連 タイプＧはグレイジングに使用するシーリング材を指す。

問題４　正しい

問題５　正しい

問題６　誤り

２成分形シーリング材は、基剤の主成分が硬化剤と反応して硬化するもので、**反応硬化形**のものである。

問題７　誤り

２成分形シーリング材とは、施工**直前**に**基剤**と**硬化剤**を調合し、練り混ぜて使用するシーリング材をいう。

関連 **シリコーン系**シーリング材は、耐候性、耐熱性、耐寒性に優れている。

問題８　正しい

問題９　正しい

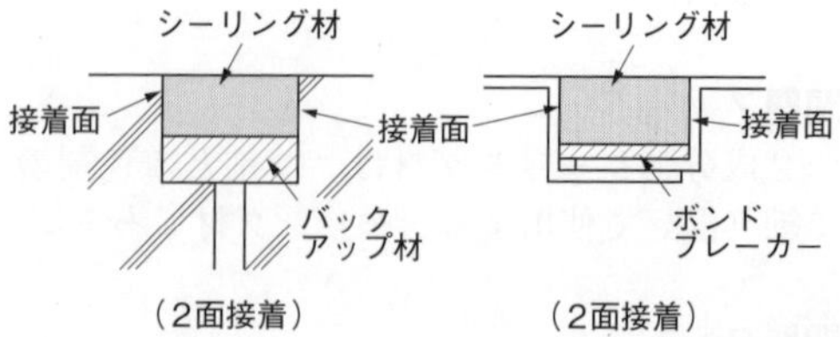

バックアップ材・ボンドブレーカーによる３面接着の防止

3-6　建築材料に関する記述として、**適当**か、**不適当**か、判断しなさい。

〈石　　材〉

Check □□□

問題1
花こう岩は、耐磨耗性、耐久性に優れるが、耐火性に劣る。

Check □□□

問題2
安山岩は、耐久性、耐火性に劣るが、磨くと光沢がでる。

Check □□□

問題3
大理石は、緻密で磨くと光沢が出るが、屋外に使用すると表面が劣化しやすい。

Check □□□

問題4
凝灰岩は、軟質で加工しやすく、耐火性に優れるが、耐久性に劣る。

Check □□□

問題5
砂岩は、汚れが付きにくいが、耐火性に劣る。

〈左官材料〉

Check □□□

問題6
ポルトランドセメントは練り混ぜ後にアルカリ性を示し、せっこうプラスターは弱酸性を示す。

Check □□□

問題7
せっこうプラスターは気硬性であり、しっくいは水硬性である。

Check □□□

問題8
せっこうプラスターは、乾燥が困難な場所や乾湿の繰返しを受ける部位では硬化不良となりやすい。

Check □□□

問題9
ドロマイトプラスターは、それ自体に粘りがないためのりを必要とする。

Check □□□

問題10
しっくい用ののり剤には、海草又はその加工品と、水溶性高分子がある。

解説

問題1　正しい

問題2　誤り

安山岩は、火成岩の一種で、強度や耐久性、耐火性に富むが、磨いても**つやが出ない**。

問題3　正しい

大理石は、美観に優れるが、耐酸性、耐火性に劣り、屋外に使用すると表面が劣化しやすい。

問題4　正しい

問題5　誤り

砂岩は、堆積岩（水成岩）の一種で、**耐火性**が**高く**、酸にも強いが、**汚れ**や苔が**付きやすい**。

関連　砂岩は、吸水率の大きなものは**耐凍害性**に**劣る**。

問題6　正しい

関連　セメントモルタルの混和材として消石灰を用いると、こて伸びがよく、平滑な面が得られる。
ポルトランドセメント⇨ **水硬性**
消　石　灰　⇨ **気硬性**

問題7　誤り

せっこうプラスターは、**水硬性**の左官材料であり、**しっくい**は**気硬性**材料である。

問題8　正しい

関連　せっこうプラスターは、ドロマイトプラスターに比べ、硬化に伴う乾燥収縮が小さい。

問題9　誤り

ドロマイトプラスターはそれ自体に**粘性がある**ため、のりを必要としない。

関連　ドロマイトプラスターは、しっくいに比べ、粘度が高く粘性がある。
ドロマイトプラスター⇨ **気硬性**

問題10　正しい

3-7 建築材料に関する記述として、**適当**か、**不適当**か、判断しなさい。

〈床 材 料〉

Check □□□

問題1
コンポジションビニル床タイルは、ホモジニアスビニル床タイルよりバインダー量を多くした床タイルである。

Check □□□

問題2
ゴム床タイルは、天然ゴム、合成ゴム等を主原料とした弾性質の床タイルである。

Check □□□

問題3
だんつうは、製造法による分類で織りカーペットの手織りに分類される。

Check □□□

問題4
エポキシ樹脂系塗り床材は、耐薬品性に優れ、実験室などの床材に適している。

〈屋 根 材 料〉

Check □□□

問題5
粘土がわらの製法による区分は、ゆう薬がわら(塩焼がわらを含む)、いぶしがわら、無ゆうがわらである。

Check □□□

問題6
粘土がわらの形状による区分は、J形粘土がわら、S形粘土がわら、F形粘土がわらである。

Check □□□

問題7
プレスセメントがわらの種類は、形状及び塗装の有無によって区分されている。

Check □□□

問題8
住宅屋根用化粧スレートの吸水率の上限は、平形屋根用スレート、波形屋根用スレートとも同じである。

Check □□□

問題9
繊維強化セメント板のスレート（波板）の曲げ破壊荷重の下限は、小波板より大波板の方が小さい。

解　説

問題1　誤り

コンポジションビニル床タイル（バインダー含有率30％以下）は、ホモジニアスビニル床タイル（30％以上）より、**バインダー量**を**少なく**したタイルである。バインダーは、ビニル樹脂、安定剤などからなる結合材である。

関連　**リノリウムシート**は、あまに油、松脂、コルク粉、木粉、炭酸カルシウム等を練り込んで、麻布を裏打ち材として成型した床シートである。

問題2　正しい

関連
- **コルク床タイル**は、天然コルク外皮を主原料として、必要に応じてウレタン樹脂等で加工した床タイルである。
- **フローリングブロック**は、ひき板を並べて接合し、30cm程度の正方形とし、表面加工、さねはぎ加工などを施した床仕上げ材である。

問題3　正しい

織りカーペットには、手織りと機械織りがある。**だんつう**は、手織りカーペットであり、麻や綿等の糸にパイル糸を絡ませ、長さを切りそろえながら織ったものである。

問題4　正しい

エポキシ樹脂系塗り床材は、耐水性、接着性、機械的性能及び耐薬品性に優れ、実験室、厨房、医療施設等の床材に適している。

問題5　正しい

問題6　正しい

問題7　正しい

問題8　正しい

問題9　誤り

スレート波板の**曲げ破壊荷重**は、小波板が1,470 N以上、大波板が3,920 N以上で、大波板より**小波板**の方が**小さい**。

3-8 建築材料に関する記述として、**適当**か、**不適当**か、判断しなさい。

〈ボード類〉

Check □□□

問題1

日本農林規格の普通合板は、接着の程度によって1類と2類に分類されており、1類のほうが耐水性に優れている。

Check □□□

問題2

フレキシブル板は、火山性ガラス質たい積物などの無機質原料及びセメントを原料として製造した板である。

Check □□□

問題3

けい酸カルシウム板は、石灰質原料、けい酸質原料、石綿以外の繊維、混和材料を原料として製造した板である。

Check □□□

問題4

けい酸カルシウム板は、断熱性、耐火性に優れ、タイプ2は内装用として、タイプ3は耐火被覆用として使用される。

Check □□□

問題5

ロックウール化粧吸音板は、ロックウールのウールを主材料とし、結合材、混和材を用いて成形し、表面化粧をしたものである。

Check □□□

問題6

強化せっこうボードは、両面のボード用原紙とせっこうの心材に防水処理を施したものである。

Check □□□

問題7

構造用せっこうボードは、強化せっこうボードの性能を満たした上で、くぎ側面抵抗を強化したもので、耐力壁用の面材などに使用される。

Check □□□

問題8

パーティクルボードは、木片などの木質原料及びセメントを用いて圧縮成形した板で、下地材、造作材などに使用される。

Check □□□

問題9

インシュレーションボードは、主に木材などの植物繊維を成形した繊維板の一種で、用途による区分により畳床用、断熱用、外壁下地用として使用される。

解 説

問題1　正しい

種　類		性　質
普通合板	**1類**	断続的に湿潤状態となる場所に使用されるものが対象
	2類	時々、湿潤状態となる場所に使用されるものが対象

問題2　誤り

フレキシブル板は、石綿以外の繊維を多く配合したものをセメントに混ぜて水練りして板状に加圧成型した不燃材で、強度・防火・防湿性などに優れている。

問題3　正しい

問題4　正しい

問題5　正しい

問題6　誤り

強化せっこうボードは、ボードの心材に**ガラス繊維**等を混入したもので、防火性に優れた材料である。

関連　**シージングせっこうボード**は、両面のボード用原紙及び芯のせっこうに防水処理を施したものである。

問題7　正しい

問題8　誤り

パーティクルボードは、木材などの小片を主な材料として、**接着剤**を用いて成形熱圧した板で、下地材、造作材などに使用される。

関連　日本工業規格（JIS）のパーティクルボードは、**ホルムアルデヒド放散量**による**区分**がある。

問題9　正しい

❷

共通

❷ 共通

1　設備

1-1　給水設備等に関する記述として、**適当**か、**不適当**か、判断しなさい。

Check □□□
問題1
水道直結直圧方式は、上水道の配水管から引き込み、直接各所に給水する方式である。

Check □□□
問題2
高置水槽方式は、受水槽の水をポンプで建物高所の高置水槽に揚水し、この水槽からは重力によって各所に給水する方式である。

Check □□□
問題3
圧力水槽方式は、受水槽の水をポンプで圧力水槽に送水し、圧力水槽内の空気を圧縮・加圧して、その圧力によって各所に給水する方式である。

Check □□□
問題4
ポンプ直送方式は、水道引込み管に増圧ポンプを接続して、各所に給水する方式である。

Check □□□
問題5
超高層建築における給水系統は、中間水槽や減圧弁を用いてゾーニングを行う。

Check □□□
問題6
上水の給水系統は、クロスコネクションをしてはならない。

Check □□□
問題7
ウォーターハンマーの防止のため、流速を減ずるよう配管の管径を太くする。

Check □□□
問題8
給水タンクの内部に入って保守点検を行うために設ける円形マンホールの最小内法直径は、45cmである。

解説

問題１　正しい
問題２　正しい
問題３　正しい

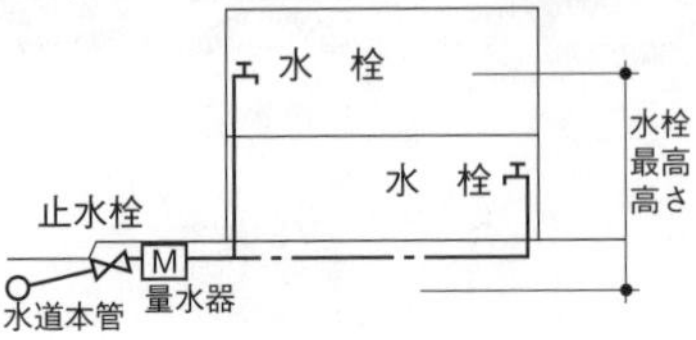

水道直結直圧方式

問題４　誤り

ポンプ直送方式は、受水槽の水を給水ポンプで直接加圧して、建物内部の必要な箇所へ直送する方式である。設問の記述は、**水道直結増圧方式**である。

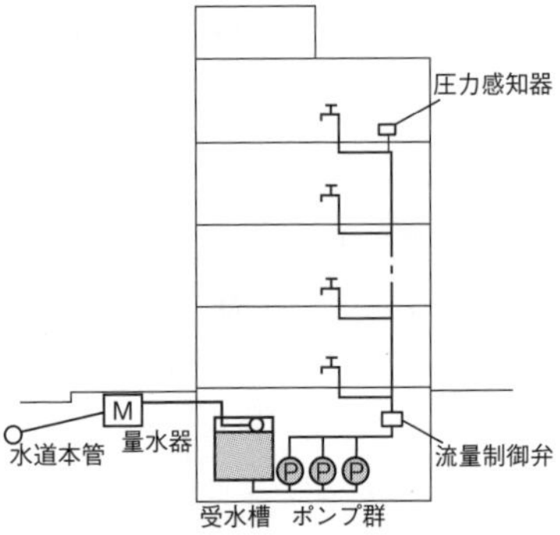

ポンプ直送方式

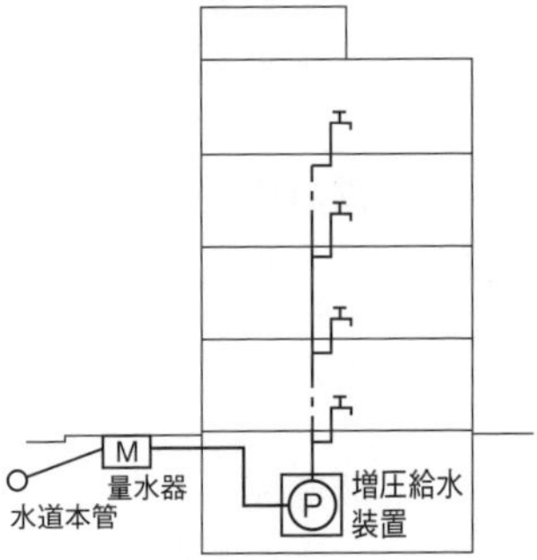

水道直結増圧方式

問題５　正しい
問題６　正しい
問題７　正しい

関連　**エアチャンバー**は、給水管内の水の流れを急閉したときに生ずるウォーターハンマーの水撃圧を吸収する装置である。

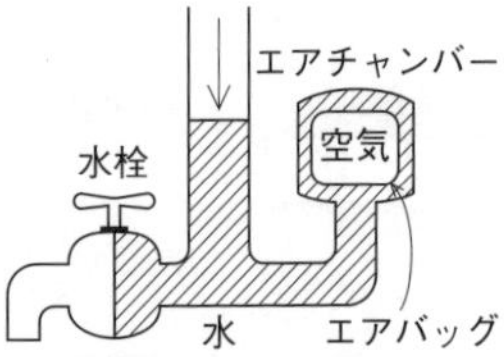

エアチャンバー

問題８　誤り

給水タンクには、ボールタップなどの保守点検及び水槽内の清掃・塗替えなどに便利な位置に、**内径 600 ㎜以上**のマンホールふたを設ける。

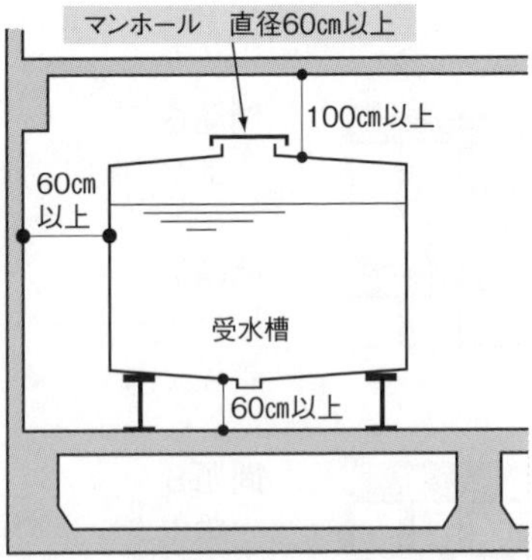

周囲点検スペース

1-2 排水設備に関する記述として、**適当**か、**不適当**か、判断しなさい。

Check □□□

問題1
排水トラップの深さは、阻集器を兼ねるものを除き、5～10cmとする。

Check □□□

問題2
通気管は、サイホン作用によるトラップの封水切れを防止するために設けられる。

Check □□□

問題3
屋内の自然流下式横走り排水管の最小勾配は、管径100㎜の場合、1/100とする。

Check □□□

問題4
排水再利用配管設備は、塩素消毒その他これに類する措置を講ずれば、水栓に排水再利用水である旨の表示を必要としない。

Check □□□

問題5
給排水管は、エレベーターの昇降路内に設けることができる。

（屋外排水設備）

Check □□□

問題6
排水管を給水管と平行にして埋設する場合は、原則として両配管の間隔を500㎜以上とし、排水管は給水管の下方に埋設する。

Check □□□

問題7
構内舗装道路下の排水管には、遠心力鉄筋コンクリート管の外圧管を使用した。

Check □□□

問題8
浸透トレンチの施工において、掘削後は浸透面を締め固め、砕石等の充填材を投入した。

Check □□□

問題9
管きょの排水方向や管径が変化する箇所及び管きょの合流箇所には、ます又はマンホールを設ける。

Check □□□

問題10
雨水用排水ます及びマンホールの底部には、排水管等に泥が詰まらないように深さ50㎜以上の泥だめを設ける。

解　説

問題1　正しい

問題2　正しい

関連　●通気弁を有しない**通気管の末端**は、屋根を貫通して大気中に開口する場合、**屋根面**から**20㎝以上**立ち上げる。

●**雨水排水立て管**は、汚水排水管若しくは通気管と兼用し、又はこれらの管に連結してはならない。

問題3　正しい

問題4　誤り

排水再利用配管設備は、塩素消毒その他これに類する措置を講じた場合でも、水栓に**排水再利用水**であることを示す**表示**をする。

問題5　誤り

給排水管は、**エレベーターの昇降路内**に設けては**ならない**。

問題6　正しい

問題7　正しい

関連　遠心力鉄筋コンクリート管の排水管は、一般に、**埋設**は**下流部より上流部**に向けて行い、**勾配**は**1/100以上**とする。

問題8　誤り

浸透トレンチの施工において、地盤の浸透機能を低下させないため、**浸透面**を**締め固めない**ものとし、掘削後は床付けを行わず、直ちに砕石等の充填材を投入する。

問題9　正しい

問題10　誤り

雨水用排水ます及びマンホールの底部には、排水管等に泥が詰まらないように深さ**150㎜以上**の泥だめを設ける。

関連　●埋設排水管路の直線部の桝は、**埋設管の内径**の**120倍以内**ごとに設ける。

●合流式下水道の場合、雨水系統と汚水系統が合流する合流桝は、臭気対策として**トラップ桝**とすることが望ましい。

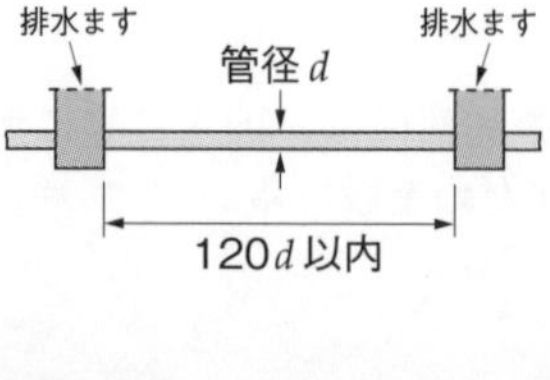

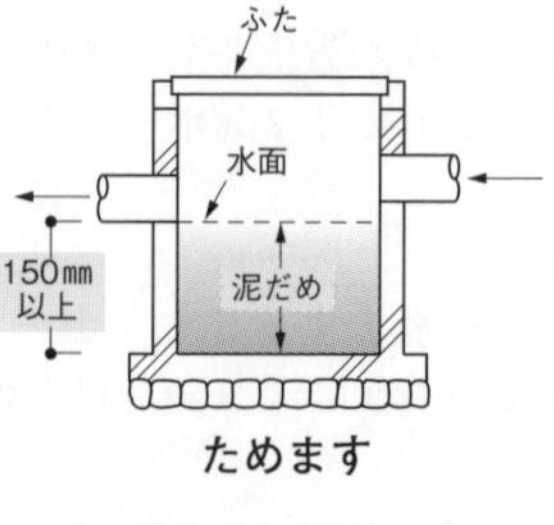

ためます

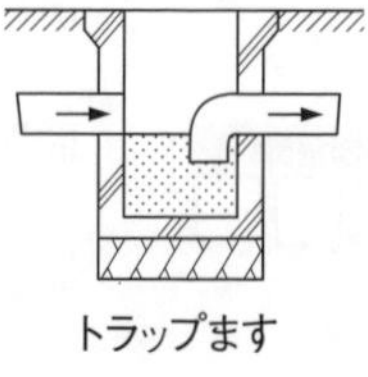

トラップます

1-3

空気調和設備に関する記述として、**適当**か、**不適当**か、判断しなさい。

Check □□□

問題1

空気調和機は、一般にエアフィルタ、空気冷却器、空気加熱器、加湿器及び送風機で構成される。

Check □□□

問題2

圧縮式冷凍機は、圧縮機、凝縮器、膨張弁、蒸発器の４つの主要部分から構成される。

Check □□□

問題3

冷却塔は、冷凍機内で温度上昇した冷却水を空気と直接接触させて、気化熱により冷却する装置である。

Check □□□

問題4

パッケージユニットは、機内に冷凍機を内蔵するユニット形空調機である。

Check □□□

問題5

ファンコイルユニット方式の２管式配管は、４管式に比べてゾーンごとの冷暖房同時運転が可能で、室内環境の制御性に優れている。

Check □□□

問題6

単一ダクト方式におけるＣＡＶ方式は、負荷変動に対して風量を変える方式である。

Check □□□

問題7

二重ダクト方式は、２本のダクトで送風された温風と冷風を、末端の混合ユニットで負荷に応じて混合して吹き出す方式である。

解 説

問題１　正しい
問題２　正しい
問題３　正しい
問題４　正しい

問題５　誤り

ファンコイルユニット方式の**２管式**は季節ごとに冷房と暖房を切り替える必要があり、**４管式**はゾーンごとの冷暖房同時運転が可能で室内環境の制御性に優れている。

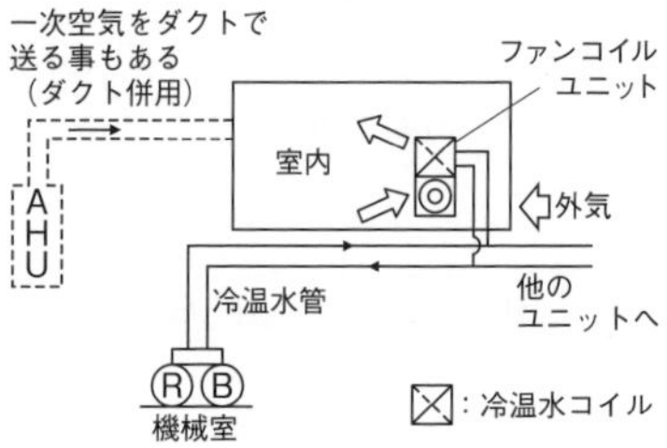

ファンコイルユニット方式

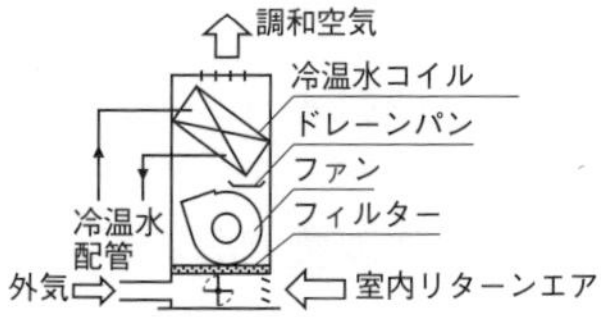

ファンコイルユニット

問題６　誤り

単一ダクト式のＣＡＶ方式は、**定風量**方式ともいい、空調機で処理した空気を各階・各室に送る方式で、風量は常に一定である。

関連　**単一ダクト方式**におけるＶＡＶ方式(**変風量**方式)は、負荷変動に応じて供給風量が制御される方式である。

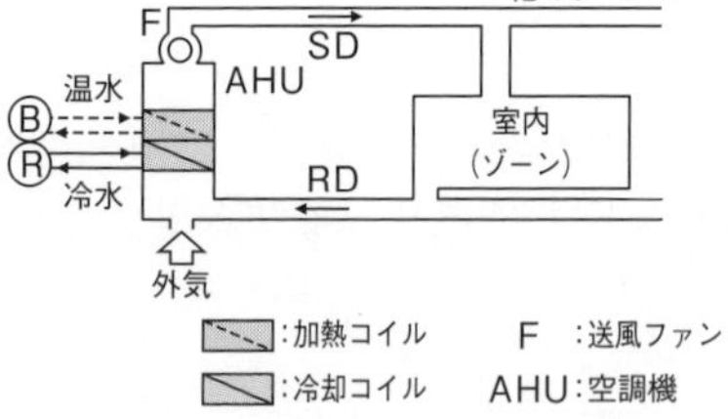

単一ダクト定風量(CAV)方式

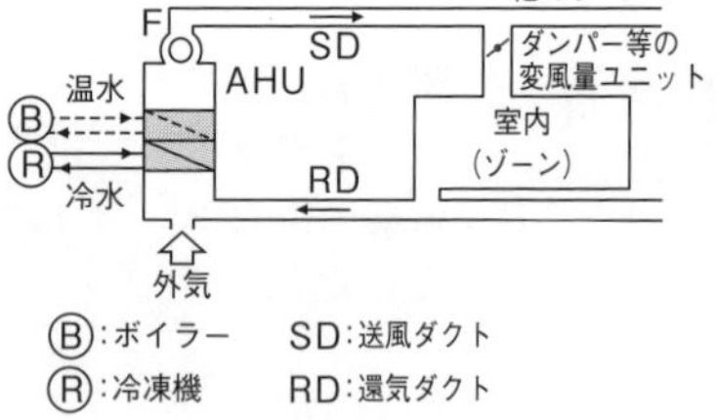

単一ダクト変風量(VAV)方式

問題７　正しい

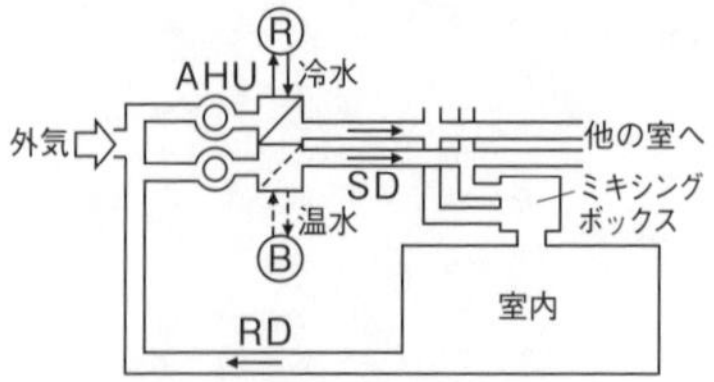

二重ダクト方式

1-4 電気設備に関する記述として、**適当**か、**不適当**か、判断しなさい。

Check □□□

問題1
電圧の種別で低圧とは、直流にあっては600V以下、交流にあっては400V以下のものをいう。

Check □□□

問題2
電線の太さは、許容電流、電圧降下及び機械的強度から決められる。

Check □□□

問題3
フロアダクトは、使用電圧が300V以下で、屋内の乾燥した場所の床埋込み配線に用いられる。

Check □□□

問題4
バスダクトは、電流の容量の大きい幹線に使用される。

Check □□□

問題5
合成樹脂管内、金属管内及び可とう電線管内では、電線に接続点を設けてはならない。

Check □□□

問題6
大型の動力機器が多数使用される場合の電気方式には、単相3線式100/200Vが用いられる。

Check □□□

問題7
低圧屋内配線における電線の接続は、原則としてアウトレットボックスなどの内部で行う。

Check □□□

問題8
低圧屋内配線のための金属管の厚さは、コンクリートに埋め込む場合、1.2mm以上とする。

Check □□□

問題9
低圧屋内配線の使用電圧が300Vを超える場合、金属製の電線接続箱には接地工事を施す。

Check □□□

問題10
ケーブルラックでは、ラックの金属製部分には、接地工事を施してはならない。

解 説

問題1　誤り

電圧の種別で**低圧**とは、**直流**にあっては**750 V以下**、**交流**にあっては**600 V以下**のものをいう。

問題2　正しい

問題3　正しい

関連 フロアダクト内やセルラダクト内では、原則として、電線に接続点を設けない。

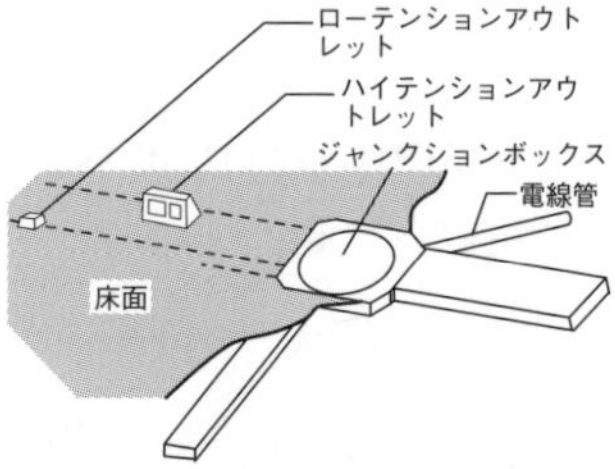

フロアダクト

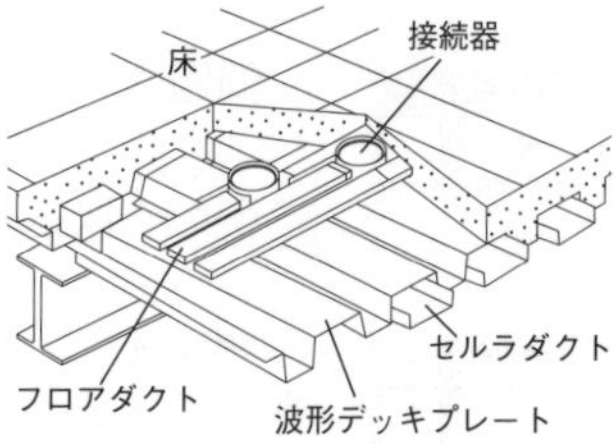

セルラダクト

問題4　正しい

問題5　正しい

問題6　誤り

大型の動力機器が多数使用される工場や一般ビルの幹線として用いられるのは、**三相3線式200 V**又は**三相4線式**であり、**単相3線式100/200 V**は比較的容量の大きい照明・コンセント用の幹線に用いられる。

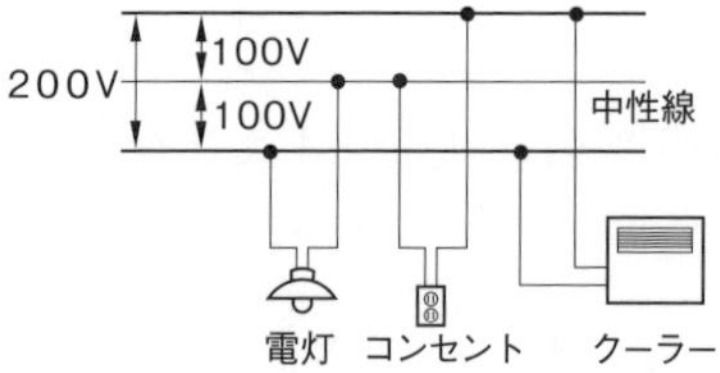

単相3線式 100V/200V

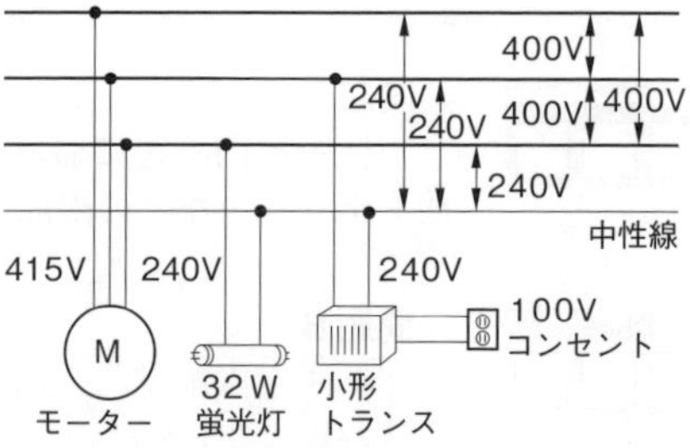

三相4線式400V級

問題7　正しい

問題8　正しい

問題9　正しい

問題10　誤り

ケーブルラックでは、ラックの**金属部分**には、原則として、使用電圧が300 V以下の場合には、D種接地工事を、300 Vを超える場合にはC種接地工事を**施す**。

1-5 消火設備に関する記述として、**適当**か、**不適当**か、判断しなさい。

Check □□□

問題1
屋内消火栓設備は、消火活動上必要な消防隊専用の施設として設置される。

Check □□□

問題2
スプリンクラー消火設備は、スプリンクラーヘッドの吐水口が煙を感知して自動的に開き、散水し消火する。

Check □□□

問題3
水噴霧消火設備は、噴霧ヘッドから微細な霧状の水を噴霧することにより、冷却作用と窒息作用により消火する。

Check □□□

問題4
粉末消火設備は、消炎作用が大きく、油などの表面火災に適している。

Check □□□

問題5
二酸化炭素（不活性ガス）消火設備は、電導性や汚損がなく、電気室などに適している。

Check □□□

問題6
泡消火設備は、特に引火点の低い油類による火災の消火に適し、主として泡による窒息作用により消火する。

Check □□□

問題7
不活性ガス消火設備は、二酸化炭素などの消火剤を放出することにより、酸素濃度の希釈作用と、気化するときの熱吸収による冷却作用により消火する。

Check □□□

問題8
連結散水設備は、地下街など、火災が発生すると煙が充満して消火活動が困難な場所に設置される。

解 説

問題１　誤り

屋内消火栓設備は、消防隊が火災現場に到着し、活動を開始するまでの初期消火用で、人が操作することによって火災を消火する設備であり、水源、加圧送水装置、起動装置、屋内消火栓、配管・弁類及び非常電源等から構成されている。

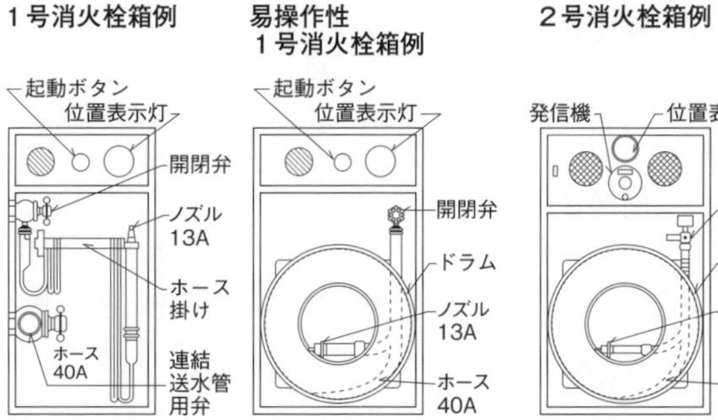

問題２　誤り

スプリンクラー消火設備は、スプリンクラーヘッドの吐水口が**熱を感知**し自動的に開き、散水、消火する。ヘッドは、閉鎖形と開放形があり、一般には閉鎖形が用いられる。煙を感知して自動的に散水するものではない。

問題３　正しい

関連 **水噴霧消火設備**は、汚損や腐食性があり、**博物館**や**図書館の収蔵庫**等の火災には**不適当**である。**自動車車庫**などの火災に**適している**。

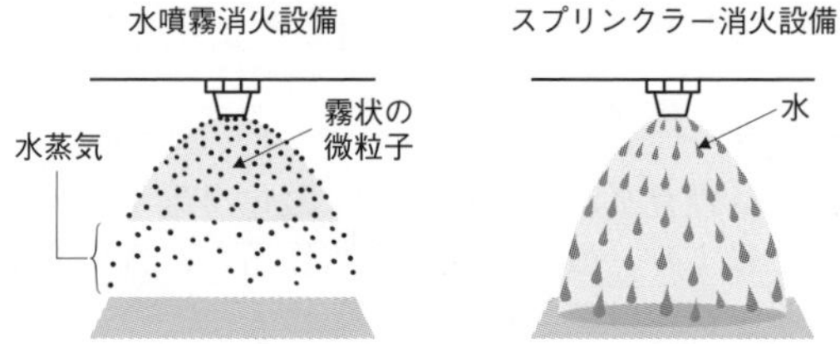

問題４　正しい
問題５　正しい
問題６　正しい
問題７　正しい
問題８　正しい

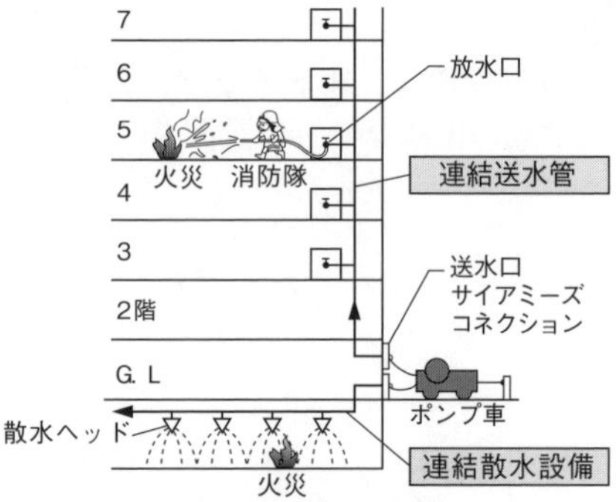

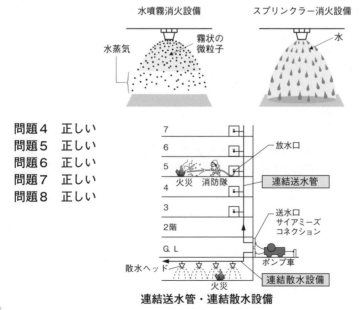

連結送水管・連結散水設備

1-6 設備に関する記述として、**適当**か、**不適当**か、判断しなさい。

〈避 雷 設 備〉

Check □□□

問題1

高さが15mを超える建築物には､原則として避雷設備を設ける。

Check □□□

問題2

危険物を貯蔵する倉庫は、高さや貯蔵量にかかわらず、避雷設備を設けなければならない。

Check □□□

問題3

受雷部は、保護しようとする建築物等の種類、重要度等に対応した4段階の保護レベルに応じて配置する。

Check □□□

問題4

鉄筋コンクリート造の鉄筋は、構造体利用の引下げ導線の構成部材として利用することができる。

〈昇 降 設 備〉

Check □□□

問題5

乗用エレベーターにあっては、1人当たりの体重を65kgとして計算した最大定員を明示した標識を掲示する。

Check □□□

問題6

自家発時管制運転は、停電時に自家発電源でエレベーターを各グループ単位に順次避難階に帰着させるものである。

Check □□□

問題7

地震時管制運転は、地震感知器との連動によって地震時にエレベーターを避難階に停止させるものである。

Check □□□

問題8

火災時管制運転は、火災時にエレベーターを避難階に呼び戻すものである。

Check □□□

問題9

エレベーターの昇降路内には、原則として、エレベーターに必要な配管以外の配管設備を設けてはならない。

解説

問題1　誤り

高さ**20 m**を超える建築物には、有効な**避雷針**を設けなければならない（周囲の状況によって安全上支障のない場合を除く）。

問題2　誤り

指定数量の10倍以上の危険物を貯蔵する倉庫には、総務省令で定める**避雷針**を設ける（周囲の状況によって安全上支障のない場合を除く）。

問題3　正しい

問題4　正しい

関連 **鉄骨造の鉄骨**は、構造体利用の**引下げ導線**の構成部材として利用することができる。

問題5　正しい

問題6　正しい

問題7　誤り

地震時管制運転は、P波感知器またはS波感知器により地震を感知し、運転しているエレベーターを自動的に**最寄階**へ停止させた後に運転を休止させるものである。

関連 **浸水時管制運転**は、地盤面より下に着床階がある場合で、洪水等により浸水するおそれがあるときに、エレベーターを避難階に帰着させるものである。

問題8　正しい

問題9　正しい

関連
- 勾配が8度を超え30度以下のエスカレーターの踏段の**定格速度**は、**45 m/分**とする。
- エスカレーターの**踏段の幅**は**1.1 m以下**とし、踏段の両側に**手すり**を設ける。

【参考】照明設備

- **ハロゲン電球**は、光色や演色性が良く、店舗などのスポット照明に用いられる。
- **Hf蛍光ランプ**は、高効率、長寿命でちらつきが少なく、事務所などの照明に用いられる。
- **低圧ナトリウムランプ**は、人工光源のうちで**最も効率が高く**、橙黄色の単色であるため、**演色性はなく**、一般照明には不向きで道路やトンネルの照明に用いられる。
- **高圧水銀ランプ**は、長寿命であり、屋外の競技場、公園、庭園などの照明に用いられる。

2 その他

2-1

数量積算に関する記述として、「公共建築数量積算基準（国土交通省制定）」上、**適当**か、**不適当**か、判断しなさい。

Check □□□

問題1
根切り又は埋戻しの土砂量は地山数量とし、掘削による増加、締固めによる減少は考慮しない。

Check □□□

問題2
開口部の内法の見付面積が１箇所当たり0.5m^2以下の場合は、原則として、型枠の欠除はしない。

Check □□□

問題3
フープ（帯筋）の長さは、柱のコンクリート断面の設計寸法による周長を鉄筋の長さとする。

Check □□□

問題4
圧接継手による鉄筋の長さの変化はないものとする。

Check □□□

問題5
溶接の数量は、原則として、種類に区分し、溶接断面形状ごとに長さを求め、すみ肉溶接脚長９㎜に換算した延べ長さとする。

Check □□□

問題6
ボルト類のための孔明け、開先加工、スカラップ等による鋼材の欠除は、原則としてないものとする。

Check □□□

問題7
鉄骨鉄筋コンクリート造におけるコンクリートの数量は、コンクリート中の鉄骨と鉄筋の体積分を差し引いたものとする。

Check □□□

問題8
仕上げの凹凸が0.05m以下のものは、原則として、凹凸のない仕上げとみなした面積とする。

解 説

問題1　正しい

根切り、埋戻し、山留め、排水等の計測·計算は、原則として計画数量とする。土砂量は地山数量とし、掘削による増加、締固めによる減少は考慮しない。

問題2　正しい

開口部の内法の見付面積が1箇所当たり0.5 ㎡以下の場合は、原則として、型枠の欠除はしない。

問題3　正しい

フープ、スターラップの長さは、それぞれ柱又は梁のコンクリートの断面の設計寸法による周長を鉄筋の長さとする。

問題4　正しい

圧接継手の加工のための鉄筋の長さの変化はないものとする。

問題5　誤り

原則として、溶接は種類に区分し、溶接断面形状ごとに長さを求め、すみ肉溶接脚長**6㎜**に換算した延べ長さとする。

問題6　正しい

ボルト類のための孔明け、開先き加工、スカラップ及び柱、梁等の接続部のクリアランス等による鋼材の欠除は、原則としてないものとする。1か所当たり面積0.1㎡以下のダクト孔等による欠除もこれに準ずる。

問題7　誤り

コンクリートの数量は、**鉄筋**及び小口径管類によるコンクリートの**欠除はない**ものとする。したがって、コンクリート中の鉄骨の体積分を差し引いたものとする。なお、**鉄骨**によるコンクリートの欠除は、定められた方法より計測・計算した鉄骨の設計数量について7.85 t を1.0㎥として換算した体積とする。

問題8　正しい

各部分の仕上げの凹凸が0.05 m以下のものは、原則として、凹凸のない仕上げとみなした面積とする。

2-2

測量・墨出しに関する記述として、**適当**か、**不適当**か、判断しなさい。

〈測　　　量〉

Check □□□

問題1

平板測量は、アリダードと巻尺で測量した結果を、平板上で直接作図していく方法である。

Check □□□

問題2

直接水準測量は、レベルと標尺によって高低を測定する方法である。

Check □□□

問題3

トラバース測量は、測点を結んでできた多角形の各辺の長さと角度を、順次測定していく方法である。

Check □□□

問題4

スタジア測量は、レベルと標尺によって２点間の距離を正確に測定する方法である。

〈墨　出　し〉

Check □□□

問題5

建物四隅の基準墨の交点を上階に移す場合、２点を下げ振りで移し、他の２点はトランシットで求める。

Check □□□

問題6

床面の通り心などの基準墨は、一般に１m離れた位置に返り墨を設ける。

Check □□□

問題7

仕上げ部材を取り付けるための墨は、近接する既に出された他の部材の仕上げ墨を基準として墨出しを行う。

Check □□□

問題8

鉄筋コンクリート造では、躯体工事用の各階ごとの基準高さは１階の基準高さから確認する。

Check □□□

問題9

鉄骨鉄筋コンクリート造では、一般に鉄骨柱を利用して躯体工事用の基準高さを表示し、これによりレベルの墨出しを行う。

解説

問題1　正しい　⇨ 右図

問題2　正しい

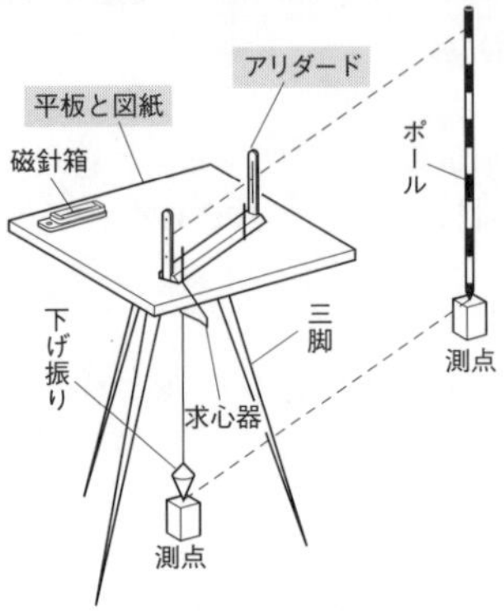

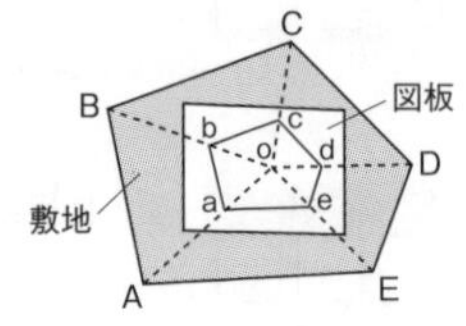

放射法

問題3　正しい　⇨ 右図

問題4　誤り

スタジア測量は、**トランシット**と標尺を利用して、間接的に**水平距離**と**高低差**を同時に求めるものである。

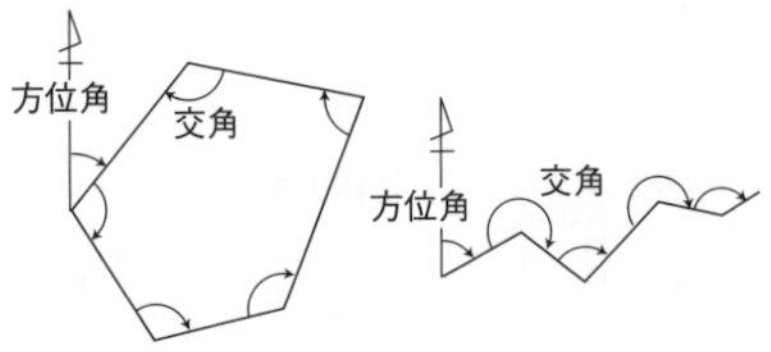

閉合トラバース　　開放トラバース

問題5　誤り

建物四隅の基準墨の交点を上階に移す場合、建築物四隅の床に小さな穴を開けておき、下階の基準墨を**四隅**とも**下げ振りで上げ**、その墨のＸＹ方向の交点をトランシットより角度を確認して上階の基準墨とする。

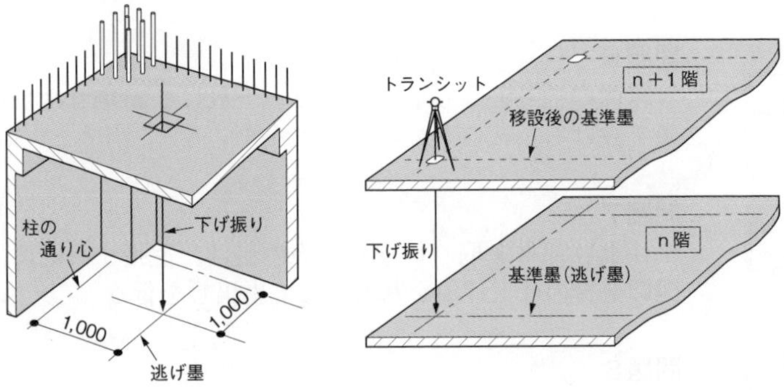

問題6　正しい

問題7　誤り

各**仕上げ部材**を取り付けるための墨は、**床の躯体基準墨**を利用して、壁等に鉛直に立ち上げた墨と**基準レベル墨**により独自に出したものとする。

問題8　正しい

問題9　正しい

2-3 舗装に関する記述として、**適当**か、**不適当**か、判断しなさい。

Check □□□

問題1
プライムコートは、路盤の仕上がり面を保護し、その上のアスファルト混合物層との接着をよくするために施す。

Check □□□

問題2
フィラーは、アスファルトと一体となって、混合物の安定性、耐久性を向上させるために施す。

Check □□□

問題3
シールコートは、アスファルト混合物からなる基層と表層の接着をよくするために施す。

Check □□□

問題4
舗装用のストレートアスファルトは、一般地域では主として針入度60～80の種類のものが使用される。

Check □□□

問題5
粒度調整砕石とは、粒度が異なる砕石などを２種以上混合して、所要の粒度範囲を持つように調整した砕石である。

Check □□□

問題6
ＣＢＲは、砕石などの粒状路盤材料の強さを表し、修正ＣＢＲは、路床や路盤の支持力を表すものである。

Check □□□

問題7
遮断層は、路床が軟弱な場合、軟弱な路床土が路盤用材料と混ざることを防止するため、路盤の下に設ける砂等の層である。

Check □□□

問題8
路床土の安定処理に用いられる安定材は、一般に砂質土には石灰を、シルト質土及び粘性土にはセメントを用いる。

Check □□□

問題9
排水性アスファルト舗装は、透水性のある表層の下に不透水層を設けて、雨水が不透水層上を流下して速やかに排水され、路盤以下に浸透しない構造としたものである。

Check □□□

問題10
アスファルト混合物の締固め作業は、一般に継目転圧、初転圧、二次転圧及び仕上げ転圧の順に行う。

解　説

問題1　正しい

問題2　正しい

フィラーは、**石灰岩**や他の岩石を**粉砕した石粉**、消石灰、セメント等が用いられ、アスファルト材料と一体となって作用し、混合物の安定性、耐久性を向上させる。

問題3　誤り

シールコートは、**アスファルト表層の劣化防止**及び**耐水性**の目的で、アスファルト表層に散布(1.0 l/㎡程度)するものである。

関連　**タックコート**は、アスファルト混合物からなる基層と表層の接着をよくするために施す。

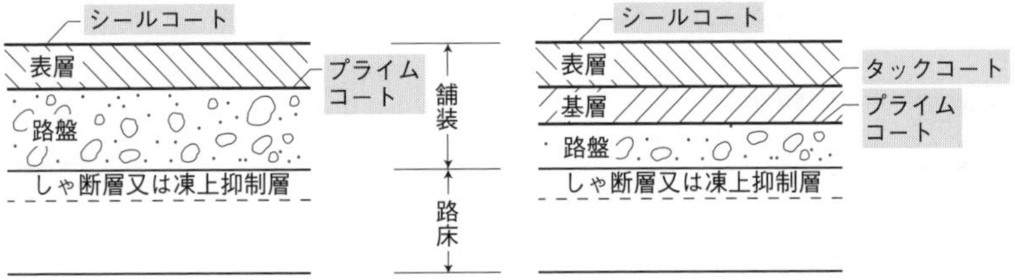

アスファルト舗装の構成（車路部）

問題4　正しい

問題5　正しい

問題6　誤り

ＣＢＲは、路床、路盤の**支持力を表す指標**であり、修正ＣＢＲは路盤材料や盛土材料の強さを表す指標である。

問題7　正しい

問題8　誤り

軟弱な路床土の安定処理に用いる**安定剤**は、**砂質土**には**セメント**を、**シルト質土及び粘性土**には**石灰**を用いる。

問題9　正しい

問題10　正しい

関連
- アスファルト混合物等の**敷均し**時の温度は、**110℃以上**とする。
- アスファルト舗装の舗装終了後の**交通開放**は、舗装表面の温度が**50℃以下**になってから行う。

2-4 植栽工事に関する記述として、**適当**か、**不適当**か、判断しなさい。

Check □□□

問題1
　幹周は、樹木の幹の周長をいい、根鉢の上端より0.5mの位置を測定する。

Check □□□

問題2
　樹高は、樹木の樹冠の頂端から根鉢の上端までの垂直高をいう。

Check □□□

問題3
　枝張りは、樹木の四方面に伸長した枝の幅をいい、測定方向により長短がある場合は、最長と最短の平均値とする。

Check □□□

問題4
　断根式根回しは、モッコク、サザンカなどの比較的浅根性又は非直根性の樹種に用いる。

Check □□□

問題5
　幹巻きは、移植後の樹木の幹から水分の蒸散防止と幹焼け防止、防寒のために行う。

Check □□□

問題6
　根巻きを行う場合は、樹木の根元直径の３～５倍程度の鉢土を付ける。

Check □□□

問題7
　樹木の掘取りにより根鉢側面に現れた根は、鉢に沿って鋭利な刃物で切断する。

Check □□□

問題8
　樹木は現場搬入後、仮植えや保護養生してから植え付けるよりも、速やかに植え付ける方がよい。

Check □□□

問題9
　客土は植物の生育に適した土壌で、小石、ごみ、雑草などを含まないものとする。

Check □□□

問題10
　法面の芝張りは、目地張りとし、縦目地が通るように張り付ける。

解　説

問題１　誤り

幹周は、樹木の幹の周長をいい、根鉢の上端より**1.2 m**の位置を測定する。

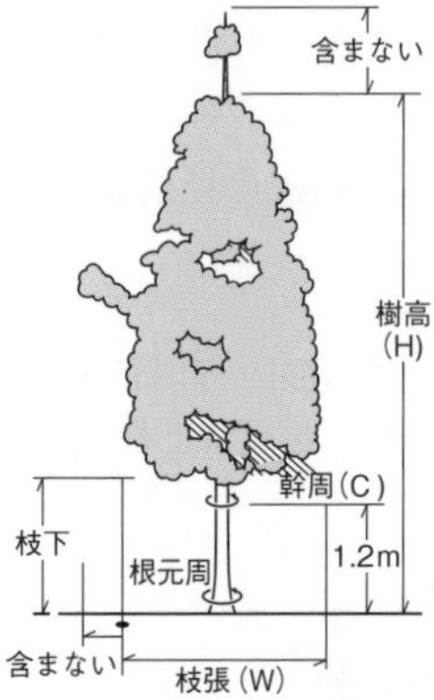

寸法規格基準の測定法図解

関連　樹木の幹が**２本以上**の場合の幹周は、各々の幹の周長の**総和の70%**とする。

問題２～９　正しい

問題10　誤り

法面の**芝張り**には、**目地なしのべた張り**とする。**平地**は目地張りとするが横目地を通し、縦目地は通さない。

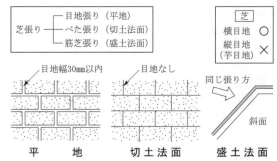

芝張り
- 目地張り（平地）
- べた張り（切土法面）
- 筋芝張り（盛土法面）

芝	
横目地	○
縦目地（芋目地）	×

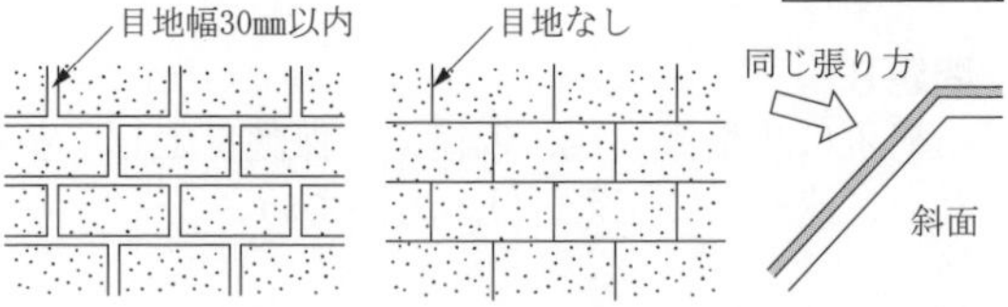

平　地　　切土法面　　盛土法面

2-5

請負契約に関する記述として、「公共工事標準請負契約約款」上、**適当**か、**不適当**か、判断しなさい。

Check □□□

問題1

受注者は、工事の全部若しくはその主たる部分の工事を一括して第三者に委任し、又は請け負わせることができる。

Check □□□

問題2

受注者は、特許権、その他第三者の権利の対象となっている施工方法を使用するときは、原則として、その使用に関する一切の責任を負わなければならない。

Check □□□

問題3

発注者は、工事用地その他設計図書において定められた工事の施工上必要な用地を、受注者が必要とする日までに確保しなければならない。

Check □□□

問題4

受注者は、工事の施工に当たり、設計図書に示された施工条件と実際の工事現場が一致しないことを発見したときは、その旨を直ちに監督員に通知し、その確認を請求しなければならない。

Check □□□

問題5

発注者は、特別の理由により工期を短縮する必要があるときは、工期の短縮変更を受注者に請求することができる。

Check □□□

問題6

発注者又は受注者は、一定の条件のもとで、賃金水準又は物価水準の変動により請負代金額が不適当となったと認めたときは、相手方に対して請負代金額の変更を請求することができる。

Check □□□

問題7

発注者は、工事の完成を確認するために必要があると認められるときは、その理由を受注者に通知して、工事目的物を最小限度破壊して検査することができる。

Check □□□

問題8

発注者は、引渡し前に、工事目的物の全部又は一部を受注者の承諾を得ることなく使用することができる。

Check □□□

問題9

受注者は、発注者が設計図書を変更したために請負代金額が1/2以上減少したときは、契約を解除することができる。

解説

問題１　誤り

受注者は、工事の全部若しくはその主たる部分又は他の部分から独立してその機能を発揮する工作物の工事を**一括**して**第三者に**委任し、又は**請け負わせてはならない**。

問題２・３　正しい

関連 **発注者**は、受注者が正当な理由なく、工事に着手すべき期日を過ぎても**工事に着手しない**ときは、**契約を解除**することができる。

問題４　正しい

問題５　正しい

関連 **受注者**は、その責めに帰すことができない事由により工期内に工事を完成することができないときは、その理由を明示した書面により、**発注者**に**工期の延長変更**を**請求**することができる。

問題６　正しい

関連 一定の条件 ⇨ 工期内で請負契約締結の日から**12箇月を経過した後**

問題７　正しい

問題８　誤り

発注者は、**引渡し前**においても、工事目的物の全部又は一部を受注者の承諾を得て使用することができるとあり、**承諾を得ない**で**使用することはできない**。

問題９　誤り

受注者は、設計図書を変更したため**請負代金額が２/３以上減少**したとき、**契約を解除**することができる。

【参考】現場代理人

現場代理人は、この契約の履行に関し、工事現場に常駐し、その運営、取締りを行うほか、**請負代金額の変更**等、この**契約の解除**に係る権限を除き、この契約に基づく受注者の一切の権限を行使することができる。

（25・20・4）

❸

施工
（躯体工事）

❸ 施工（躯体工事）

1　地盤調査

地盤調査に関する記述として、**適当**か、**不適当**か、判断しなさい。

Check □□□
問題1
シルトの粒子の直径は、粘土より大きく細砂より小さい。

Check □□□
問題2
一軸圧縮試験により、砂質土の強度と剛性を求めることができる。

Check □□□
問題3
三軸圧縮試験により、粘性土のせん断強度を求めることができる。

Check □□□
問題4
粒度試験により、地盤の変形係数を求めることができる。

Check □□□
問題5
圧密試験により、粘性土の沈下特性を調べることができる。

Check □□□
問題6
常時微動測定により、地震時の地盤の振動特性を調べることができる。

Check □□□
問題7
電気検層（比抵抗検層）により、ボーリング孔近傍の地層の変化を知ることができる。

Check □□□
問題8
被圧地下水位の測定は、ボーリング孔内において自由地下水及び上部にある帯水層を遮断しない状態で行う。

Check □□□
問題9
自由地下水位の測定は、ボーリング時に泥水を使わずに掘進することにより比較的精度よく行うことができる。

解説

問題１　正しい

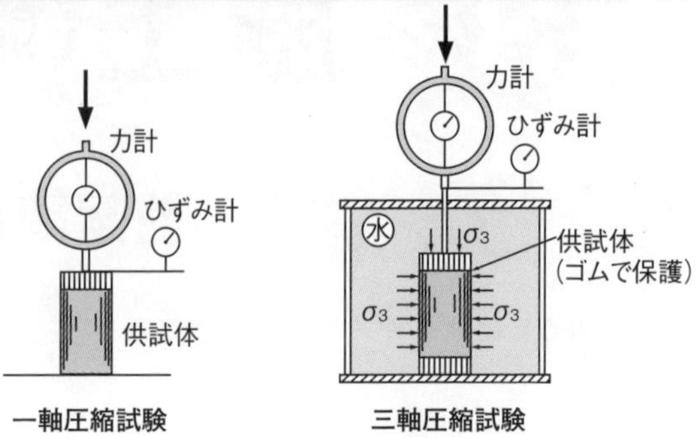

問題２　誤り

一軸圧縮試験は、__**粘性土**__ __の**強度**や**せん断強さ**を調べる試験である__。

問題３　正しい

問題４　誤り

粒度試験は、土の粒度組成（土の粒子の大きさや配合）を調べる試験で、砂質土と粘性土の分類ができるが、__地盤の変形係数を求めることはできない__。

関連
- 粒度試験により、細粒分含有率等の粒度特性を求めることができる。
- 粒度試験の結果で求められる粒径から、透水係数の概算値を推定できる。

問題５　正しい

問題６　正しい
⇨ 右図

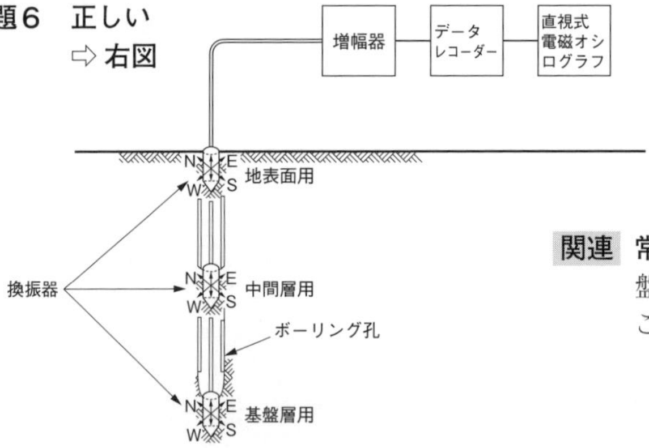

常時微動測定

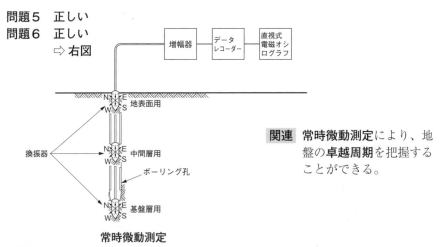

関連 **常時微動測定**により、地盤の**卓越周期**を把握することができる。

問題７　正しい

問題８　誤り

被圧地下水は、帯水層ごとに水位が異なるため、下部の帯水層を調査する場合には、ボーリング孔内において自由地下水及び上部の帯水層を__完全に遮断しておく__。

問題９　正しい

【参考】

液性限界・塑性限界試験の結果は、土の物理的性質の推定や塑性図を用いた土の分類に利用される。

2 仮設工事

2-1

乗入れ構台に関する記述として、**適当**か、**不適当**か、判断しなさい。

Check □□□

問題1

構台の高さは、躯体コンクリート打設時に、大引下の1階床面の均し作業ができるように考慮して決める。

Check □□□

問題2

構造計算で地震力を震度法により静的水平力として計算するため、水平震度を0.1とした。

Check □□□

問題3

車の走行を2車線とするため、乗入れ構台の幅を6mとした。

Check □□□

問題4

構台の幅が狭いときは、交差部に、車両が曲がるための隅切りを設ける。

Check □□□

問題5

構台の支柱の位置は、使用する施工機械、車両の配置によって決める。

Check □□□

問題6

乗込みスロープの勾配は、一般に1/10～1/6程度にする。

Check □□□

問題7

出入口が近く、乗込みスロープがどうしても躯体に当たるため、その部分の躯体を後施工とした。

Check □□□

問題8

乗入れ構台の各段の水平つなぎとブレースは、最終となる3次根切りの完了後にまとめて取り付けた。

Check □□□

問題9

地下立上り部の躯体にブレースが当たるので、支柱が貫通する部分の床開口部にくさびを設けて支柱を拘束し、ブレースを撤去した。

解 説

問題1　正しい

構台の**大引の下端**は、1階床の躯体コンクリート打設時に床の均し作業ができるように、**コンクリート床上面**より **20 ㎝～ 30 ㎝程度上**に設定する。

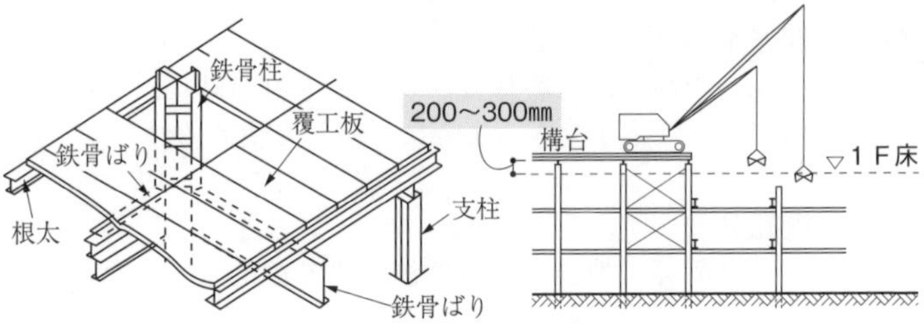

乗入れ構台と鉄骨柱の位置

問題2　誤り

構造計算で地震力を震度法により静的水平力として計算する場合、**水平震度**は**0.2**とする。

関連　構台の大引材や根太材の構造計算は、強度検討のほかに、**たわみ量**についても検討する。

問題3　正しい

構台の幅員は、施工機械や乗り入れる車両の大きさ、車両の使用状況や進行頻度等を考慮して、**4～ 10 m**とする。

(類題)　クレーン能力 50 t 級のラフテレーンクレーンを使用するため、乗入れ構台の幅を8mとした。⇨**正しい**

問題4　正しい

問題5　誤り

構台の**支柱の位置**は、地下躯体図等を参考にして、**基礎梁、柱、梁**等の位置と**重ならないように**配置する。

問題6　正しい

問題7　正しい

問題8　誤り

水平つなぎとブレースは、横ゆれ防止や支柱の座屈長さを短くするために入れるので、**各根切り段階の終了時ごとに入れる**べきである。

問題9　正しい

2-2 足場に関する記述として、**適当**か、**不適当**か、判断しなさい。

〈単管足場〉

Check □□□

問題1

単管足場の建地の間隔は、けた行方向2.0m、はり間方向1.2mとした。

Check □□□

問題2

単管足場における建地間の積載荷重は、400kgを限度とした。

Check □□□

問題3

単管足場の壁つなぎの間隔は、垂直方向５m以下、水平方向5.5m以下とする。

Check □□□

問題4

単管足場の地上第一の布の高さは、２m以下とする。

Check □□□

問題5

単管足場の墜落の危険のある箇所に設ける手すりの高さは90cmとし、中さん及び幅木を設けた。

〈枠組足場〉

Check □□□

問題6

足場の使用高さは、通常使用の場合45m以下とする。

Check □□□

問題7

高さが20mを超えるときは、主枠間の間隔は1.85m以下とする。

Check □□□

問題8

足場に設ける水平材は、最上層及び６層以内ごととする。

Check □□□

問題9

高さが５m以上の足場の壁つなぎの間隔は、垂直方向９m以下、水平方向８m以下とする。

Check □□□

問題10

枠組足場は、建枠の幅を0.9mとし、0.5mと0.3m幅の床付き布枠を使用したので、１層１スパンの最大積載荷重を3.92kN(400kg)とした。

解　説

問題１　誤り

単管足場の**建地の間隔**は、**けた行方向**を **1.85 m以下**、**はり間方向**は **1.5 m以下**とする。

問題２～５　正しい

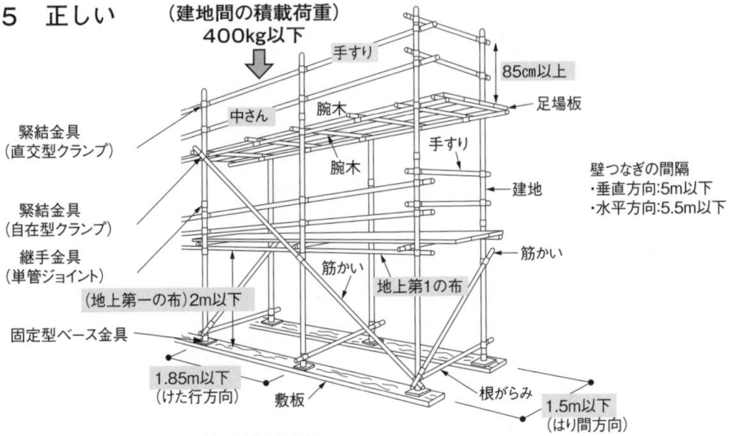

単管足場

問題６・７　正しい

問題８　誤り

最上層及び**５層以内**ごとに水平材を設ける。

問題９・10　正しい

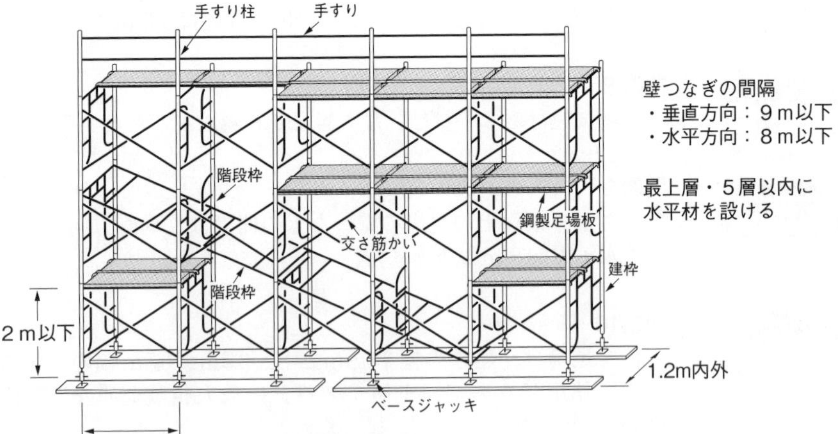

枠組足場の例

2-3 足場に関する記述として、**適当**か、**不適当**か、判断しなさい。

〈その他の足場等〉

Check □□□

問題1
移動式足場は、控枠（アウトリガー）なしとし、幅1.2m、高さ1.7mの建枠を３段重ねて組み立てて使用した。

Check □□□

問題2
単管を用いた棚足場の組立てにおいて、３層３スパン以内ごとに水平つなぎ、斜材等を設け一体化した。

Check □□□

問題3
脚立足場において、足場板を脚立上で重ね、その重ね長さは20cm以上とした。

Check □□□

問題4
架設通路において、墜落の危険のある箇所に、高さ85cmの手すりを設けた。

Check □□□

問題5
架設通路において、登りさん橋の高さが16mであったので、地盤面からの高さ８mの位置に踊場を設けた。

Check □□□

問題6
架設通路において、こう配が18°であったので、踏さんを設けた。

Check □□□

問題7
移動はしごは、幅が30cmのものを用いた。

Check □□□

問題8
深さが1.4mの箇所で作業を行うので、昇降するための設備は設けなかった。

Check □□□

問題9
高さ５mの作業構台の床材間のすき間は４cmとした。

解説

問題1　誤り

安全基準の高さと幅の関係式はH≦7.7 L－5（厚生労働省による技術上の指針）であり、L=1.2 mなので、安全な高さは7.7×1.2 － 5 = 4.24 mとなるが、設問の移動式足場の高さはH = 1.7 ×3 + 0.3（脚輪高さ）= 5.4 mとなり、使用できない。

問題2　正しい

問題3　正しい

関連 脚立の脚と水平面との角度を**75度以下**とし、かつ、折りたたみ式のものにあっては、脚と水平面との角度を確実に保つための金具を備える。

問題4　正しい

問題5　誤り

建設工事に使用する**高さ８m以上**の登り桟橋には、**７m以内**ごとに踊り場を設ける。

問題6　正しい

関連 **架設通路**において、**勾配**は**30度以下**にする。ただし、階段を設けたもの又は高さが２m未満で丈夫な手掛を設けたものはこの限りでない。

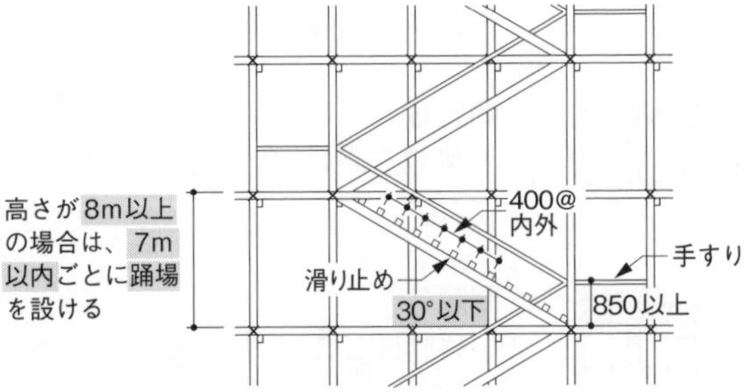

登りさん橋（単位:mm）

問題7・8　正しい

問題9　誤り

高さ**２m以上**の作業床は、つり足場の場合を除き、幅は40㎝以上とし、床材間の**すき間**は、**３㎝以下**とする。

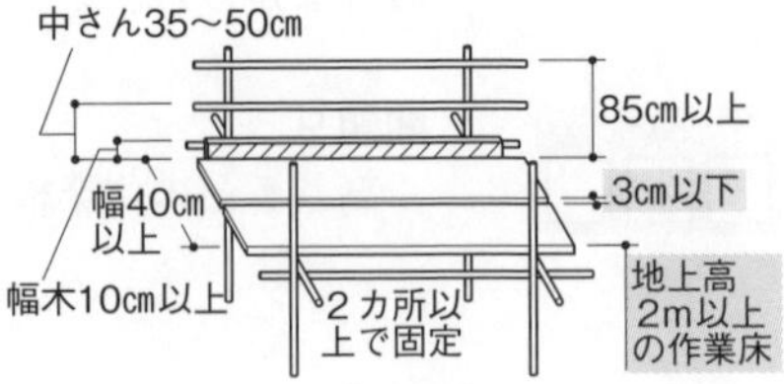

作業床

3　土工事・山留め工事

3-1

地盤の現象等に関する記述として、**適当**か、**不適当**か、判断しなさい。

〈地盤現象〉

Check □□□

問題1
ヒービングとは、軟弱な粘性土地盤を掘削する際に、山留め壁の背面土のまわり込みにより掘削底面の土が盛り上がってくる現象をいう。

Check □□□

問題2
軟弱地盤のヒービング対策として、根切り土を山留め壁に近接した背面上部に盛土して荷重を増やした。

Check □□□

問題3
ヒービングの発生防止のため、ウェルポイントで掘削場内外の地下水位を低下させた。

Check □□□

問題4
盤ぶくれとは、掘削底面やその直下に不透水性土層があり、その下の被圧地下水の圧力により掘削底面が持ち上がる現象をいう。

Check □□□

問題5
被圧地下水による盤ぶくれ対策として、止水性の山留め壁を被圧帯水層以深の不透水層まで根入れした。

Check □□□

問題6
ボイリングの発生防止のため、止水性の山留め壁の根入れを深くし、動水勾配を減らした。

Check □□□

問題7
パイピングとは、粘性土中の弱い所が地下水流によって局部的に浸食されて孔や水みちが生じる現象をいう。

Check □□□

問題8
クイックサンドとは、砂質土のように透水性の大きい地盤で、地下水の上向きの浸透力が砂の有効重量より大きくなり、砂粒子が水中で浮遊する状態をいう。

解 説

問題1　正しい

問題2　誤り

軟弱地盤の**ヒービング対策**として、掘削場外に余裕がある場合には、周囲の地盤をすき取り、山留め壁背面の荷重を減らす等ヒービングの原因となる**土圧を軽減**する。

関連 大きな平面を一度に根切りせず、いくつかのブロックに分割して根切りし、コンクリート等で固めて順次施工する方法も有効である。

問題3　誤り

ヒービングは、掘削場内外の**地下水位を低下**させても、山留め壁の背面土圧にはほとんど影響しないので、ヒービング**発生防止の効果は少ない**。

関連 ヒービングのおそれのない**良質な地盤まで山留め壁を根入れ**すること等も有効である。

問題4　正しい

ヒービング

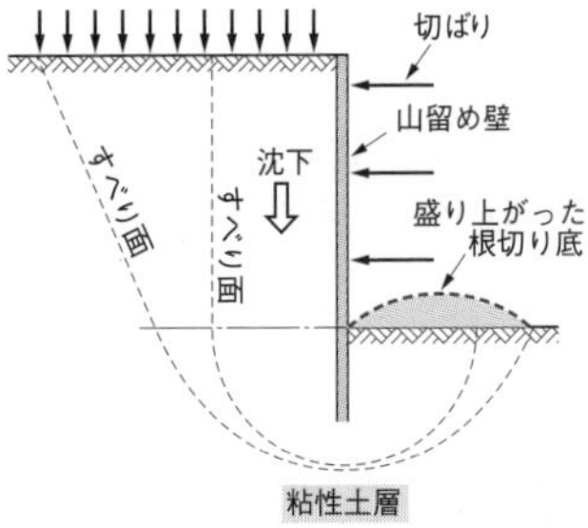

盤ぶくれ

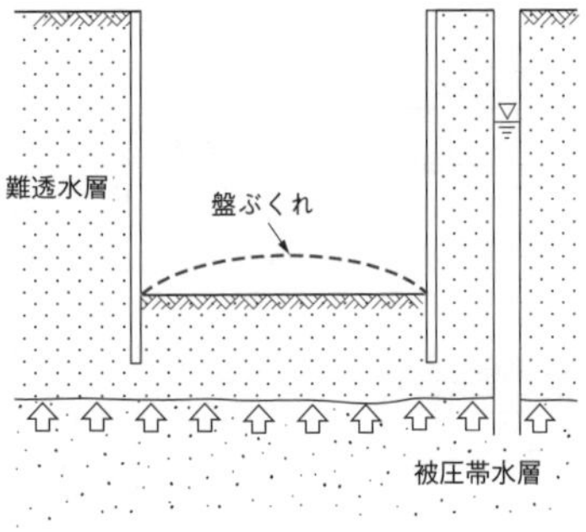

問題5　正しい

関連 根切り底面下に盤ぶくれの発生が予想された場合の対策の1つに、被圧水頭を下げる方法があり、**ディープウェル**等の排水工法により行う。

問題6　正しい

関連 **止水性の山留め壁**を**不透水性地盤**まで根入れする等も有効である。

問題7　誤り

パイピングとは、砂質土の地盤で浸透水流により**パイプ状の孔や水みちができる現象**をいう。

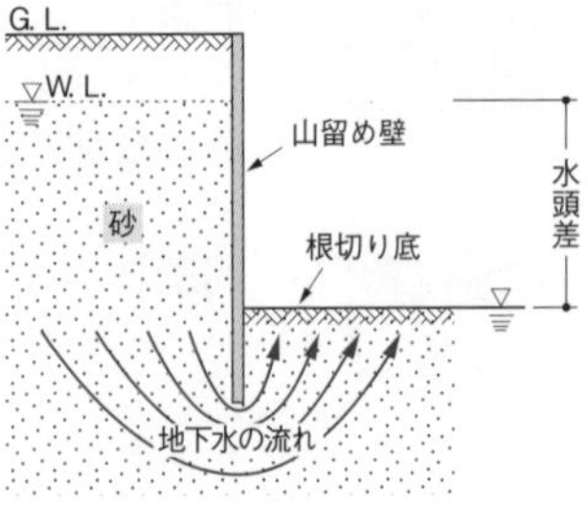

ボイリング

問題8　正しい

3-2 土工事等に関する記述として、**適当**か、**不適当**か、判断しなさい。

〈排水工法〉

Check □□□

問題1

釜場工法は、重力排水工法の１つである。

Check □□□

問題2

排水の打切りにより、地下構造物が浮き上がることがある。

〈掘削・根切り〉

Check □□□

問題3

粘性土地盤を法付けオープンカット工法で掘削するので、円弧すべりに対する安定を検討した。

Check □□□

問題4

切梁工法の一次根切りにおいては、山留め壁の頭部が倒れるような変形が一般的なので、山留め壁頭部の動きに留意して掘削した。

Check □□□

問題5

切梁工法の二次根切りにおいては、周辺地盤の地表面の沈下は、山留め壁際が最大となるので、山留め壁際の沈下に留意して掘削した。

Check □□□

問題6

直接基礎の床付け地盤を乱したが、粘性土であったので、そのまま転圧をして捨てコンクリートを打設した。

〈埋戻し及び盛土〉

Check □□□

問題7

盛土材料は、敷均し機械によって均等、かつ、一定の厚さに敷均してから締固めを行わないと、将来盛土自体の不同沈下の原因となることがある。

Check □□□

問題8

埋戻し土の選択に当たっては、均等係数が大きい性状のものを選んだ。

Check □□□

問題9

動的な締固めは、ロードローラー、タイヤローラー等の重量のある締固め機械を用いて、人為的に過圧密な状態を造り、締め固めるものである。

解説

問題1　正しい

問題2　正しい

問題3　正しい

関連 法付けオープンカットの法面保護をモルタル吹付けで行った場合は、法面に水抜き穴を設ける。

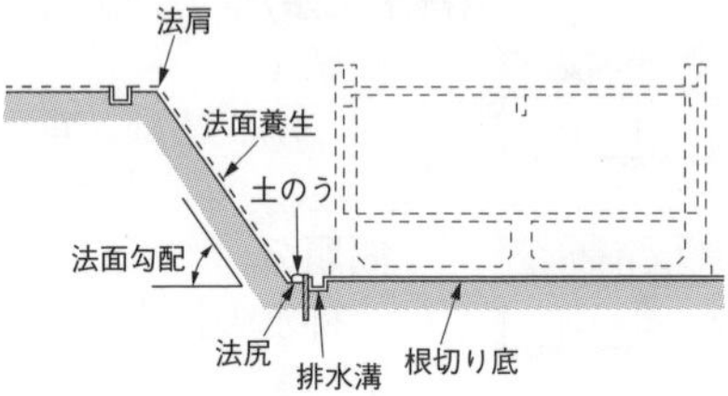

のり付けオープンカット工法

問題4　正しい

問題5　誤り

切梁工法の二次根切り時以降では、山留め壁は切梁位置で水平変位が抑制され、根切り底付近で最大変位を示す弓形の変位となるため、周辺地盤の地表面の沈下は、壁から少し**離れた**位置で**最大**となる。

問題6　誤り

直接基礎の床付け面を乱してしまった時は、粘性土の場合は**礫・砂質土**に**置き換える**か、セメント・石灰などによる**地盤改良**を行う。

関連 床付け地盤を凍結させた場合は、良質土と置換するなどの処置が必要である。

問題7　正しい

関連 機械による締固めを行う場合、盛土材料にばっ気又は散水を行って、含水量を調節することがある。

問題8　正しい

関連 粘性土を埋戻しに使用したので、余盛りは砂質土の場合より大きくする。

問題9　誤り

ロードローラーやタイヤローラー等の重量のある機械を用いて、人為的に過圧密な状態を造り締め固める方法は、**静的な締固め**で、大規模な埋戻しや盛土工事に用いられる。

関連 水締めは、水が重力で下部に浸透する際に土の微粒子が沈降し、土の粒子間のすき間を埋める現象を利用したものである。

タイヤローラー

3-3 山留め工事に関する記述として、**適当**か、**不適当**か、判断しなさい。

Check □□□

問題1
自立山留め工法は、山留め壁の根入れ部の受働抵抗に期待するため、根切り深さが浅い場合に適している。

Check □□□

問題2
親杭横矢板工法は、止水性はないが比較的硬い地盤でも施工可能であり、他の工法に比べて経済的に有利である。

Check □□□

問題3
鋼矢板工法は、止水性があり、地下水位の高い砂礫層などの硬い地盤の場合に適している。

Check □□□

問題4
地盤アンカー工法は、敷地の高低差が大きく山留めにかかる側圧が偏土圧となる場合に適している。

Check □□□

問題5
水平切梁工法において、集中切梁とする方法は、根切り及び躯体の施工能率の向上に効果がある。

Check □□□

問題6
水平切梁工法において、切梁にプレロードを導入するときは、切梁交差部の締付けボルトを締め付けた状態で行う。

Check □□□

問題7
水平切梁工法における腹起しの継手位置は、切梁と火打梁との間又は切梁に近い位置に割り付ける。

Check □□□

問題8
山留め壁の根入れ長さは、山留め壁の掘削側側圧による抵抗モーメントと背面側側圧による転倒モーメントとのつり合いから決める。

Check □□□

問題9
山留め壁周辺の地盤の沈下を計測するための基準点は、山留め壁に近接した地盤面に設けた。

Check □□□

問題10
H形鋼を用いた切梁の軸力を計測するためのひずみ計は、２台を１組としてウェブに設置した。

解説

問題1・2　正しい

問題3　誤り

鋼矢板工法は、矢板の継手部のかみ合わせにより**止水性がある**ので、地下水位の高い地盤には適しているが、**砂礫層**などの**硬い地盤**には**打設**することが**困難**である。

関連 鋼矢板山留め壁に用いる鋼矢板の**許容応力度**は、新品の場合であってもその数値を割増すことはできない。

問題4　正しい

問題5　正しい

関連 水平切梁工法において、井形に組む**格子状切梁方式**は、一般に**掘削平面**が**整形**な場合に適している。

問題6　誤り

プレロードする場合は、**切梁交差部の締付けボルト**を**緩めた状態**で行う。

関連 水平切梁工法における鋼製切梁では、**温度応力**による**軸力変化**について検討する必要がある。

問題7　正しい

関連 **油圧式荷重計**は、切梁にかかる全荷重を測定するため、切梁の中央部を避け、**火打梁との交点に近い位置**に設置する。

問題8　正しい

関連 山留め壁背面に作用する**側圧**は、一般に**深さ**に**比例**して**増大**する。

問題9　誤り

山留め壁周辺の地盤の沈下を計測するための基準点は、公道に面する敷地境界の地盤面に一定間隔に設け、公道の反対側に設けた点との差を計測する。

関連 山留め壁の頭部の変位を把握するために、トランシットやピアノ線、スケール、下げ振りを用いて計測を行う。

問題10　正しい

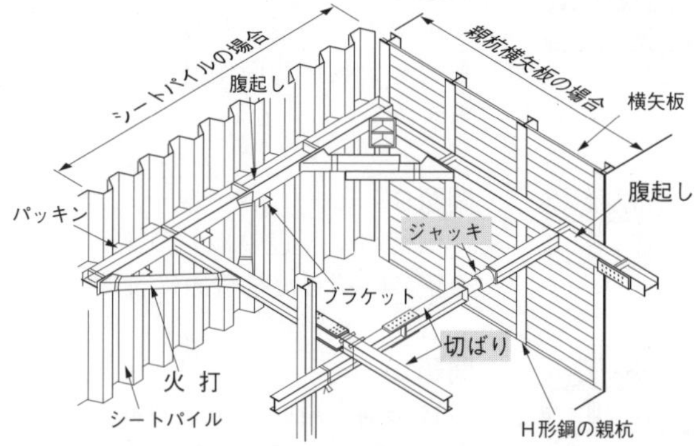

鋼製切ばりを使った山留め

3-4

ソイルセメント柱列山留め壁に関する記述として、**適当**か、**不適当**か、判断しなさい。

Check □□□

問題1

山留め壁の剛性が小さいため、土圧が大きい軟弱地盤には適さない。

Check □□□

問題2

ソイルセメントの中に挿入する心材としては、H形鋼やI形鋼などが用いられる。

Check □□□

問題3

ソイルセメントは、止水の役目と山留め壁の構造材の一部として使用される場合がある。

Check □□□

問題4

泥水処理が必要で、排出泥土が鉄筋コンクリート山留め壁に比べて多い。

Check □□□

問題5

N値50以上の地盤、大径の玉石や礫が混在する地盤では、先行削孔併用方式を採用してエレメント間の連続性を確保する。

Check □□□

問題6

根切り時に発見したソイルセメントの硬化不良部分は、モルタル充填や背面地盤への薬液注入などの処置をする。

Check □□□

問題7

山留め壁の構築部に残っている既存建物の基礎を先行解体するためのロックオーガーの径は、ソイルセメント施工径より小さい径のものとする。

Check □□□

問題8

単軸のロックオーガーによる方法は、硬質な岩や地中障害がある場合の山留め壁の造成に用いられる。

Check □□□

問題9

多軸の掘削攪拌機を用いる場合、エレメント間の連続性を確保するため、エレメントの両端部分をラップして施工する。

解説

問題1　誤り

ソイルセメント柱列壁工法は、セメント系注入液を原位置土と混合攪拌し、掘削孔をオーバーラップ施工し心材にH形鋼等を挿入したもので、**剛性**、**止水性**に**優れて**おり、**土圧**の**大きい軟弱地盤**に**適する**。

関連 地下水位が高い地盤や軟弱な地盤に適した工法である。

問題2　正しい

問題3　正しい

問題4　誤り

ソイルセメント柱列山留め壁は、原位置土とセメント系注入液を混合・かくはんして使用するので、**泥水処理**が**不要**で、**排出土**も鉄筋コンクリート山留め壁に比べて**少ない**。

問題5　正しい

関連 先行削孔併用方式は、N値50以上の地盤における山留め壁の造成に用いられる。

問題6　正しい

問題7　誤り

山留め壁の構築部に残っている既存建物を先行解体する場合、施工精度を上げるため、施工に先立ちソイルセメント施工径より**大きな径**のロックオーガー機等を用いて行う。

問題8　正しい

問題9　正しい

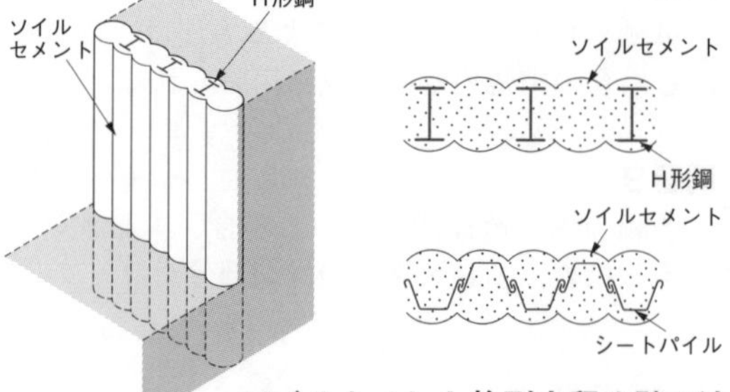

ソイルセメント柱列山留め壁工法

4　基礎・地業工事

4-1

基礎・地業工事等に関する記述として、**適当**か、**不適当**か、判断しなさい。

〈既製コンクリート杭工事〉

Check □□□

問題1

先端が開放されている杭を打ち込む場合、杭体内部への土や水の流入が原因で杭体が損傷することがある。

Check □□□

問題2

中掘り工法では、砂質地盤の場合、緩みがはげしいので、先掘り長さを少なくする。

Check □□□

問題3

埋込み工法において、プレボーリングによる掘削径は、杭径より10cm程度小さくする。

Check □□□

問題4

杭を接合する場合、接合する上杭と下杭の軸線が一致するように上杭を建て込む。

Check □□□

問題5

杭に現場溶接継手を設ける場合、原則としてアーク溶接とする。

Check □□□

問題6

セメントミルク工法において、アースオーガーは引上げ時には逆回転とする。

〈鋼管杭〉

Check □□□

問題7

バイブロハンマーを用いた振動による杭の打込み工法は、一般に杭径600mm以下の鋼管杭の打込みに用いられる。

Check □□□

問題8

鋼管杭の杭頭処理では、ガス切断、ディスクカッターやプラズマ切断が使用されている。

Check □□□

問題9

鋼管杭の現場溶接継手は、自動溶接のエレクトロスラグ溶接で行う。

解説

問題1・2　正しい

関連　荷降ろしで杭を吊り上げる際には、安定するよう杭の**支持点**近くの**2点**で支持して吊り上げるようにする。

問題3　誤り

埋込み工法において、プレボーリングによる掘削径は、杭径より大きいアースオーガーヘッドを用い、**10㎝程度大きく**する。

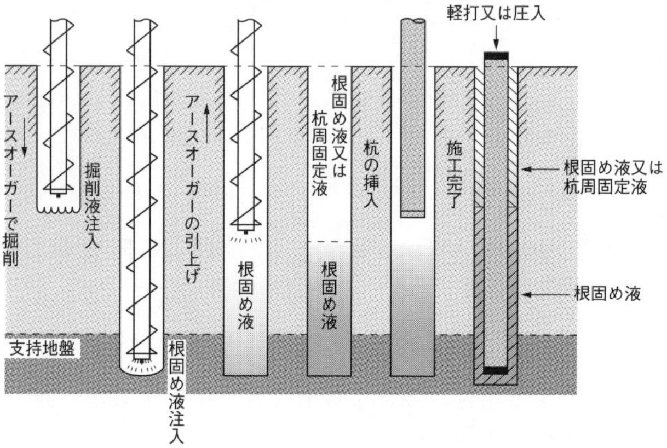

セメントミルク（プレボーリング）工法

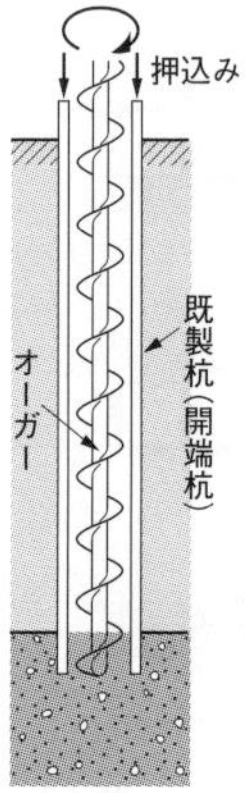

中掘り工法

問題4・5　正しい

関連　杭の現場継手に溶接継手を用いる場合、許容できるルート間隔を4㎜以下とする。

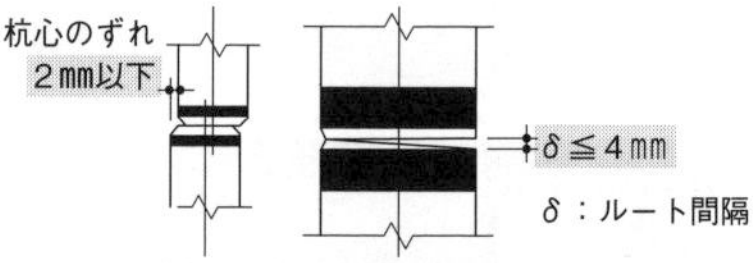

杭の継手部許容値

問題6　誤り

オーガーの引上げ時でも根固め液に負圧が生じないよう、根固め液の注入速度に合わせて**正回転**で引き上げる。

関連　セメントミルク工法において、根固め液の強度試験用供試体の養生は標準養生とする。

問題7・8　正しい

関連　回転圧入による埋込み工法では、硬質で厚い中間層がある場合は、打抜きの可否等について事前検討が必要である。

問題9　誤り

エレクトロスラグ溶接は、溶接線が鉛直に近い場合に適用され、鉄骨の溶接組立てに広く用いられている。溶接線が水平である鋼管杭の溶接には**半自動**又は**自動アーク溶接**が用いられる。

4-2 基礎・地業工事等に関する記述として、**適当**か、**不適当**か、判断しなさい。

〈場所打ちコンクリート杭工事〉

Check □□□

問題1
オールケーシング工法において、砂質地盤の場合は、ボイリングを防止するため、孔内水位を地下水位より高く保って掘削する。

Check □□□

問題2
オールケーシング工法におけるスライム処理は、孔内水がない場合やわずかな場合にはハンマーグラブにより行う。

Check □□□

問題3
オールケーシング工法では、コンクリート打設中にケーシングチューブの先端を、常に2m以上コンクリート中に入っているように保持する。

Check □□□

問題4
アースドリル工法における安定液は、必要な造壁性及び比重の範囲でできるだけ低粘性のものを用いる。

Check □□□

問題5
リバース工法における1次スライム処理は、底ざらいバケットにより行う。

Check □□□

問題6
プランジャー方式を用いて、水中でコンクリートを打込む場合、トレミー管の先端に前もってプランジャーを装着する。

Check □□□

問題7
空掘り部分の埋戻しは、一般にコンクリートの打込みの翌日以降、杭頭のコンクリートが初期硬化をしてから行う。

Check □□□

問題8
鉄筋かごの主筋と帯筋は、原則として鉄線結束で結合する。

Check □□□

問題9
アースドリル工法における鉄筋かごのスペーサーは、D10以上の鉄筋を用いる。

解 説

問題1　正しい

関連 オールケーシング工法において、軟弱粘性土地盤ではヒービング防止のため、ケーシングチューブの先行量を多くする。

問題2　正しい

関連 **オールケーシング工法**において、スライム量が多い場合の**2次スライム処理**は、**水中ポンプ**による方法で行う。

問題3　正しい

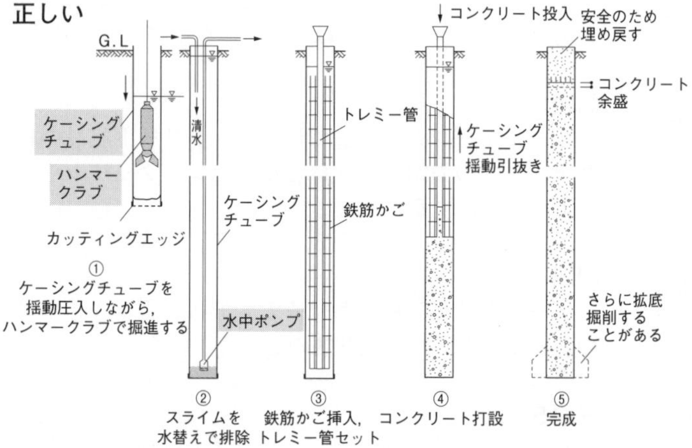

オールケーシング工法の例

問題4　正しい

問題5　誤り

リバース工法の**1次スライム処理**は、掘削完了後、ビットを孔底より少し引き上げて、数分空回しをするとともに、**孔内水を循環**させて行う。

関連 リバース工法における**2次スライム処理**は、一般にトレミー管とサクションポンプを連結し、スライムを吸い上げる。

問題6　誤り

プランジャーは、水中でコンクリートを打込む際に、コンクリートの分離を防ぐために**トレミー管内にセット**しコンクリートを打設する。トレミー管の先端ではない。

問題7・8　正しい

問題9　誤り

鉄筋かごのスペーサーは、孔壁を損傷しないように鉄筋ではなく**鋼板** 4.5×38㎜あるいは4.5 × 50㎜程度の帯鋼板を用いる。

関連 **鉄筋かご**に取り付ける**同一深さ位置のスペーサー**は、**4箇所以上**設ける。

5　鉄筋工事

5-1

鉄筋工事（加工及び組立て等）に関する記述として、**適当**か、**不適当**か、判断しなさい（ｄは異形鉄筋の呼び名の数値とする）。

Check □□□

問題１

上下階で柱の断面寸法が異なり、下階の柱の主筋を上階の柱の主筋に連続させるので、主筋の折曲げは、梁せいの範囲で行った。

Check □□□

問題２

ＳＤ295の鉄筋末端部の折曲げ内法直径の最小値は、折曲げ角度180°と90°を同じ値とした。

Check □□□

問題３

ＳＤ345、Ｄ19の鉄筋末端部の折曲げ内法直径は、４ｄとした。

Check □□□

問題４

ＳＤ390、Ｄ32の異形鉄筋を90°曲げとする際は、折曲げ内法直径を３d以上とした。

Check □□□

問題５

先端部に腰壁や垂れ壁の付かない片持ちスラブの上端筋の先端は、90°フックとし、余長を４d以上とした。

Check □□□

問題６

末端部の折曲げ角度が135°の帯筋のフックの余長を４ｄとした。

Check □□□

問題７

Ｄ25の異形鉄筋を用いる梁主筋をＬ字に加工する際は、一辺の加工寸法の許容差を±15㎜とした。

Check □□□

問題８

Ｔ形梁のあばら筋をＵ字形とする場合、上部のキャップタイの末端部は、90°曲げとし、余長を８ｄとした。

Check □□□

問題９

異形鉄筋相互のあきは、呼び名の数値の1.25倍、粗骨材最大寸法の1.5倍、25㎜のうち、最も大きい数値とした。

解説

問題１～３　正しい

問題４　誤り

異形鉄筋のＳＤ 390、Ｄ 32 の場合、鉄筋の<u>折曲げ内法直径は**５*d* 以上**とする</u>。

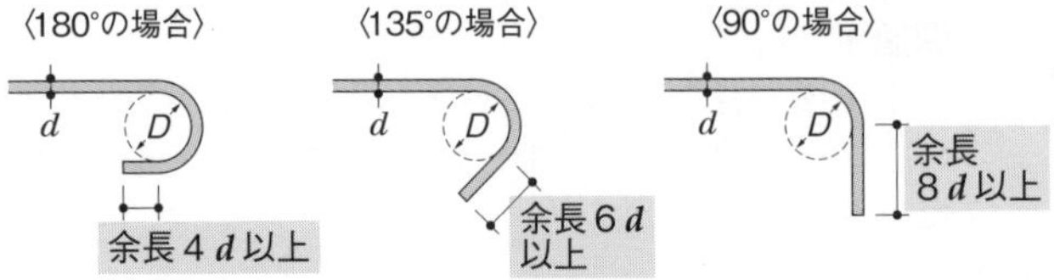

折曲げ角度	鉄筋の種類	鉄筋の径による区分	鉄筋の折曲げ内法直径（*D*）
180° 135° 90°	ＳＲ 235 ＳＲ 295 ＳＤ 295 ＳＤ 345	16　φ以下 Ｄ 16 以下	3*d* 以上
		19　φ Ｄ 19 ～Ｄ 41	4*d* 以上
	ＳＤ 390	**Ｄ 41 以下**	**５*d* 以上**
90°	SD490	Ｄ 25 以下	
		Ｄ 29 ～Ｄ 41	6*d* 以上

関連　同一径のＳＤ295とＳＤ345の鉄筋を90°に折り曲げる場合の**内法直径**は、同じ値である。

問題５　正しい　問題６　誤り

末端部の折曲げ角度が **135°** の帯筋の<u>フックの余長は**６*d* 以上**とする</u>。

問題７　正しい

問題８　正しい

関連　**帯筋**･あばら筋･スパイラル筋の一辺の**加工寸法の許容差**は、**±５㎜**とする。

問題９　誤り

異形鉄筋の相互のあきの最小寸法は、<u>**粗骨材最大寸法**の **1.25 倍**、かつ、**25 ㎜以上**、**鉄筋の呼び名の数値の 1.5 倍以上**</u>とする。

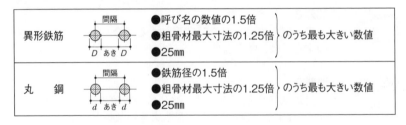

異形鉄筋	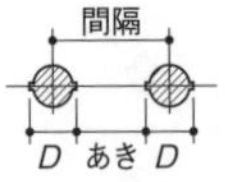	●呼び名の数値の1.5倍 ●粗骨材最大寸法の1.25倍 ●25㎜	のうち最も大きい数値
丸　鋼	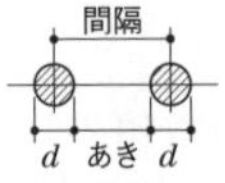	●鉄筋径の1.5倍 ●粗骨材最大寸法の1.25倍 ●25㎜	のうち最も大きい数値

5-2 鉄筋工事（継手・定着）に関する記述として、**適当**か、**不適当**か、判断しなさい。

Check □□□

問題１
異形鉄筋の重ね継手の長さは、コンクリートの設計基準強度によって異なる。

Check □□□

問題２
異形鉄筋の重ね継手をフック付きとする場合、継手の長さは、フックの角度に応じて異なる。

Check □□□

問題３
径の異なる鉄筋を重ね継手とする場合、重ね継手長さは、細い方の径により算定する。

Check □□□

問題４
梁主筋の重ね継手は、水平重ね、上下重ねのいずれでもよい。

Check □□□

問題５
大梁端部の下端筋の重ね継手中心位置は、梁端から梁せい分の長さの範囲内には設けない方がよい。

Check □□□

問題６
壁縦筋の配筋において、下階からの縦筋の位置がずれていたので、鉄筋を折り曲げないであき重ね継手とした。

Check □□□

問題７
柱に用いるスパイラル筋の重ね継手の長さを、40ｄ以上、かつ200㎜以上とした。

Check □□□

問題８
180°フック付き重ね継手の長さは、フックの折曲げ開始点間の距離とした。

Check □□□

問題９
梁の主筋を重ね継手とする場合、隣り合う鉄筋の継手中心位置は、重ね継手長さの1.0倍ずらす。

Check □□□

問題10
梁下端筋の柱梁接合部への定着は、梁下端筋を曲げ上げる形状で定着させた。

解　説

問題1　正しい

重ね継手の長さは、鉄筋の種類別にコンクリートの**設計基準強度**によって規定されている。同じ種類の鉄筋では、コンクリートの強度が高いほど継手長さは短くできる。

問題2　誤り

継手のフックの角度は、鉄筋が**使用される場所等**によって規定されており、フックの角度によって、継手の長さが異なることはない。

問題3　正しい

径が異なる鉄筋の**重ね継手の長さ**は、**細い鉄筋の径**による。

関連　**D35以上**の鉄筋には、**重ね継手を設けない**ことを原則とする。

問題4　正しい

梁主筋の重ね継手は、水平重ね、上下重ねのいずれでもよいが、重ね部分のかぶり厚さが一方に偏らないように注意する。

問題5　正しい

問題6　正しい

問題7　誤り

柱に用いるスパイラル筋の重ね継手の長さは、**50*d*以上、かつ300㎜以上**とする。

⇨ 右図参照

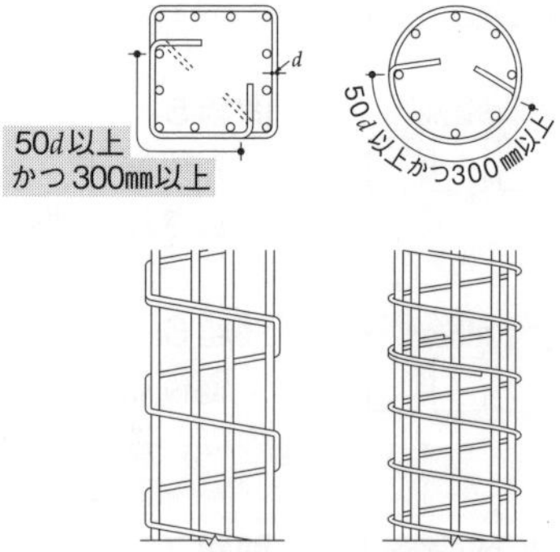

スパイラル筋の末端の重ね継手

問題8　正しい

問題9　誤り

隣り合う重ね継手の中心位置は、重ね継手長さの**約0.5倍**又は**1.5倍以上**ずらす。

⇨ 右図参照

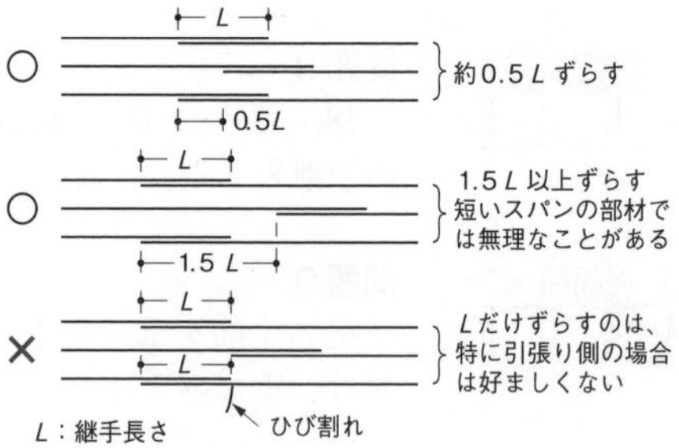

重ね継手のずらし方

問題10　正しい

5-3 鉄筋工事（ガス圧接）に関する記述として、**適当**か、**不適当**か、判断しなさい。

Check □□□

問題1

圧接時に考慮する鉄筋の長さ方向の縮み量は、鉄筋の強度によって異なる。

Check □□□

問題2

ＳＤ490の圧接は、第４種の技量資格者が行うことで施工前試験を省略することができる。

Check □□□

問題3

圧接端面の加工を圧接作業の当日より前に行う場合には、端面保護剤を使用する。

Check □□□

問題4

圧接器を鉄筋に取り付けた場合、鉄筋突合せ面のすき間は２㎜以下になるようにする。

Check □□□

問題5

同一径の鉄筋のガス圧接部のふくらみの長さは、鉄筋径の1.1倍以上とした。

Check □□□

問題6

同一径の鉄筋をガス圧接する場合、膨らみの直径は、その径の1.4倍以上とする。

Check □□□

問題7

径の異なる鉄筋のガス圧接部のふくらみの直径は、細い方の鉄筋径の1.2倍以上とした。

Check □□□

問題8

同一径の鉄筋をガス圧接する場合の鉄筋中心軸の偏心量は、その径の１／５以下とする。

Check □□□

問題9

隣り合うガス圧接継手の位置は、300㎜程度ずらす。

Check □□□

問題10

柱主筋のガス圧接継手位置（１階を除く。）は、梁上端から500㎜以上、かつ、柱の内法高さの３／４以下とする。

解　説

問題１　誤り

圧接継手において考慮する鉄筋の長さ方向の縮み量は、**鉄筋径の１～1.5倍**である。鉄筋の**強度**には**関係はない**。

問題２　誤り

ガス圧接技量資格者が資格種別範囲内の鉄筋の圧接作業を行う場合は、施工前試験を省略できるが、ＳＤ490の圧接は、**３種・４種**の技量資格者でも**省略すること**はできない。

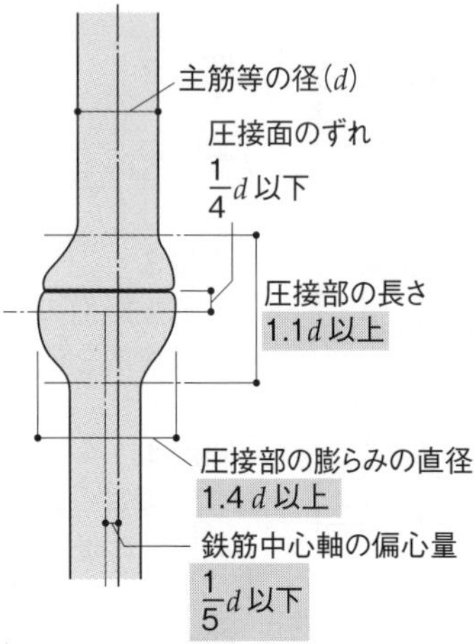

問題３～６　正しい

問題７　誤り

径の異なる鉄筋のガス圧接部のふくらみの直径は、**細い方**の鉄筋径の**1.4倍以上**とする。

問題８　正しい

問題９　誤り

ガス圧接継手を設ける場合、隣り合う継手の位置は**400㎜以上**交互にずらす。

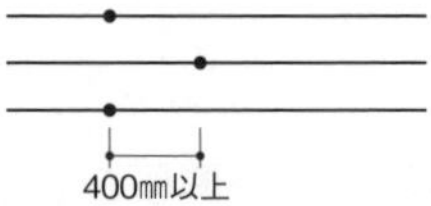

圧接部のずらし方は、原則として、400㎜以上とする。

ガス圧接継手の位置

問題10　正しい

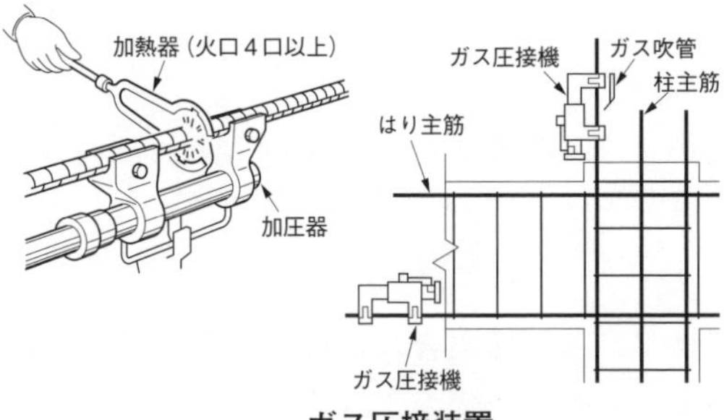

ガス圧接装置

〈鉄筋のガス圧接継手の外観検査の結果、不合格となった圧接部の措置〉

- 圧接部のふくらみの**直径**が規定値に満たない場合は、**再加熱**し圧力を加えて所定のふくらみに修正する。
- 圧接部のふくらみが著しい**つば形**の場合は、圧接部を**切り取って再圧接**する。
- 圧接部における相互の鉄筋の**偏心量**が規定値を超えた場合は、圧接部を**切り取って再圧接**する。
- 圧接部に明らかな**折れ曲がり**が生じた場合は、**再加熱**して修正する。

6　型枠工事

6-1

型枠工事（工法・施工）に関する記述として、**適当**か、**不適当**か、判断しなさい。

Check □□□

問題1
スラブ型枠の支保工に用いる鋼製仮設梁のトラス下弦材の中央部を、パイプサポートで支持した。

Check □□□

問題2
コンクリート表層部をち密にするため、余剰水の排水ができるように透水型枠を採用した。

Check □□□

問題3
型枠の組立ては、これらの荷重を受ける下部のコンクリートが有害な影響を受けない材齢に達してから開始する。

Check □□□

問題4
支柱として用いるパイプサポートの高さが3.5mを超える場合、水平つなぎを設ける位置は、高さ2.5m以内ごととする。

Check □□□

問題5
支柱として鋼管枠を使用する場合、水平つなぎを設ける位置は、最上層及び５層以内ごととする。

Check □□□

問題6
支柱として用いる組立て鋼柱の高さが４ｍを超えるので、水平つなぎを設ける位置は高さ４ｍごとにした。

Check □□□

問題7
コンクリート表面に残る丸型セパレーターのねじ部分は、ハンマーでたたいて除去した。

Check □□□

問題8
柱型枠の組立てにおいて、型枠の精度の保持を目的のひとつとして、足元は桟木で固定した。

Check □□□

問題9
柱型枠の組立てにおいて、セパレーター端部にコラムクランプを取り付け、せき板を締め付けた。

解　説

問題１　誤り

スラブ型枠の支保工に用いられる**鋼製仮設梁**は、ラチス構造であり、トラス弦材には支点がないので、両端の支点以外のところには支柱を立ててはならない。

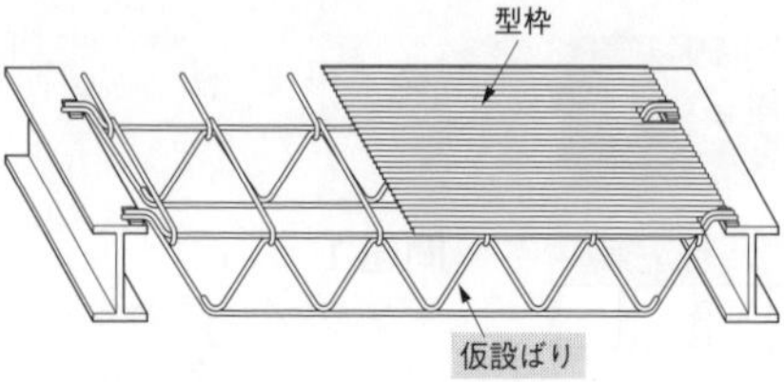

仮設梁工法例

問題２　正しい

問題３　正しい

問題４　誤り

支柱にパイプサポートを用いる場合、高さが**3.5 mを超える**時は、**高さ２m以内**ごとに**水平つなぎを２方向**に設け、かつ、水平つなぎの変位を防止する。

関連　支柱にパイプサポートを２本継いで用いる時は、**４以上のボルト**又は専用の金具を用いて継ぐ。

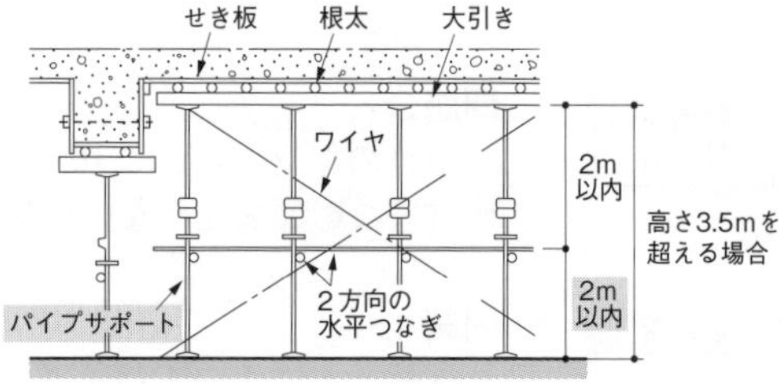

パイプサポート支柱

問題５　正しい

関連
- 支柱として用いる鋼材の許容曲げ応力の値は、その鋼材の降伏強さの値又は引張強さの値の3/4の値のうち、いずれか小さい値の2/3の値以下とする。
- 支柱として鋼管枠を使用する場合、１枠当たりの許容荷重は、荷重の受け方により異なる。

問題６　正しい

関連　型枠支保工の支柱に鋼管の枠組を用いる場合、荷重は枠組の荷重受などを利用して脚柱部で直接受け、枠組の横架材で受けないようにする。

問題７　正しい

問題８　正しい

問題９　誤り

コラムクランプは、独立柱に用いられる特殊金物で、四方から締め付け、くさびを用いて外側から固定するもので、セパレーターと組合せて用いることはない。

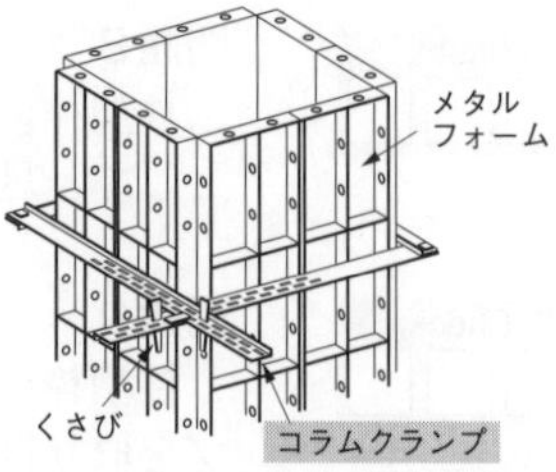

メタルフォームによる柱型枠の例

6-2 型枠の設計等に関する記述として、**適当**か、**不適当**か、判断しなさい。

〈型枠の設計〉

Check □□□

問題1
合板を型枠に用いる場合は、方向性による曲げヤング係数の低下を考慮する。

Check □□□

問題2
型枠設計用のコンクリートの側圧は、打込み速さにかかわらずフレッシュコンクリートのヘッドにより決まる。

Check □□□

問題3
パイプサポートを支保工とするスラブ型枠の場合、打込み時に支保工の上端に作用する水平荷重は、鉛直荷重の５％とする。

Check □□□

問題4
コンクリートの施工時の側圧や鉛直荷重に対する型枠の各部材それぞれの許容変形量は、３mm以下とする。

Check □□□

問題5
型枠の構造計算において、支保工以外の材料の許容応力度は、長期と短期の許容応力度の平均値とする。

Check □□□

問題6
型枠合板の構造計算に用いる材料の許容応力度は、短期許容応力度とする。

〈型枠の存置期間〉

Check □□□

問題7
せき板の最小存置期間は、基礎、梁側、柱及び壁ではそれぞれ異なる。

Check □□□

問題8
スラブ下の支柱を早期に取り外す場合、コンクリートの圧縮強度が、設計基準強度の85％以上、又は12N/mm^{2}以上であり、かつ、施工中の荷重及び外力について、構造計算により安全であることを確認する。

解説

問題1　正しい

問題2　誤り

型枠にかかるコンクリートの**側圧**は、コンクリートの**単位容積質量**、コンクリートの**打込み高さ**により決まる。

問題3　正しい

問題4　正しい

問題5　正しい

問題6　誤り

型枠合板の構造計算に用いる材料の**許容応力度**は、**長期**許容応力度と**短期**許容応力度の**平均値**とする。

問題7　誤り

基礎、梁側、柱及び壁の**せき板**の**存置期間**は**同じ**で、計画供用期間の級が短期及び標準の場合は、コンクリートの圧縮強度が5 N／mm^{2}以上に達したことが確認されるまでとする。最小存置期間は、同じである。

問題8　正しい

スラブ下の**支柱の存置期間**は、コンクリートの圧縮強度が告示では設計基準強度の85％以上（JASS 5では100％）、又は12 N／mm^{2}で、かつ、施工中の荷重・外力について、構造計算で安全が確認されるまでである。

型枠の存置期間（普通ポルトランドセメント・JASS 5）

<table>
<tr><th rowspan="2"></th><th rowspan="2">建築物の部分</th><th colspan="2">存置日数（日）
平均気温</th><th rowspan="2">コンクリートの圧縮強度</th></tr>
<tr><th>20℃以上</th><th>10℃以上
20℃未満</th></tr>
<tr><td rowspan="2">せき板</td><td>基礎・はり側
柱・壁</td><td>4</td><td>6</td><td>5 N／mm²
（長、超長期10 N／mm²）</td></tr>
<tr><td>版下・はり下</td><td colspan="2">支保工取り外し後</td><td>設計基準強度の100％</td></tr>
<tr><td>支柱
（支保工）</td><td>版下・はり下</td><td colspan="2">圧縮強度が12 N／mm²以上かつ計算により安全確認した場合</td><td>設計基準強度の100％</td></tr>
</table>

7 コンクリート工事

7-1

コンクリート工事（コンクリートの調合）に関する記述として、**適当**か、**不適当**か、判断しなさい。

Check □□□

問題1

普通ポルトランドセメントを用いる場合の水セメント比の最大値は、65%とする。

Check □□□

問題2

普通コンクリートの単位水量は、一般に185kg/m^{3}以下とする。

Check □□□

問題3

骨材に砕石や砕砂を使用し、スランプ18㎝のコンクリートを調合する場合、単位水量を185kg/m^{3}以下にするためには、高性能ＡＥ減水剤を使用するとよい。

Check □□□

問題4

普通コンクリートの単位セメント量の最小値は、一般に250kg/m^{3}とする。

Check □□□

問題5

単位セメント量が過小の場合、水密性、耐久性は低下するが、ワーカビリティーがよくなる。

Check □□□

問題6

普通コンクリートの調合において、球形に近い骨材を用いる方が、偏平なものを用いるよりもワーカビリティーがよい。

Check □□□

問題7

細骨材率を大きくすると、所要のスランプを得るのに必要な単位セメント量及び単位水量を減らすことができる。

Check □□□

問題8

粗骨材の最大寸法が大きくなると、所定のスランプを得るのに必要な単位水量は減少する。

Check □□□

問題9

流動化コンクリートのベースコンクリートを発注する場合は、呼び強度、スランプなどの他、スランプの増大量を指定する。

解　説

問題1　正しい

コンクリートのワーカビリティー等を確保するため、ポルトランドセメントでは、**水セメント比の最大値**は**65%**とする。

セメントの種類		水セメント比
ポルトランドセメント	早強・**普通**・中庸熱	**65%**
	低　熱	60%
混合セメント（高炉・フライアッシュ・シリカ）	A　種	65%
	B　種	60%

関連 普通コンクリートの調合において、水セメント比を低減すると、塩化物イオンの浸透に対する抵抗性を高めることができる。

問題2　正しい

問題3　正しい

関連 **AEコンクリート**にすると、**凍結融解作用**に対する抵抗性の改善が可能となる。

問題4・5　誤り

普通コンクリートの**単位セメント量**は、ひび割れ等の観点から少ない方がよい。最小値は**270kg/m³**と定められている。

単位セメント量が過少なコンクリートは、ガサついたコンクリートで、**ワーカビリティー**が**悪く**なり、**水密性、耐久性の低下**の原因となる。

問題6　正しい

問題7　誤り

細骨材率を**大きく**（**高く**）する（砂利に比べて砂が多い）と、流動性が悪くなるので、**セメントペースト**（セメント＋水）を**多く**必要とする（所要スランプを得るには**単位セメント量**及び**単位水量**を**多く**必要とする）。

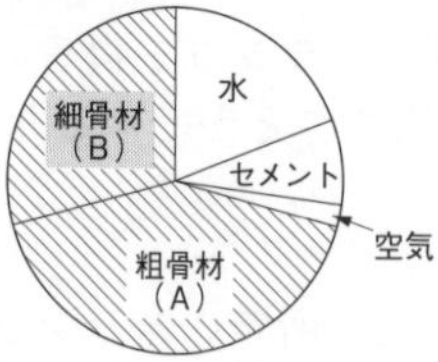

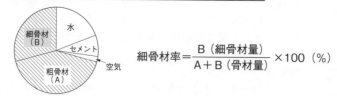

$$細骨材率 = \frac{B（細骨材量）}{A+B（骨材量）} \times 100（\%）$$

問題8　正しい

関連 **砕石**を用いるコンクリートでは、砂利を用いる場合に比べ、所要のスランプに対する**単位水量**が**大きく**なる。

問題9　正しい

7-2 コンクリート工事(打込み・締固め)に関する記述として、**適当**か、**不適当**か、判断しなさい。

Check □□□

問題1
スランプ18cm程度のコンクリートの打込み速度の目安は、一般にコンクリートポンプ工法で打ち込む場合、20〜30m^3/h程度である。

Check □□□

問題2
外気温が25℃以上であったので、練混ぜから打込み終了までの時間を120分以内となるようにした。

Check □□□

問題3
粗骨材の最大寸法が25㎜の普通コンクリートを圧送する場合、輸送管の呼び寸法は100A以上とする。

Check □□□

問題4
コンクリートポンプを用いて圧送する場合、軽量コンクリートは、普通コンクリートに比べてスランプの低下や輸送管の閉そくが起こりにくい。

Check □□□

問題5
コンクリートの圧送負荷の算定において、ベント管1箇所当たりの水平換算長さを3mとして計算した。

Check □□□

問題6
水平打継ぎ部分は、十分に散水して湿潤状態とするが、水が残っている場合は取り除く必要がある。

Check □□□

問題7
梁及びスラブの鉛直打継ぎ部は、梁及びスラブの端部に設けた。

Check □□□

問題8
コンクリート内部振動機(棒形振動機)の挿入間隔は、有効範囲を考慮して60cm以下とする。

Check □□□

問題9
コンクリート内部振動機(棒形振動機)で締め固める場合、一般に加振時間を1箇所60秒程度とする。

Check □□□

問題10
コンクリート1層の打込み厚さは、コンクリート内部振動機(棒形振動機)の長さを考慮して60cm以下とする。

解説

問題1　正しい

問題2　誤り

練混ぜから打込み終了までの時間の限度は、外気温が25℃**未満**で**120分、25℃以上**で**90分**とする。

練混ぜから打込み終了までの時間

外気温	打込み時間限度
25℃未満	120分以内
25℃以上	90分以内

〈参考〉打重ね時間間隔の限度

外気温	打込み時間限度
25℃未満	150分以内
25℃以上	120分以内

関連　高性能ＡＥ減水剤を用いた高強度コンクリートの練混ぜから打込み終了までの時間は、外気温にかかわらず、原則として、120分を限度とする。

問題3　正しい

問題4　誤り

軽量コンクリートは、圧送すると軽量骨材が圧力吸水し、**スランプの低下**や輸送管内の**閉そく**が**起こりやすい**。また、人工軽量骨材は、吸水性が大きいので、十分吸水（プレソーキング）させたものを使用する。

問題5　正しい

問題6　正しい

問題7　誤り

壁・梁及びスラブなどの鉛直打継ぎ部は、欠陥が生じやすいので、できるだけ設けないほうがよい。やむを得ず設ける場合は、構造部材の耐力への影響の最も少ない位置とし、梁、床スラブ・屋根スラブの**鉛直打継ぎ部**は、**スパンの中央**または**端から1／4付近**に設ける。

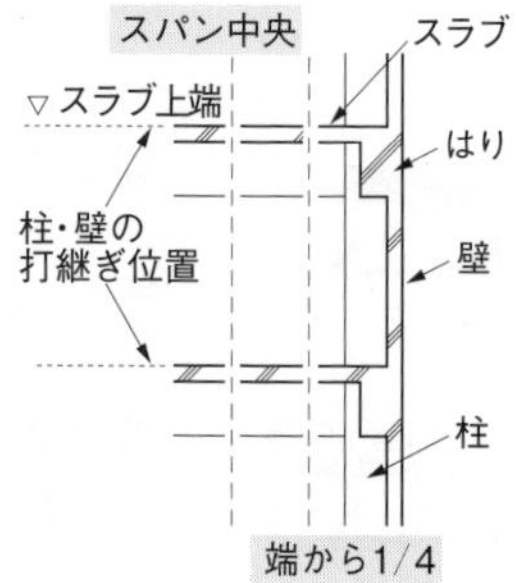

問題8　正しい

問題9　誤り

コンクリート内部振動機（棒形振動機）で締め固める場合、過剰加振による材料分離防止上、**加振時間**は、１か所**5～15秒**の範囲とするのが一般的である。

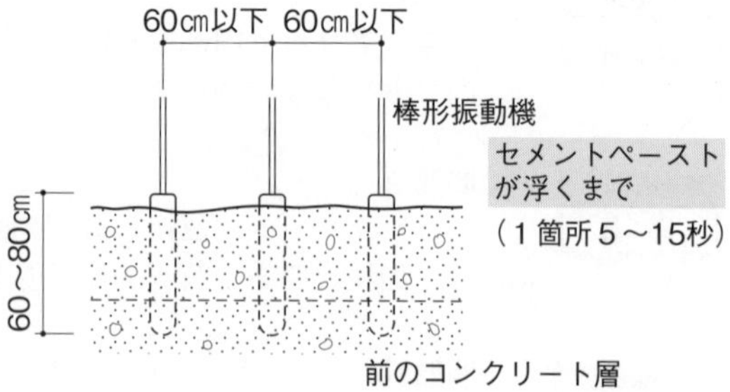

問題10　正しい

7-3

コンクリート工事(養生)に関する記述として、**適当**か、**不適当**か、判断しなさい。

Check □□□

問題1
打込み後のコンクリート面が露出している部分に散水や水密シートによる被覆を行うことは、初期養生として有効である。

Check □□□

問題2
コンクリートが硬化後に所要の性能を発揮するためには、硬化初期の期間中に十分な湿潤養生を行う。

Check □□□

問題3
打込み後のコンクリートが透水性の小さいせき板で保護されている場合は、湿潤養生と考えてもよい。

Check □□□

問題4
湿潤養生の期間は、早強ポルトランドセメントを用いたコンクリートの場合は、普通ポルトランドセメントを用いた場合より短くすることができる。

Check □□□

問題5
膜養生剤を塗布して水分の逸散を防ぐ湿潤養生は、ブリーディングが終了した後に行う。

Check □□□

問題6
普通ポルトランドセメントを用いたコンクリートの場合、振動等によってコンクリートの凝結及び硬化が妨げられないように養生しなければならない期間は、コンクリート打込み後３日間である。

Check □□□

問題7
大断面の部材で、中心部の温度が外気温より25℃以上高くなるおそれがある場合は、保温養生により、温度ひび割れの発生を防止する。

Check □□□

問題8
コンクリート打込み後２日間は、コンクリートの温度が２℃を下らないように養生しなければならないと定められている。

Check □□□

問題9
寒中コンクリートで加熱養生を行う場合は、コンクリートに散水をしてはならない。

解説

問題1　正しい

問題2　正しい

関連 連続的に散水を行って水分を供給する方法による**湿潤養生**は、コンクリートの**凝結**が**終了した後**に行う。

問題3　正しい

問題4　正しい

コンクリートは、**早強**ポルトランドセメントを用いた場合は、普通ポルトランドセメントを用いた場合より湿潤養生の期間を**短く**することができる。

湿潤養生の期間

計画供用期間の級 ＼ セメントの種類	短期および標準	長期および超長期
早強ポルトランドセメント	3日以上	5日以上
普通ポルトランドセメント	5日以上	7日以上

関連 **湿潤養生**を**打ち切ることができる圧縮強度**は、**早強**と**普通**ポルトランドセメントは**同じ**で、例えば、計画供用期間の級が短期及び標準の場合で10 N／mm^2以上である。

湿潤養生を打ち切ることができるコンクリートの圧縮強度

短期および**標準**	長期および超長期
10 N／mm^2以上	15 N／mm^2以上

問題5　正しい

問題6　誤り

普通ポルトランドセメントを用いたコンクリートの**打込み後5日間**は、乾燥、振動等によってコンクリートの凝結及び硬化が妨げられないように養生しなければならない。

問題7　正しい

問題8　誤り

寒冷期のコンクリートの温度は、打込み後**5日間以上**は、**2℃以上**に保たなければならない。

問題9　誤り

寒中コンクリートで**加熱養生**を行う場合、コンクリートの水分の蒸発が促進されるので、乾燥しないように**散水**等によって**保湿**する。

8　鉄骨工事

8-1

鉄骨工事（工作・組立て・溶接）に関する記述として、**適当**か、**不適当**か、判断しなさい。

〈工作・組立て〉

Check □□□

問題1

　床書き現寸は、一般に工作図をもってその一部又は全部を省略することができる。

Check □□□

問題2

　自動ガス切断機で開先を加工し、著しい凹凸が生じた部分は修正した。

Check □□□

問題3

　鋼材の曲げ加工を加熱加工とする場合は、200～400℃の青熱ぜい性域で行ってはならない。

Check □□□

問題4

　高力ボルト用の孔あけは、板厚が16㎜の場合、せん断孔あけとすることができる。

Check □□□

問題5

　スタッド溶接後のスタッド仕上り高さの管理許容差は、±1.5㎜とした。

Check □□□

問題6

　露出形式柱脚におけるベースプレートのアンカーボルト孔の径は、アンカーボルトの径に5㎜を加えた数値以下とする。

〈溶　　接〉

Check □□□

問題7

　半自動溶接を行う箇所の組立て溶接の最小ビード長さは、板厚が12㎜だったので、40㎜とした。

Check □□□

問題8

　裏当て金を用いる柱梁接合部のエンドタブの取付けは、母材に直接溶接した。

Check □□□

問題9

　鉄骨溶接部の溶接割れを防止ためには、継手の拘束度を大きくする。

解説

問題1～3　正しい

問題4　誤り

高力ボルト用の孔あけ加工は、板厚には関係なく、**ドリルあけ**とする。高力ボルト以外のボルト、アンカーボルト、鉄筋貫通孔はドリルあけを原則とするが、板厚が13㎜以下のときは、せん断孔あけとすることができる。

関連〈**高力ボルトの孔径**〉

種　類	孔径D	公称軸径d
高力ボルト	$d+2.0$ $d+3.0$	$d<27$ $27\leqq d$
ボルト	$d+0.5$	—
アンカーボルト	$d+5.0$	—

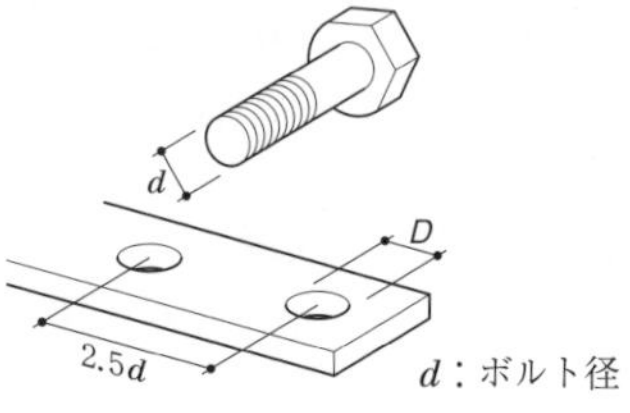

ボルト径と孔径

問題5～7　正しい

問題8　誤り

裏当て金を用いる柱梁接合部のエンドタブの取付けは、直接、母材に組立溶接をしない。

関連〈**エンドタブ**〉

- エンドタブは、特記のない場合は切断してよいので、クレーンガーターの場合は、溶接後切除してグラインダーで仕上げ加工を行う。
- 溶接を**手溶接**とする場合は、エンドタブの**長さ**は、自動溶接より**短く**する。
- 完全溶込み溶接の両端に、継手と同等の材質、同厚、同開先のエンドタブを取り付ける。

問題9　誤り

継手の拘束度を大きくすると割れが発生しやすい。継手の**拘束**を**小さく**する。

関連〈**鉄骨溶接部の溶接割れの防止**〉

- 低水素系の溶接棒を使用する。
- 溶接部とその周辺の予熱により、溶接部の冷却速度を遅くする。
- 炭素当量の少ない鋼材を使用する。

【参考】錆止め塗装

- 鋼管などの密閉される閉鎖形断面の内面は、錆止め塗装を行わない。
- 鉄骨製作工場で錆止め塗装を行う場合、現場溶接を行う箇所及び隣接する両側100㎜の範囲、溶接部の超音波探傷試験に支障をきたす範囲は、塗装を行わない。
- ブラスト処理で素地調整を行った鉄面は、直ちに錆止め塗装を行う。

8-2 鉄骨工事（建方）に関する記述として、**適当**か、**不適当**か、判断しなさい。

Check □□□

問題１

露出形式柱脚におけるアンカーボルトでは、二重ナット及び座金を用い、その先端は、ねじがナットの外に３山以上出るようにする。

Check □□□

問題２

柱のベースモルタルは、建入れを調整しやすくするため、全面塗り仕上げ工法とする。

Check □□□

問題３

ウェブを高力ボルト工事現場接合、フランジを工事現場溶接接合とする混用接合は、原則として、高力ボルトを先に締め付け、その後溶接を行う。

Check □□□

問題４

高力ボルト摩擦接合における仮ボルトの締付け本数は、一群のボルト数の１/３程度、かつ、２本以上とする。

Check □□□

問題５

柱の溶接継手のエレクションピースに使用する仮ボルトは、普通ボルトを使用して全数締め付ける。

Check □□□

問題６

架構の倒壊防止用ワイヤロープを使用する場合、これを建入れ直し用に兼用してはならない。

Check □□□

問題７

梁の接合部のクリアランスに矢（くさび）を打ち込んで押し広げる方法は、計測寸法が正規より小さいスパンの微調整に用いられる。

Check □□□

問題８

梁の高力ボルト接合では、梁の上フランジのスプライスプレートをあらかじめはね出しておき、建方を容易にする。

Check □□□

問題９

建方精度の測定に当たっては、温度の影響を考慮する。

解説

問題1　正しい

関連　●引張力を負担するアンカーボルトの埋込み位置ずれの修正は、台直しによって行ってはならない。
●**通り心**と鉄骨**建方用アンカーボルト**の位置の**ずれ**の管理許容差は、±５mm、限界許容差は±８mmとする。

問題2　誤り

柱のベースモルタルは、建入れを調整しやすくするためには、**後詰め中心塗り工法**とするのがよい。

関連　●鉄骨の建方に先立って行うベースモルタルの施工において、**ベースモルタル**の**養生期間**は**３日間以上**とする。
●鉄骨柱据付け面となる**ベースモルタル天端の高さ**の管理許容差は、±３mm、限界許容差は±５mmとする。

問題3・4　正しい

関連　柱・梁接合部の**混用**継手及び**併用**継手の**仮ボルト**の締付け本数は、ボルト１群に対して、**1/2程度**、かつ、**２本以上**とする。

問題5　誤り

柱の溶接継手のエレクションピースに使用する仮ボルトは、**全数**締め付けなければならないが、普通ボルトではなく、**高力ボルト**を用いる。

問題6　誤り

架構の**倒壊防止用ワイヤロープ**を使用する場合、このワイヤロープを**建入れ直し用**に**兼用してよい**。

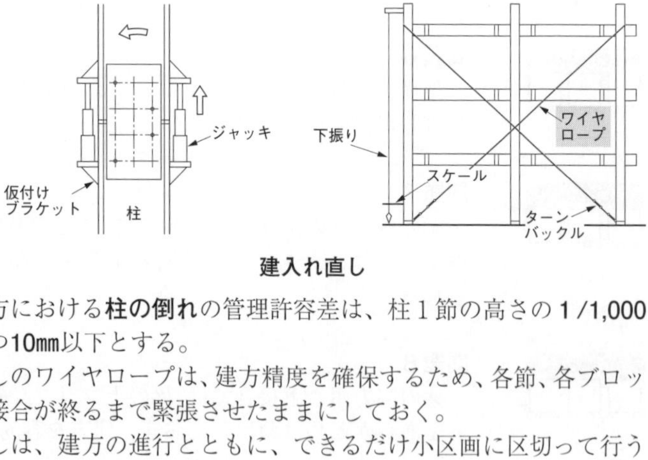

建入れ直し

関連　●鉄骨の建方における**柱の倒れ**の管理許容差は、柱１節の高さの**1/1,000**以下、かつ10mm以下とする。
●建入れ直しのワイヤロープは、建方精度を確保するため、各節、各ブロックの現場接合が終るまで緊張させたままにしておく。
●建入れ直しは、建方の進行とともに、できるだけ小区画に区切って行うのがよい。
●建方時の予期しない外力に備えて、１日の建方終了ごとに所定の補強ワイヤを張る。

問題7～9　正しい

8-3 鉄骨工事（高力ボルト接合・耐火被覆）に関する記述として、**適当**か、**不適当**か、判断しなさい。

〈高力ボルト接合〉

Check □□□

問題１

高力ボルト接合の摩擦面は、ショットブラストにて処理し、表面あらさは50μｍＲｚ以上を確保した。

Check □□□

問題２

１次締め及び本締めは、ボルト１群ごとに継手の中央部より周辺部に向かって締め付けた。

Check □□□

問題３

１㎜を超える肌すきが生じたために入れたフィラープレートは、脱落を防止するためスプライスプレートに溶接した。

Check □□□

問題４

座金は、面取りがしてある方を表にして使用した。

Check □□□

問題５

呼び径がM20のトルシア形高力ボルトの長さは、締付け長さに20㎜を加えた値を標準とした。

〈耐火被覆〉

Check □□□

問題６

吹付け工法は、耐火被覆材料を鉄骨に直接吹き付ける工法であり、軽量セメントモルタル吹付けは硬化までの養生が不要である。

Check □□□

問題７

巻付け工法は、無機繊維のブランケットを鉄骨に取り付ける工法であり、施工時の粉塵の発生がほとんどない。

Check □□□

問題８

成形板張り工法は、加工した成形板を鉄骨に張り付ける工法であり、耐火被覆材の表面に化粧仕上げができる。

Check □□□

問題９

左官工法は、下地に鉄網を使用し各種モルタルを塗る工法であり、どのような形状の下地にも施工継目のない耐火被覆を施すことができる。

解　説

問題1・2　正しい

問題3　誤り

部材接合面に、はだすきが生じた場合、**はだすき量が1mmを超える**場合は、**フィラー**を入れる（1mm以下の場合は処理不要）。フィラープレートは、溶接すると溶接欠陥や母材に悪影響を与えるため、行ってはならない。

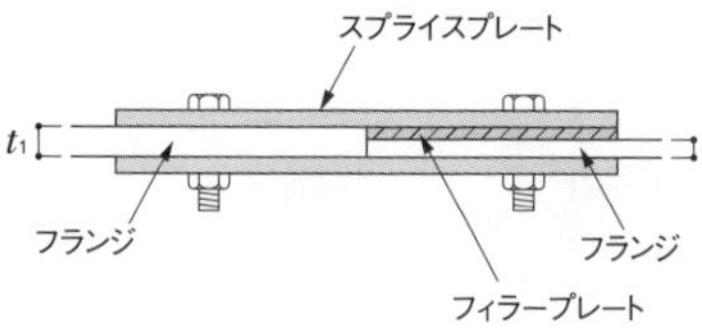

問題4　正しい

関連 高力ボルトと接合部材の面が**1/20以上**傾斜している場合、大きい偏心応力が働くおそれがあるので、**勾配座金**を用いる。

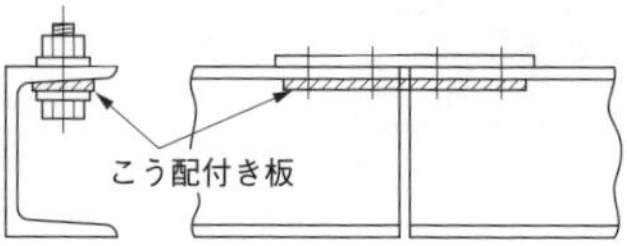

こう配付き板

問題5　誤り

高力ボルトの長さ（首下長さ）は、締付け長さに表の長さを加えたものを標準とする。M20のトルシア形高力ボルトの長さは、締付け長さに30mmを加えた値を標準とする。

ボルトの呼び径		M12	M16	M20	M22	M24	M27	M30
締付け長さに加える長さ（単位：mm）	高力六角ボルト	25	30	35	40	45	50	55
	トルシア形高力ボルト		25	30	35	40	45	50

問題6　誤り

吹付け工法は、耐火被覆材料を鉄骨に直接吹き付ける工法で、軽量セメントモルタルの場合、吹付け後硬化するまでの**2週間**程度の**養生**が必要である。

関連
- 耐火被覆材の吹付け厚さは、確認ピンを用いて確認する。
- 高層建物の耐火被覆材の吹付けは、ロックウール、セメント、せっこう、水を混合して圧送する**湿式工法**で行う。

問題7　正しい

関連 巻付け工法において、耐火被覆材の取り付けに用いる固定ピンは、鉄骨にスポット溶接により取り付ける。

問題8　正しい

関連 耐火板張り工法において、繊維混入けい酸カルシウム板は、一般に吸水性が大きいため、雨水がかからないよう養生を行い、接着剤と釘を併用して取り付ける。

問題9　正しい

9　その他の工事

ALCパネル工事に関する記述として、**適当**か、**不適当**か、判断しなさい。

Check □□□

問題1

躯体の層間変位が大きいので、外壁パネルは変形に対する追従性能が高いロッキング構法で取り付けた。

Check □□□

問題2

横壁アンカー構法において、パネル積上げ段数5段ごとに受け金物を設けた。

Check □□□

問題3

外壁の出隅及び入隅部のパネル接合部は、伸縮目地を設け、耐火目地材を挟み込んだ。

押出成形セメント板の一般的な取付け方法に関する記述として、**適当**か、**不適当**か、判断しなさい。

Check □□□

問題4

縦張り工法のパネルは、層間変形に対してロッキングにより追従するため、縦目地は15mm、横目地は8mmとした。

Check □□□

問題5

横張り工法のパネル取付け金物（Zクリップ）は、パネルがスライドできるようにし、パネル左右の下地鋼材に堅固に取り付けた。

解　説

問題１　正しい

躯体の**層間変位**が**大きい**場合は、**ロッキング構法**及び**スライド構法**が採用される。

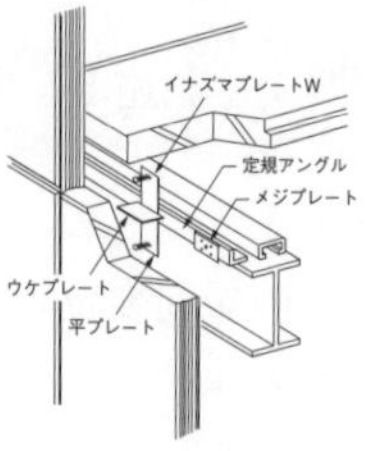

ロッキング構法

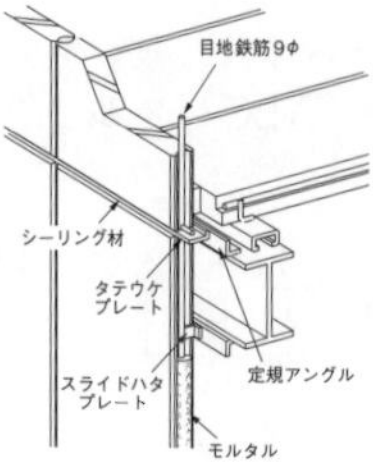

スライド構法

問題２　正しい

パネルを横使いにして施工する横壁アンカー構法は、３～５段ごとに下地鋼材等に取付けた受け金物により支持する。

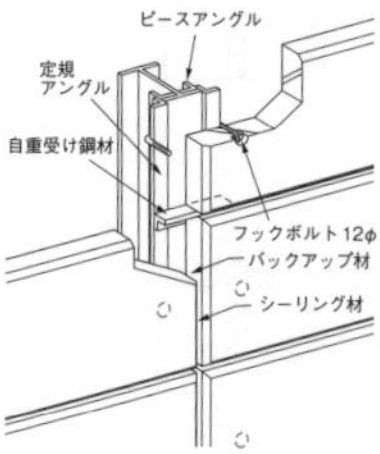

横壁アンカー構法

問題３　正しい

関連　耐火性能が要求される外壁パネルの伸縮目地には、目地幅より大きな耐火目地材を20％程度圧縮して充填した後にシーリングを施工する。

問題４　誤り

パネル相互の目地幅は、縦張り工法でも横張り工法でも、短辺の方が大きな目地幅とする。

	A種　縦張り工法（ロッキング方式）	B種　横張り工法（スライド方式）
工　法	パネル四隅の取付け金物で支持部材に取り付け、躯体の層間変位に対しロッキングにより追随させる工法	パネル四隅の取付け金物で支持部材に取り付け、躯体の層間変位に対しスライドすることにより追随させる工法
	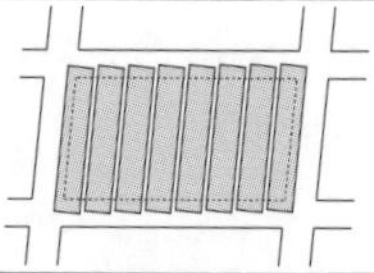	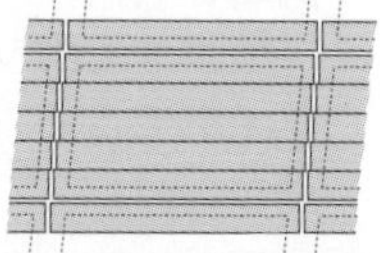
荷重受け	各段ごとに荷重受け部材が必要	パネル２～３段ごとに荷重受けが必要
取付け金物	パネルの上下端部に、ロッキングできるように取り付ける	パネルの左右端部に、スライドできるように取り付ける
目　地	パネル間は伸縮目地とし、**縦目地は８mm以上、横目地は15mm以上**とする	パネル間は伸縮目地とし、縦目地は15mm以上、横目地は８mm以上とする

問題５　正しい

Zクリップは、縦張り、横張りとも下地鋼材に30mm以上のかかり代を確保し、取付けボルトがZクリップのルーズホールの中心の位置になるように取り付ける。

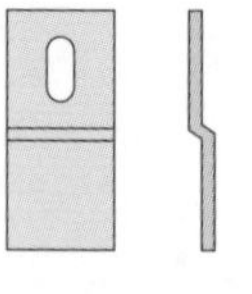
Zクリップ

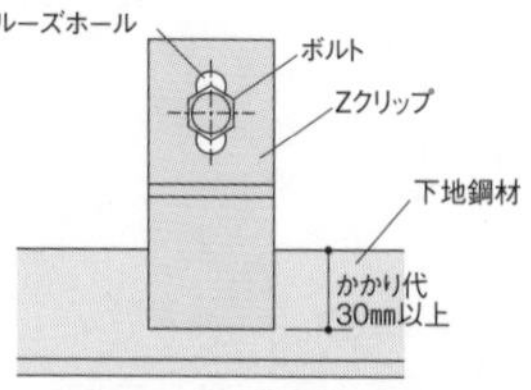

Zクリップのかかり代

10　耐震改修工事

10-1

耐震改修工事に関する記述として、**適当**か、**不適当**か、判断しなさい。

〈現場打ち鉄筋コンクリート壁の増設工事〉

Check □□□

問題1

既存壁に新たに増打ち壁を設ける工事において、シヤーコネクターを型枠固定用のセパレーターとして兼用した。

Check □□□

問題2

コンクリート流込み工法による壁の増設では、上部すき間に圧入したグラウト材が空気抜きから出ることでグラウト材が充填されたことを確認した。

Check □□□

問題3

既存構造体にあと施工アンカーが多数埋め込まれる増設壁部分に用いる割裂補強筋には、スパイラル筋又ははしご筋を用いることとした。

Check □□□

問題4

鉄筋コンクリート壁の増設工事において、既存梁下と増設壁上部とのすき間のグラウト材の注入は、予定した部分を中断することなく1回で行った。

Check □□□

問題5

鉄筋コンクリート壁の増設工事において、注入するグラウト材の練上り時の温度は、練り混ぜる水の温度を管理し、10～35℃の範囲となるようにした。

〈鉄骨ブレースの設置工事〉

Check □□□

問題6

枠付き鉄骨ブレースの設置工事において、現場で鉄骨ブレース架構を組み立てるので、継手はすべて高力ボルト接合とした。

〈耐震スリット新設工事〉

Check □□□

問題7

柱と接する既存の袖壁部分に完全スリットを設ける工事において、袖壁の切欠きは、袖壁厚の1/2の深さまでとした。

解　説

問題1　正しい

増打ち壁の場合、既存壁との一体性を増すために、シヤーコネクターとして既存壁に設置したあと施工アンカーをセパレーターに利用することができる。

問題2　正しい

コンクリート流込み工法による壁の増設は、上部を20㎝程度残して流し込み、グラウト材を圧入するが、グラウト材が空気抜きから出ることで充填を確認する。

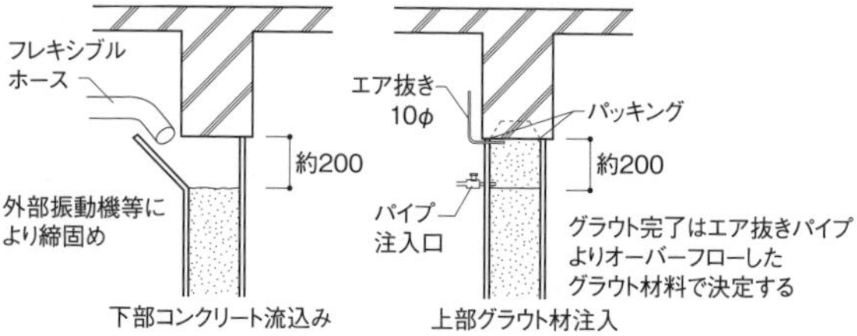

グラウト材注入工法の例

問題3　正しい

既存構造体にあと施工アンカーが多数埋め込まれる増設壁との取合い部分では、コンクリート又はグラウト材の割裂防止のため、**スパイラル筋**又は**はしご筋**等の**割裂補強筋**を用いる。

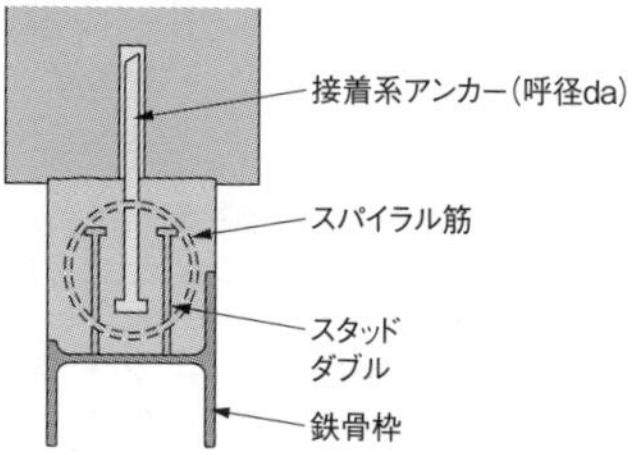

問題4　正しい

問題5　正しい

グラウト材の練り上がりの温度は、10～35℃の範囲になるように、練り混ぜに用いる水の温度を10℃以上になるように管理する。

問題6　正しい

問題7　誤り

耐震改修構造の**完全スリット**は、柱に接する壁の全厚さを切断し、完全に縁切りしたものであり、<u>設問は、**部分スリット**の説明である。</u>

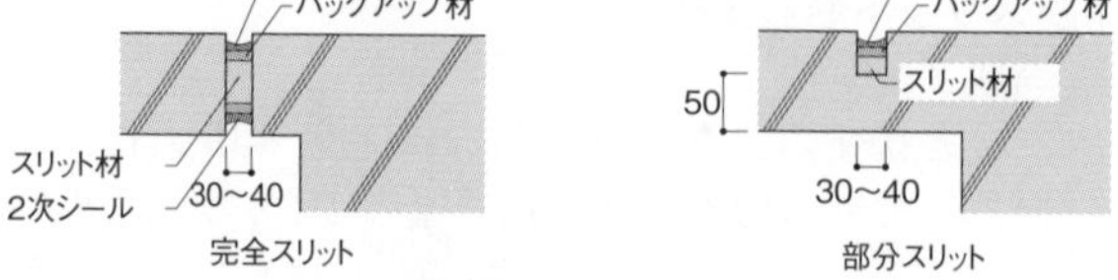

耐震スリットの形状例

10-2

耐震改修工事に関する記述として、**適当**か、**不適当**か、判断しなさい。

〈柱補強工事他〉

Check □□□

問題1

溶接金網巻き工法において、溶接金網に対するかぶり厚さ確保のため、溶接金網は型枠建込み用のセパレーターに結束して固定した。

Check □□□

問題2

柱の溶接金網巻き工法において、溶接金網は分割して建て込み、金網相互の接合は重ね継手とした。

Check □□□

問題3

溶接閉鎖フープ巻き工法において、フープ筋の継手は、溶接長さが片側10ｄ（ｄはフープ筋の径又は呼び名に用いた数値）以上のフレア溶接とした。

Check □□□

問題4

鋼板巻き工法において、コ形に加工した２つの鋼板を□形に一体化する際、接合部の溶接は部分溶込み溶接とした。

Check □□□

問題5

柱補強工事の鋼板巻き工法では、鋼板と既存柱のすき間に硬練りモルタルを手作業で充填した。

Check □□□

問題6

柱の連続繊維補強工法において、躯体表面を平滑にするための下地処理後、その表面は接着力確保のため目荒らしを行い、隅角部は直角のままとした。

Check □□□

問題7

連続繊維補強工法のシート工法において、シートの切り出し長さは、柱の周長にラップ長さを加えた寸法とした。

解説

問題1　正しい

問題2　正しい

問題3　正しい

問題4　誤り

鋼板巻き工法において、コ形に加工した２つの鋼板を□形に一体化する際、接合部の溶接は部分溶込み溶接ではなく、**突き合わせ溶接**とする。

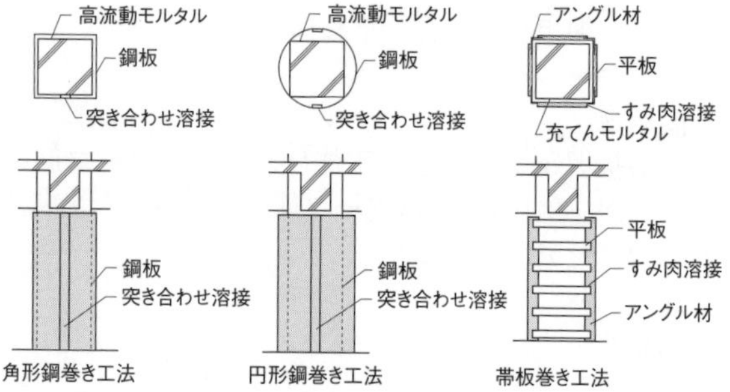

鋼板系の巻き立て補強

問題5　誤り

柱補強工事の鋼板巻き工法は、既存の独立柱の周囲に鋼板を巻き、すき間にモルタルを充填し、柱のせん断補強を行う工法で、**グラウト材**を**下部から圧入**により充填する。

問題6　誤り

連続繊維補強工法の場合、巻付ける炭素繊維等のシートは、突起物等に接触して破壊しないように下地コンクリート表面の凹凸は**平滑**に仕上げ、柱の隅角部も**面取り**を行う。

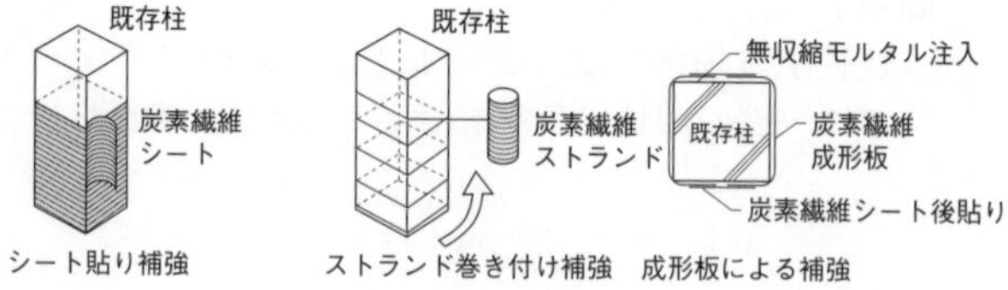

炭素繊維補強工法

問題7　正しい

シートの切り出しは、シートの割付け図に従って、連続繊維シートを切り出す。シートの切り出し長さは、柱の周長にラップ長さを加えた寸法とする。

11　建設機械

11-1　建設機械に関する記述として、**適当**か、**不適当**か、判断しなさい。

Check □□□

問題1
湿地ブルドーザーの平均接地圧は、全装備質量が同程度の場合、標準のブルドーザーの半分程度である。

Check □□□

問題2
タイヤローラーは、砂質土の締固めに適しており、ロードローラーに比べ機動性に優れている。

Check □□□

問題3
アースドリル掘削機は、リバース掘削機に比べ、一般により深い掘削能力がある。

Check □□□

問題4
バックホウは、機械の位置より高い場所の掘削に適し、山の切取りなどに用いるが、基礎の掘削には適さない。

Check □□□

問題5
クラムシェルは、掘削深さが40m程度までの軟弱地盤の掘削に用いられる。

Check □□□

問題6
ショベル系掘削機では、一般にクローラー式の方がホイール式よりも登坂能力が高い。

Check □□□

問題7
ロングスパン工事用エレベーターの定格速度は、毎分10m以下である。

Check □□□

問題8
建設用リフトの停止階には、荷の積卸口の遮断設備を設ける。

Check □□□

問題9
最大混合容量4.5m^3のトラックミキサー車の最大積載時の総重量は、約20 t である。

解説

問題1　正しい

問題2　正しい

問題3　誤り

機種と孔径により、掘削深さは異なるが、一般的には**アースドリル掘削機**では**50 m**程度、**リバース掘削機**では**70 m程度**の掘削能力がある。

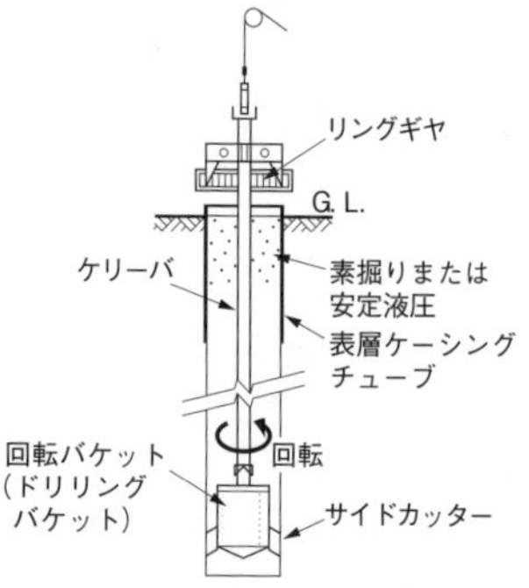

アースドリル工法

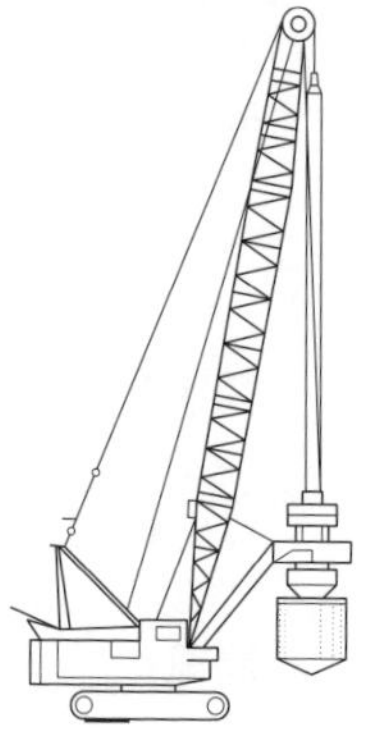

アースドリル掘削機

問題4　誤り

バックホウは、バケットを上から下に操作するので、基礎の掘削等、機械の位置より**低い場所**の掘削に適している。設問は、**パワーショベル**の説明である。

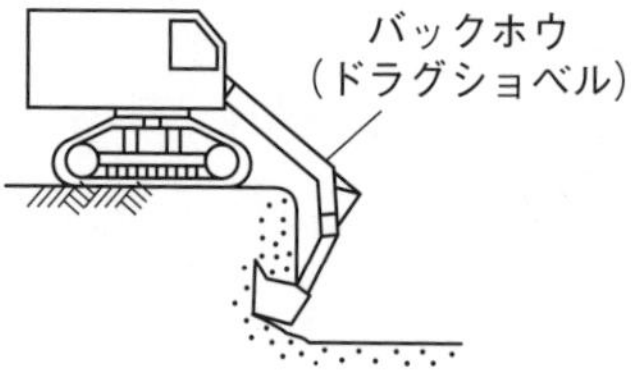

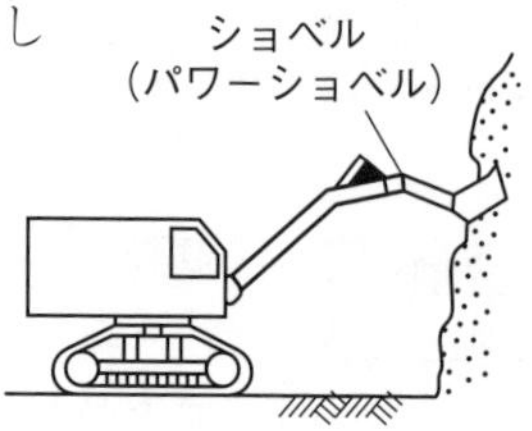

問題5　正しい

問題6　正しい

問題7　正しい

問題8　正しい

問題9　正しい

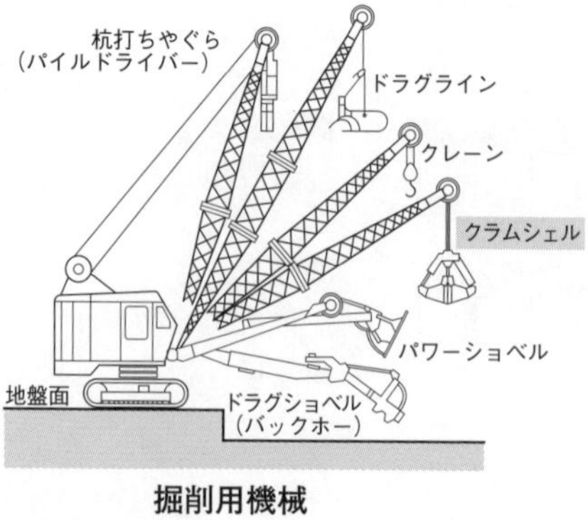

掘削用機械

11-2 クレーンに関する記述として、**適当**か、**不適当**か、判断しなさい。

Check □□□

問題1

トラッククレーンを使用する場合、走行時の車輪圧と作業時におけるアウトリガー反力について、その支持地盤の強度を検討する。

Check □□□

問題2

トラッククレーンの作業地盤の安全性の検討では、定格総荷重に全装備重量を加えた値を４点のアウトリガーが平均して支持するものとして検討を行う。

Check □□□

問題3

クローラクレーンは、油圧式トラッククレーンに比べ接地圧が大きく、地盤の悪い所での移動性に劣る。

Check □□□

問題4

つり上げ荷重が同程度の場合、クローラクレーンは、油圧式トラッククレーンに比べて、一般に最大作業半径は大きい。

Check □□□

問題5

ホイールクレーンは、同じ運転室内でクレーンと走行の操作ができ、機動性に優れている。

Check □□□

問題6

傾斜ジブ式タワークレーンは、高揚程で比較的重量の大きい荷のつり上げに用いられる。

Check □□□

問題7

ジブクレーンの定格荷重は、フック等のつり具の重量を含めたものである。

Check □□□

問題8

クレーンによる作業は、10分間の平均風速が10m／s以上の場合は中止する。

Check □□□

問題9

クレーンで重量物をつり上げる場合、地切り後に一旦停止して機械の安定や荷崩れの有無を確認する。

解説

問題1　正しい

関連 油圧式トラッククレーンのつり上げ性能は、アウトリガーを最大限に張出し、ジブ長さを最短にし、ジブの傾斜角を最大にしたときにつり上げることができる最大の荷重で示す。

問題2　誤り

トラッククレーンの**アウトリガーフロート**には、クレーンの自重と荷の重量の合計の75％以上の荷重が1箇所にかかるものと考え検討する。

問題3　誤り

クローラークレーンは、走行部がキャタピラで接地面積が広く、**接地圧**が**小さく**なるため、安定性がよく、不整地や**軟弱地盤**等の**移動性**に**優れて**いる。

関連 **ラチス**式クローラクレーンは油圧式トラッククレーンと異なり、ブームの組立て解体の場所を考慮しなければならない。

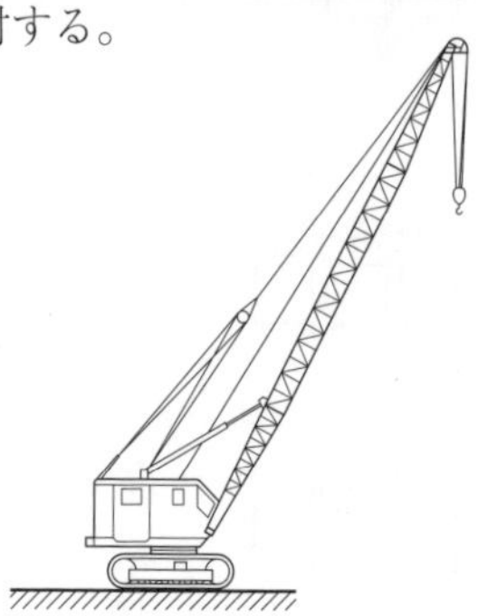

クローラークレーン

問題4　正しい
問題5　正しい
問題6　正しい

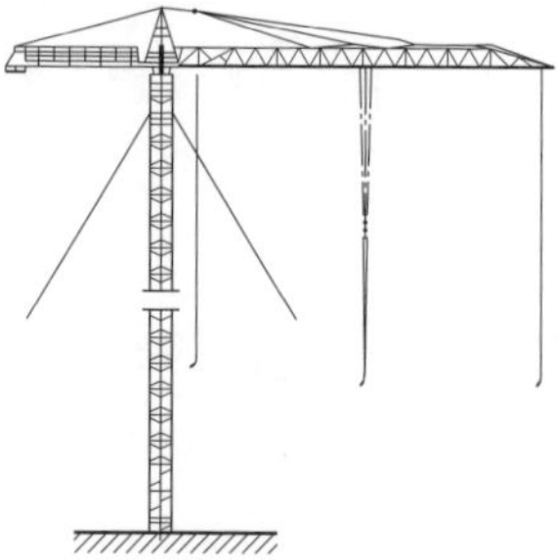

水平式タワークレーン

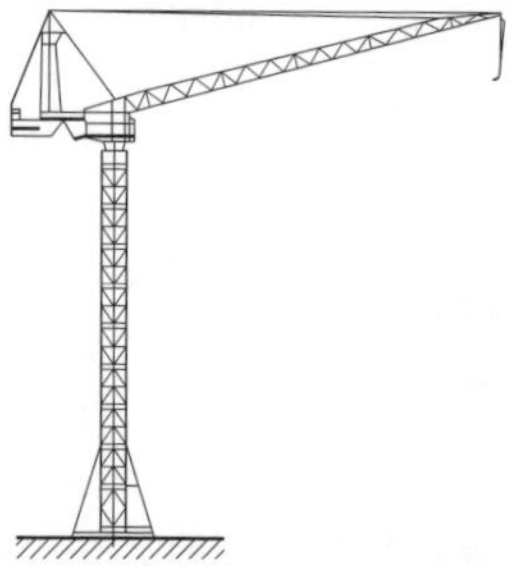

傾斜式タワークレーン

問題7　誤り

ジブクレーンの**定格荷重**は、定格総荷重からフック等のつり具の重量を差し引いた、実際につり上げることのできる値である。

関連 ジブを有しないクレーンの定格荷重とは、つり上げ荷重からフックやグラブバケットなどのつり具の重量に相当する荷重を除いた荷重のことである。

問題8　正しい

関連 建方クレーンの旋回範囲に高圧送電線（66,000 V）がある場合、送電線に対して離隔距離を**2.2 m以上**確保する。

問題9　正しい

❹

施工
（仕上げ工事）

4 施工（仕上げ工事）

1 防水工事

1-1 アスファルト防水工事に関する記述として、**適当**か、**不適当**か、判断しなさい。

Check □□□

問題1
コンクリート下地のアスファルトプライマーの使用量は、0.2kg/㎡とする。

Check □□□

問題2
コンクリートスラブの打継ぎ部は、絶縁用テープを張り付けた後、幅300㎜程度のストレッチルーフィングを増張りする。

Check □□□

問題3
アスファルト防水において、貫通配管回りに増張りした網状アスファルトルーフィングは、アスファルトで十分に目つぶし塗りを行った。

Check □□□

問題4
アスファルト防水の密着工法において、平場のアスファルトルーフィング類の重ね幅は、長手、幅方向とも50㎜とし、重ね部からあふれ出たアスファルトは、はけを用いて塗り均した。

Check □□□

問題5
露出防水絶縁工法において、アスファルトプライマー塗りの後、砂付あなあきルーフィングを突き付けて敷き並べた。

Check □□□

問題6
露出防水絶縁工法において、立上り部の１層目は、砂付あなあきルーフィングを用いて、平場へ500㎜以上張り掛けた。

Check □□□

問題7
立上がりのアスファルトルーフィング類を張り付けた後、平場のルーフィング類を150㎜程度張り重ねる。

解説

問題1　正しい

問題2　正しい

問題3　正しい

問題4　誤り

平場のアスファルトルーフィング類の**重ね幅**は、**縦横**とも**100mm程度**とし、重ね部からあふれ出たアスファルトは、はけを用いて塗り均す。

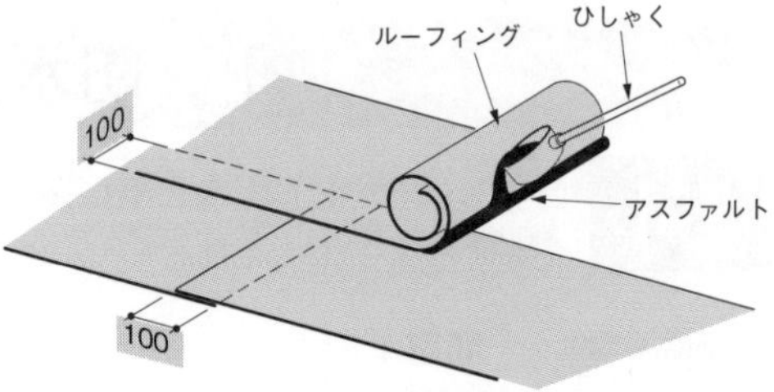

ルーフィング類の流し張り

関連　出隅・入隅には、幅300mm程度のストレッチルーフィングを、一般平場のルーフィングの張付けに先立ち、最下層に増張りする。

問題5　正しい

問題6　誤り

露出防水絶縁工法に、砂付あなあきルーフィングを用いる場合の立上り部の1層目は、**ストレッチルーフィング**（機械的性質及び耐久性にすぐれる）を用いて平場に500 mm以上張り掛ける。

問題7　誤り

平場のアスファルトルーフィング類を張り付けた後、その上に**立上がり**のアスファルトルーフィング類を150 mm程度重ねて張り付ける。

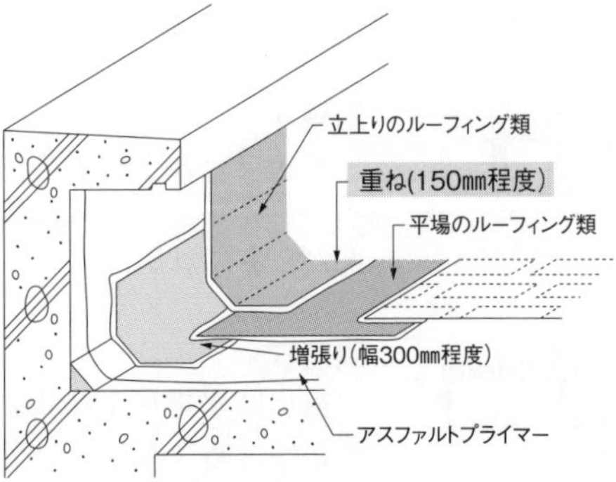

立上りの一般ルーフィング類

【参考】アスファルト防水工事：材料

- 立上り入隅部の処理において、モルタル又はコンクリートの面取りに代えて、**45度**で**傾斜長さ70mm程度**の**成形キャント材**を用いることができる。
- 保護コンクリートに用いる**成形伸縮目地材**は、キャップと本体からなり、**キャップ幅**は**25mm**、**本体**は**キャップ幅の80%以上**とする。

1-2 防水工事に関する記述として、**適当**か、**不適当**か、判断しなさい。

〈改質アスファルトシート防水工事〉

Check □□□

問題1
防水層の下地は、入隅部はR面とし、出隅部は直角とした。

Check □□□

問題2
平場の改質アスファルトシートの張付けに先立ち、立上り部の出入隅角部に200mm角の増張り用シートを張り付けた。

Check □□□

問題3
改質アスファルトシート相互の重ね幅は、長手、幅方向とも100mmとなるように張り重ねた。

Check □□□

問題4
ＡＬＣパネルの短辺接合部は、あらかじめ幅150mmの増張り用シートを密着張りした。

Check □□□

問題5
露出防水用改質アスファルトシートの重ね部は、砂面をあぶり、砂を沈めて重ね合わせた。

〈合成高分子系ルーフィングシート防水工事〉

Check □□□

問題6
プライマーは、その日に張り付けるルーフィングの範囲に、ローラーばけを用いて規定量をむらなく塗布した。

●加硫ゴム系シート防水

Check □□□

問題7
出隅角の処理は、シートの張付け前に非加硫ゴム系シートで増張りを行った。

Check □□□

問題8
重ね部は熱融着し、接合端部をひも状シール材でシールした。

Check □□□

問題9
接着仕様の防水層立上りの末端部の処理は、押え金物で固定し、シール材を用いた。

Check □□□

問題10
軽歩行が可能となるように、加硫ゴム系シート防水の上にケイ砂を混入した厚塗り塗料を塗布した。

解説

問題1　誤り

改質アスファルトシート防水層の下地の**入隅**は**直角**とし、**出隅**は45°の幅3～5㎜の**面取り**とする。

問題2　正しい

問題3　正しい

関連 平場の張付けにおいて、シートの**3枚重ね部**は、水みちとなりやすいので、**中間**の改質アスファルトシート**端部**を**斜めにカット**するか、焼いた金ごてを用いて平滑にする。

問題4　誤り

パネルの短辺接合部は、改質アスファルトシートの張付けに先立って、**幅300㎜程度の増張り用シート**を用いて、接合部両側に100㎜程度ずつ張り掛け**絶縁張り**とする。

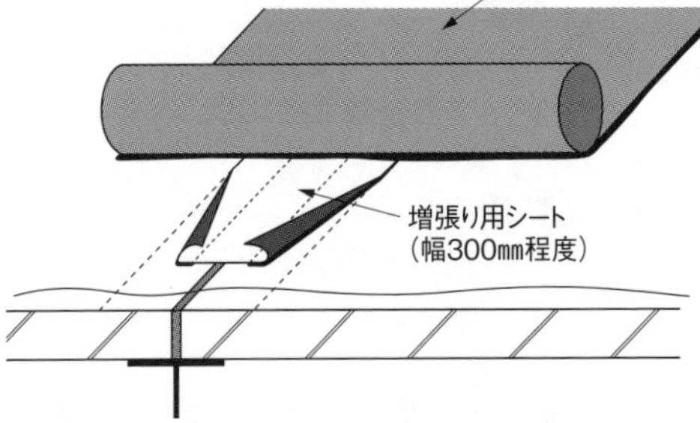

ALCパネルの接合部

関連 防水下地が**プレキャストコンクリート**部材の接合目地部には、目地の両側に**100㎜程度**ずつ**張り掛ける**ことのできる幅の**増張り用シート**を用いて**絶縁増張り**を行う。

問題5　正しい

問題6　正しい

問題7　正しい

問題8　誤り

加硫ゴム系ルーフィングシートの相互の張付けは、**接着剤**と**テープ状シール材**を用いて接合する。

問題9　正しい

問題10　正しい

1-3 防水工事に関する記述として、**適当**か、**不適当**か、判断しなさい。

〈合成高分子系ルーフィングシート防水工事〉

●塩化ビニル樹脂系シート防水

Check □□□

問題1

塩化ビニル樹脂系シート防水において、シート相互の接合部は、クロロプレンゴム系の接着剤により接合した。

Check □□□

問題2

塩化ビニル樹脂系シート防水の出入隅角には、水密性を高めるためシートの施工後に成形役物を張り付けた。

Check □□□

問題3

塩化ビニル樹脂系シート防水において、接合部のシートの重ね幅は、幅方向、長手方向とも40mm以上とした。

〈塗膜防水〉

Check □□□

問題4

ウレタンゴム系防水材の塗継ぎの重ね幅を50mm、補強布の重ね幅は100mmとした。

Check □□□

問題5

ウレタンゴム系塗膜防水の通気緩衝工法において、防水層の下地からの水蒸気を排出するための脱気装置は、200㎡に1箇所の割合で設置した。

Check □□□

問題6

ウレタンゴム系塗膜防水の緩衝工法における通気緩衝シートは、接着剤を塗布し、シート相互を突付け張りとした。

Check □□□

問題7

ウレタンゴム系塗膜防水の緩衝工法において、立上り部における補強布は、平場部の通気緩衝シートの上に100mm張り掛けて防水材を塗布した。

Check □□□

問題8

ゴムアスファルト系室内仕様の防水材の総使用量は、固形分60%のものを使用し、4.5kg/㎡とした。

解 説

問題1　誤り

塩化ビニル樹脂系シート防水において、シート相互の接合部は、**熱風融着**又は**溶着剤**により行う。

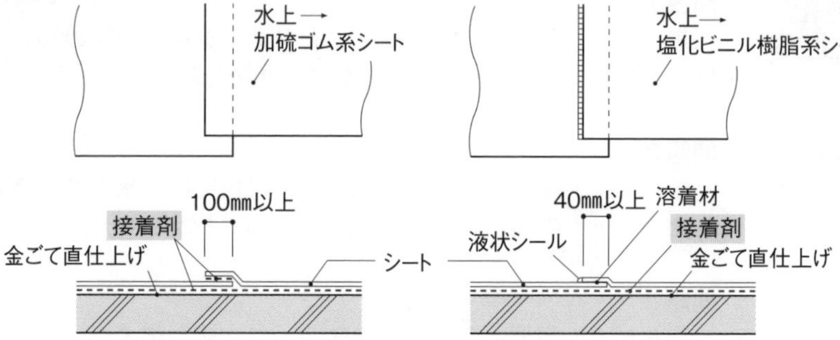

シート接合の例

問題2・3　正しい

関連 エポキシ樹脂系接着剤を用いて平場に塩化ビニル樹脂系ルーフィングシートを張り付ける場合は、下地面のみに接着剤をむらなく塗布する。

問題4　誤り

ウレタンゴム系防水材の**塗継ぎ**の重ね幅を**100㎜以上**とし、**補強布**の重ね幅は**50㎜以上**とする。

関連 立上り部の補強布は、平部の通気緩衝シートの上に100㎜程度張り掛けて防水材を塗布する。

問題5　誤り

通気緩衝シートによる下地からの水蒸気の通気を行う**脱気装置**は、**25～100㎡程度ごと**に設置する。

問題6　正しい

関連 **穴あきタイプの通気緩衝シート**は、下地に通気緩衝シートを**接着剤**で張付け後、**シートの穴**を**ウレタンゴム系防水材**を用いて充填する。

問題7　正しい

関連 ゴムアスファルト系地下外壁仕様において、出隅及び入隅の下地補強塗りは、**補強布を省略**しゴムアスファルト系防水材を用いて、**増吹き**により補強塗りを行うようにする。

問題8　正しい

関連 ウレタンゴム系防水材の**平場部**の総使用量は、硬化物比重が1.0のものを使用する場合、標準使用量は3.0 kg/㎡、**立上り部**では標準使用量は2.0kg/㎡とする。

1-4

シーリング工事に関する記述として、**適当**か、**不適当**か、判断しなさい。

Check □□□

問題1

ＡＬＣなどの表面強度が小さい被着体の場合、モジュラスの高いものを使用する。

Check □□□

問題2

外壁ＡＬＣパネルに取り付くアルミニウム製建具の周囲の目地シーリングは、３面接着とした。

Check □□□

問題3

コンクリートの水平打継ぎ目地のシーリングは３面接着とし、２成分形変成シリコーン系シーリング材を用いた。

Check □□□

問題4

プライマーの塗布及びシーリング材の充填時に、被着体が５℃以下になるおそれが生じたので、作業を中止した。

Check □□□

問題5

マスキングテープはプライマーの塗布前に張り付け、充填したシーリング材の可使時間が過ぎてから除去した。

Check □□□

問題6

シーリング材の充填は目地の交差部から始め、打継ぎ位置も交差部とした。

Check □□□

問題7

先打ちしたポリサルファイド系シーリング材に、変成シリコーン系シーリング材を打ち継いだ。

Check □□□

問題8

ワーキングジョイントの目地幅が20㎜だったので、目地深さは、12㎜とした。

Check □□□

問題9

目地深さが所定の寸法より深い場合、バックアップ材などを用いて、所定の目地深さになるように調整する。

Check □□□

問題10

シリコーン系シーリング材を充填する場合のボンドブレーカーは、シリコーンテープとした。

解説

問題１　誤り

ＡＬＣパネルは表面強度が小さいため、シーリング材は**低モジュラス**のものを用いる。

問題２　誤り

外壁ＡＬＣパネルに取り付くアルミニウム製建具の周囲の目地シーリングは、**ワーキングジョイント**となるので、**２面接着**とする。

問題３　正しい

目地の変位が全くないか極めて少ないところには、ノンワーキングジョイントを用い、３面接着とする。

関連　**金属製笠木**の笠木間の目地には、**２成分形変成シリコーン系シーリング**を使用する。

問題４　正しい

施工環境として気温15～20℃、湿度80％未満の無風状態が望ましい。

問題５　誤り

マスキングテープは、プライマーの塗布前に張り付け、シーリング材の**表面仕上げ後**（へら仕上げ後）、**直ちに**行う。

問題６　誤り

シーリングの**打始め**は、目地の**交差部**又は**角部**から行い、**打継ぎ位置**は目地の**交差部**や**角部**を**避けて**、**そぎ継ぎ**とする。

問題７　正しい

関連　被着面にのろが付着していた場合、サンドペーパーなどを用いて完全に除去する。

問題８　正しい

関連　ワーキングジョイントに装填する丸形のバックアップ材は、目地幅より20～30％大きいものを選定する。

問題９　正しい

関連　**バックアップ材**は、裏面粘着剤の付いているものは目地幅より１㎜程度小さいものを、裏面粘着剤の付いていないものは目地幅より２㎜程度大きいものを用いる。

問題10　誤り

シリコーン系シーリング材を充填する場合のボンドブレーカーは、**ポリエチレンテープ**とする。

2　屋根工事

2-1　屋根工事に関する記述として、**適当**か、**不適当**か、判断しなさい。

〈心木なし瓦棒葺〉

Check □□□

問題1

軒先と平行に張り付ける下葺きアスファルトルーフィングは、流れ方向の重ね幅を100mmとし、ステープル釘での仮止め間隔は300mm程度とした。

Check □□□

問題2

通し吊子の鉄骨母屋への取付けは、平座金を付けたドリリングタッピンねじで、下葺、野地板を貫通させ母屋に固定した。

Check □□□

問題3

水上部分と壁との取合い部に設ける雨押えは、壁際立上がりを45mmとした。

Check □□□

問題4

壁の出隅部分と取合う溝板の立上り部には切欠きができるので、その切欠き部の裏面に当て板をはんだ付けした。

〈瓦葺き〉

Check □□□

問題5

瓦の割付けは、葺き上がりが納まるように、「働き幅」や「働き長さ」に基づいて行った。

Check □□□

問題6

引掛け桟瓦葺きにおいて、桟山補強を行うので、桟木の上に瓦割付けを行い、縦桟木を取り付けた。

Check □□□

問題7

屋根勾配が4/10未満で流れ長さが10mを超えたので、J形瓦の下葺き材に、改質アスファルトルーフィングシートを使用した。

Check □□□

問題8

屋根の谷部の下葺き材は、谷の両側に約100mmずつ振り分けて、幅約200mmにわたって二重葺きとした。

解　説

問題１　正しい

問題２　正しい

関連 **キャップ**は、溝板と通し吊子になじみよくはめ込み、均一かつ十分にはぜ締めを行う。

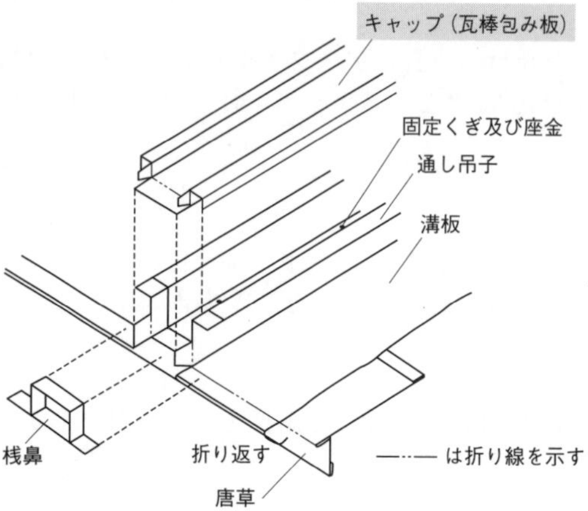

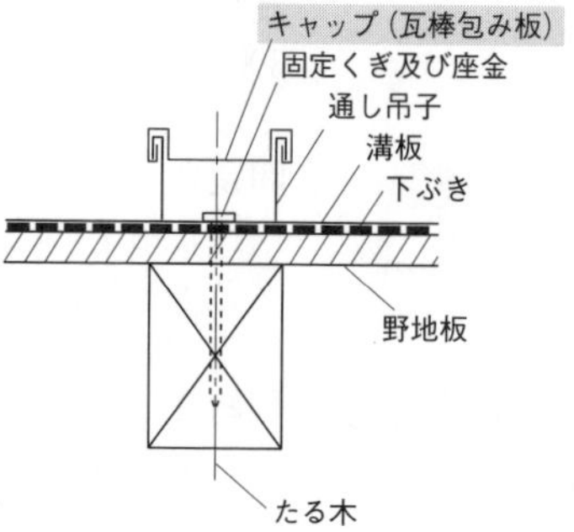

問題３　誤り

水上部分と壁との取合い部に設ける**雨押え**は、強風時に雨水が浸入しないように、<u>壁際の立上り部分は**120mm**程度立ち上げる</u>。

関連 屋根の流れ方向に平行な壁との取合いに設ける幅広の雨押えには、流れ方向と直角方向にも水勾（こう）配を付ける。

問題４～７　正しい

問題８　誤り

屋根の谷部の下葺き材は、二重葺きとするが、<u>谷の両側に約**200㎜ずつ**振り分けて、幅約**400㎜**にわたって二重葺きとする</u>。200㎜では納まらない。

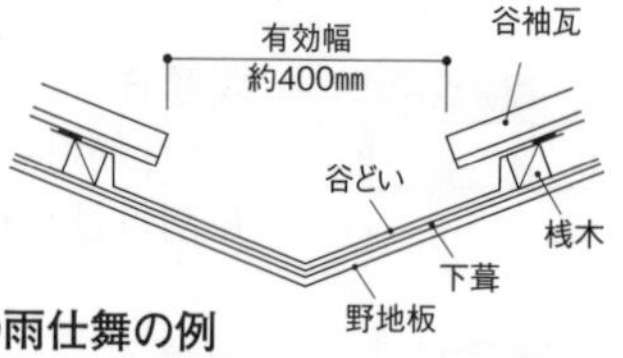

谷の雨仕舞の例

【参考】金属板葺屋根工事

- 平葺の吊子は、葺板と同様、同厚の板で、幅30㎜、長さ70㎜程度とする。
- 平葺の小はぜ掛けの下はぜの折返し幅は、18㎜程度とする。
- 心木なし瓦棒葺の溝板は、通し吊子を介して留め付ける。
- 塗装溶融亜鉛めっき鋼板を用いた金属板葺きの留付け用くぎ類は、亜鉛めっき製又はステンレス製を使用する。

2-2 屋根工事に関する記述として、**適当**か、**不適当**か、判断しなさい。

〈金属製折板葺屋根工事〉

Check □□□

問題1
折板の材料による区分には、鋼板製とアルミニウム合金板製がある。

Check □□□

問題2
折板の耐力による区分には、1種、2種、3種、4種、5種の5種類があり、1種が最も耐力が大きい。

Check □□□

問題3
タイトフレームを取り付けるための墨出しは山ピッチを基準に行い、割付けは建物の桁行き方向の中心から行った。

Check □□□

問題4
梁とタイトフレームの溶接は、タイトフレームの表面の防錆処理が施されたままで行った。

Check □□□

問題5
タイトフレームの下地への溶接は、タイトフレームの立上り部分の縁から10㎜残し、底部両側を隅肉溶接とした。

Check □□□

問題6
けらば包みの継手位置は、けらば用タイトフレーム間の中央付近とした。

Check □□□

問題7
折板葺屋根の勾配が小さいので、軒先に15°程度の尾垂れを付けた。

Check □□□

問題8
水上の先端部分には、雨水を止めるために止水面戸を設けた。

Check □□□

問題9
水上部分と壁との取合い部に設ける雨押えは、壁際立上りを150㎜とした。

Check □□□

問題10
けらば包みを用いない重ね形折板葺のけらば先端には、折板の山間隔の3倍の長さの変形防止材を1.8m間隔で取り付けた。

解説

問題１　正しい

問題２　誤り

折板の耐力による区分には、１種（980 N / ㎡）、２種、３種、４種、５種（4,900 N / ㎡）の５種類があり、**１種**が最も耐力が**小さい**。

関連 折板の結合の形式による区分には、重ね形、はぜ締め形及びかん合形がある。

問題３　正しい

関連 梁と折板との固定に使用するタイトフレームには、**ボルト付き**タイトフレーム、**タイトフレームだけ**のもの及び**端部用**タイトフレームがある。

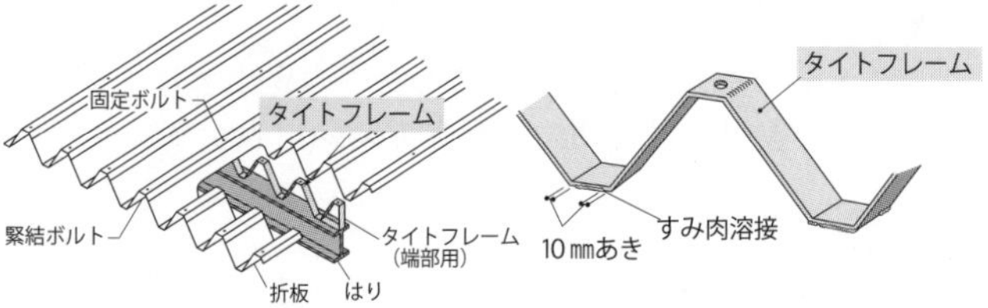

問題４・５　正しい

問題６　誤り

けらば包みの**継手位置**は、けらば包み及び端部の折板を固定する下地が必要なので、**けらば用タイトフレームの位置**とし、継手の重ねは**60㎜以上**とする。

関連 梁けらば包みの継手は、60㎜以上重ね合わせ、間に定形シール材を挟み込んで留める。

問題７～９　正しい

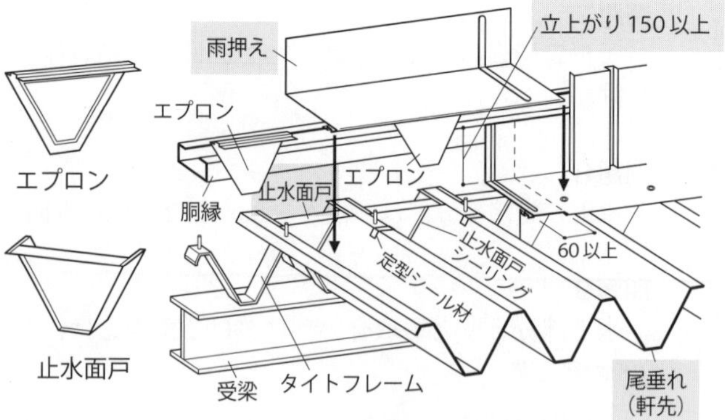

水上部分の壁との取り納め例

問題10　誤り

けらば包みを用いない重ね形折板葺のけらば先端には、**変形防止材**を設けるが、その長さは折板の山間隔の**３倍以上**で間隔は**1.2 m以下**とする。

3　左官工事

現場調合のセメントモルタル塗りに関する記述として、**適当**か、**不適当**か、判断しなさい。

Check □□□

問題1
額縁のちりじゃくりの周囲は、こて1枚の厚さだけ透かしておいた。

Check □□□

問題2
下地処理にセメントペースト塗りを行い、乾かないうちにモルタル塗りを行った。

Check □□□

問題3
モルタルの収縮によるひび割れを防ぐため、できるだけ粒径の小さい骨材を用いた。

Check □□□

問題4
つけ送りを要する下地は、下塗り用と同配合のモルタルで不陸を調整した。

Check □□□

問題5
下塗りは、吸水調整材を塗布後1時間以上おいた後に、乾燥を確認してから行った。

Check □□□

問題6
中塗り用のモルタルは、セメントと砂の調合(容積比)を1：3とした。

Check □□□

問題7
総塗り厚が35mmを超えるので、アンカーピンを打ち込んで金網を取り付け、補修塗りを行った。

解　説

セメントモルタル塗りの工程

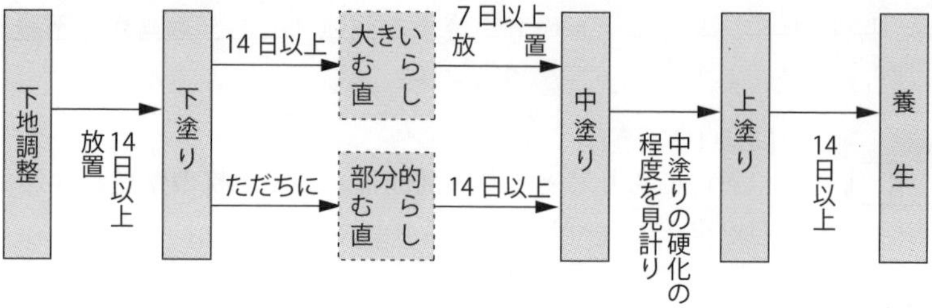

問題1　正しい
問題2　正しい

問題3　誤り

モルタルには、できるだけ**粒径**の**大きい**骨材を用いることで、セメントペーストの量を減らすことができ、**収縮ひび割れ**を**防ぐ**ことができる。

問題4　正しい
問題5　正しい
問題6　正しい

セメントと**砂**の**調合比**（容積比）は次表のとおり。

	下塗りまたはラスこすり	むら直し・**中塗り**	上塗り
セメント：砂	1：2.5	**1：3**	1：3

問題7　正しい

総塗り厚（つけ送り＋仕上げ）が35㎜を超える場合は、**溶接金網**、**アンカーピン**またはネットなどを取り付けた上でモルタルを塗り付ける。

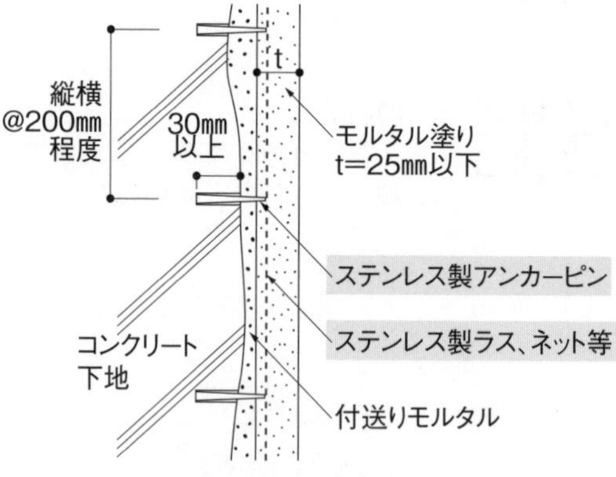

はく落防止工法の例

4　塗装工事・吹付け工事

4-1

塗装工事に関する記述として、**適当**か、**不適当**か、判断しなさい。

〈コンクリート素地面の塗装工事〉

Check □□□

問題１

２液形ポリウレタンエナメル塗りにおいて、塗料は所定の可使時間内に使い終える量を調合して使用した。

Check □□□

問題２

２液形ポリウレタンエナメル塗りにおいて、下塗り及び中塗りの工程間隔時間の上限は７日とした。

Check □□□

問題３

常温乾燥形ふっ素樹脂エナメル塗りにおいて、気温が20℃だったので、塗膜の層間付着性に配慮し、工程間隔時間を24時間とした。

Check □□□

問題４

コンクリート面へのアクリル樹脂系エナメルの塗装において、穴埋めパテかいに塩化ビニル樹脂パテを用いた。

Check □□□

問題５

アクリル樹脂エナメル塗りにおいて、中塗り、上塗りには、同一材料を使用し、塗付け量は0.09kg/㎡ずつとした。

Check □□□

問題６

合成樹脂エマルションペイント塗りにおいて、流動性を上げるため、有機溶剤で希釈して使用した。

〈建築用仕上塗材の主材の一般的な塗付け工法〉

Check □□□

問題７

複層塗材Ｅのゆず肌状仕上げは、吹付け工法により行う。

Check □□□

問題８

内装厚塗材Ｃのスタッコ状仕上げは、吹付け工法又はこて塗り工法により行う。

Check □□□

問題９

可とう形外装薄塗材Ｅのさざ波状仕上げは、ローラー塗り工法により行う。

解説

問題1　正しい

問題2　正しい

問題3　正しい

関連 ●常温乾燥形ふっ素樹脂エナメル塗りの塗装工程の標準工程間隔時間は、気温20℃のとき、16時間以上7日以内とする。
●常温乾燥形ふっ素樹脂エナメル塗りの下塗りにおいて、塗装方法は、はけ塗り、ローラーブラシ塗り若しくは吹付け塗りとする。

問題4　正しい

問題5　正しい

問題6　誤り

合成樹脂エマルションペイント塗りは、水系塗料であり、水による希釈が可能で**加水**して塗料に流動性をもたせる。（有機溶剤不可）

（類題） つや有り合成樹脂エマルションペイント塗りにおいて、塗装場所の気温が5℃以下となるおそれがあったので、施工を中止した。⇨ **正しい**

●塗装場所の気温が**5℃以下**、湿度が**85%以上**又は換気が適切でなく結露するなど塗料の乾燥に不適切な場合は、原則として、塗装を行わない。

問題7　誤り

複層塗材Eの**ゆず肌状仕上げ**は**ローラー塗り工法**で行う。吹付工法には凸部処理、凹凸模様がある。

関連 複層塗材Eの凹凸状仕上げは、吹付け工法により行う。

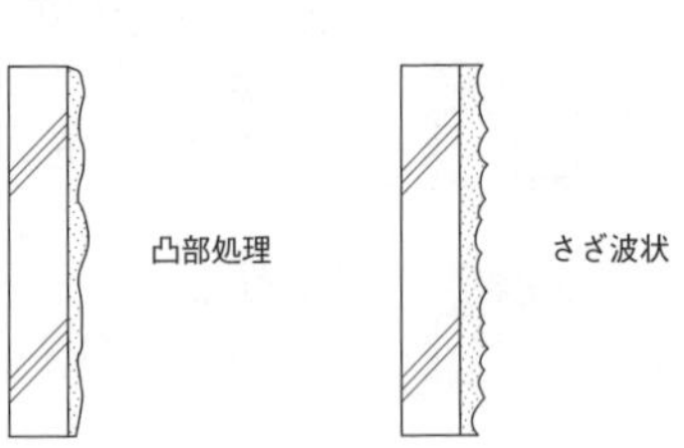

問題8　正しい

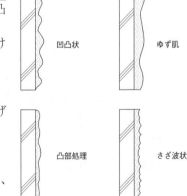

（類題） 内装薄塗材Wの京壁状じゅらく仕上げは、吹付け工法により行う。

問題9　正しい

（類題） 軽量骨材仕上塗材の砂壁状仕上げは、吹付け工法により行う。

4-2 塗装工事(素地調整、素地ごしらえ)に関する記述として、**適当**か、**不適当**か、判断しなさい。

〈素地調整〉

Check □□□

問題1

鉄鋼面に付着した溶接のスパッタは、りん酸塩溶液により取り除いた。

Check □□□

問題2

亜鉛めっき鋼面は、付着性を向上させるためりん酸塩の化成皮膜を形成させた。

Check □□□

問題3

低水素系被覆アーク溶接棒による溶接部は、アルカリ性となるので中和処理を行った。

Check □□□

問題4

ブラスト処理後の鉄鋼面は、直ちに下塗りを行った。

〈素地ごしらえ〉

Check □□□

問題5

塗装工事において、亜鉛めっき鋼面の素地ごしらえの化成皮膜処理は、りん酸塩による処理とすることとした。

Check □□□

問題6

けい酸カルシウム板の吸込止めとして、反応形合成樹脂シーラーを全面に塗布した。

Check □□□

問題7

ＡＬＣパネル面の塗装において、下地調整塗りを行った後、合成樹脂エマルションシーラーを全面に塗布した。

Check □□□

問題8

押出成形セメント板面の塗装において、下地調整塗りの工程を省略して、吸込止め処理を行った。

Check □□□

問題9

透明塗料塗りの木部の素地面で、仕上げに支障のおそれがある甚だしい変色は、漂白剤を用いて修正した。

解 説

問題1　誤り

溶接の**スパッタ**（溶接中に飛散するスラグや金属粒）は、**アルカリ性溶液**やり**ん酸塩溶液**では**取り除けない**。動力工具や手工具で除去する。

問題2　正しい

亜鉛めっき鋼面の化成皮膜処理は、りん酸塩の化成皮膜やクロム酸塩の化成皮膜を形成させ、防食効果を高めて塗料の付着性を向上させる。

問題3　正しい

低水素系被覆アーク溶接棒による溶接部は、強アルカリ性となるため、りん酸水溶液をはけ塗りをして中性処理後、水洗いする。

問題4　正しい

ブラスト処理で錆落しを行った鉄鋼面は、錆びやすい状態になっており、直ちに下塗りを行う。

問題5　正しい

問題6　正しい

問題7　誤り

ＡＬＣパネルの場合、**下地調整塗りの前**に、下地からの浸出物の影響を抑えるために、下地面に合成樹脂エマルションシーラーを全面に塗布する。

問題8　正しい

押出成形セメント板面は、表面が緻密で平滑なため、下地調整塗りを省略して、吸込み止め処理を行うことができる。

問題9　正しい

透明塗料塗りの木部の素地面については、汚れ・付着物の除去、研磨作業を実施する。素地面に仕上げに支障のおそれがある甚だしい色むら、汚れ、変色等がある場合は、必要に応じて、漂白剤を用いて修正する。

4-3 塗装工事に関する記述として、**適当**か、**不適当**か、判断しなさい。

〈防水形合成樹脂エマルション系複層仕上塗材(防水形複層塗材E)〉

Check □□□

問題1
下塗材は、指定量の水又は専用うすめ液で均一に薄める。

Check □□□

問題2
下塗材の所要量は、試し塗りを行い、0.2kg/㎡とした。

Check □□□

問題3
主材の凸部処理を行う場合は、試し吹きを行ってから、本施工を行う。

Check □□□

問題4
主材は、下地のひび割れに対する追従性を向上させるため、混合時にできるだけ気泡を混入させる。

Check □□□

問題5
入隅、出隅、開口部まわりなど均一に塗りにくい箇所は、はけやコーナー用ローラーなどで増塗りを行う。

Check □□□

問題6
主材の基層塗りは2回塗りとし、だれ、ピンホールがないように均一に塗り付けた。

Check □□□

問題7
凸部処理は、主材の模様塗り後1日経過してから行った。

〈塗装の欠陥〉

Check □□□

問題8
下地の乾燥が不足すると、「色分かれ」が生じやすい。

Check □□□

問題9
塗料の流動性が不足すると、「はけ目」が生じやすい。

Check □□□

問題10
白化を防止するため、湿度が高いときの施工を避ける。

Check □□□

問題11
しわを防止するため、厚塗りをし、乾燥時に温度を上げて乾燥を促進する。

解説

問題１　正しい

問題２　正しい

問題３　正しい

問題４　誤り

主材の混合時に気泡を**多く**混入させると、下地のひび割れに対する追従性が著しく**低下**するので、**気泡混入**は**最小限**になるように注意を払う。

問題５　正しい

問題６　正しい

問題７　誤り

凸部処理を行う場合、押さえは主材の模様塗り後、乾燥状態を踏まえて、所定の模様が得られるように、**１時間以内**に行う。

問題８　誤り

色分かれの原因は、混合不十分や溶剤の過剰添加等で起こるので、十分に混合し、厚塗りを避け、だれを生じさせないようにする。なお、**下地の乾燥不足**は、**ふくれ、はがれ**が生じやすい。

問題９　正しい

関連
- 下地の吸込みが著しいと、「**つやの不良**」が生じやすい。
- 素地に水や油が付着していると、「**はじき**」が生じやすい。

問題10　正しい

関連
- **だれ**を防止するため、希釈を控えめにし、はけの運行を多くする。
- **ひび割れ**を防止するため、下塗りが十分乾燥してから上塗りを行う。

問題11　誤り

しわは、厚塗りや乾燥時に温度が上がって表面が上乾きになる等が原因で起きるので、設問のようなことは避ける。

5 張り石工事・タイル工事

5-1

乾式工法による外壁の張り石工事に関する記述として、**適当**か、**不適当**か、判断しなさい。

Check □□□

問題1
石材は、厚さ20mmのものを使用した。

Check □□□

問題2
下地面の寸法精度は、±10mm以内となるようにした。

Check □□□

問題3
厚さ30mm、大きさ500mm角の石材のだぼ穴のはしあき寸法は、60mmとした。

Check □□□

問題4
厚さが30mmの石材のだぼ穴中央位置は、石材の裏面から15mmとした。

Check □□□

問題5
スライド方式のファスナーに設けるだぼ用の穴は、外壁の面内方向のルーズホールとした。

Check □□□

問題6
ファスナーは、ステンレス製とし、ダブルファスナーとした。

Check □□□

問題7
ダブルファスナー形式の場合の取付け代として、石材裏面と躯体コンクリート面の間隔を50mmとした。

Check □□□

問題8
石材間の目地は、幅を10mmとしてシーリング材を充填した。

Check □□□

問題9
だぼ穴からはみ出ただぼ穴充填材は、硬化前に除去した。

Check □□□

問題10
壁最下部の幅木石には、裏面にモルタルを充填した。

Check □□□

問題11
石材が衝撃を受けた際の飛散や脱落を防止するため、繊維補強タイプの裏打ち処理材を使用した。

解　説

問題１　誤り

乾式工法に用いる石材の厚さは、<u>最低 **30 ㎜**とする</u>。

関連 石材の寸法は、幅及び高さ**1,200㎜以下**、かつ、面積**0.8㎡以下**とする。

問題２　正しい

問題３　誤り

厚さ 30 ㎜、大きさ 500 ㎜角の石材のだぼ穴の**はしあき寸法**は、石材の厚みの３倍以上の端あき寸法を確保し、<u>**石材両端**より**辺長の１/４程度の位置**に設置するのが一般的である。従って 125 ㎜となる</u>。

問題４　正しい
問題５　正しい
問題６　正しい

外部に用いられる**ファスナー**は、ステンレス製の**SUS 304**とし、取付け後、点検が不可能な部分は、耐久性と施工性のよい**ダブルファスナー**とする方がよい。

問題７　誤り

石材裏面と躯体コンクリート面の間隔は、**ダブルファスナー**の最小寸法が**60** ㎜あるので、<u>**70 ㎜**を標準とする</u>。

問題８～11　正しい

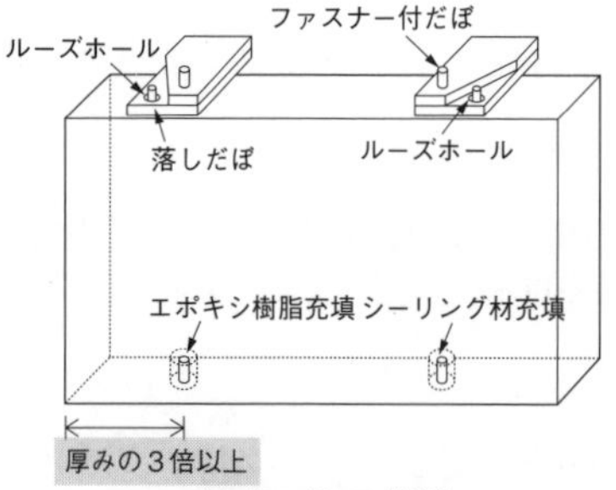

乾式工法の機構

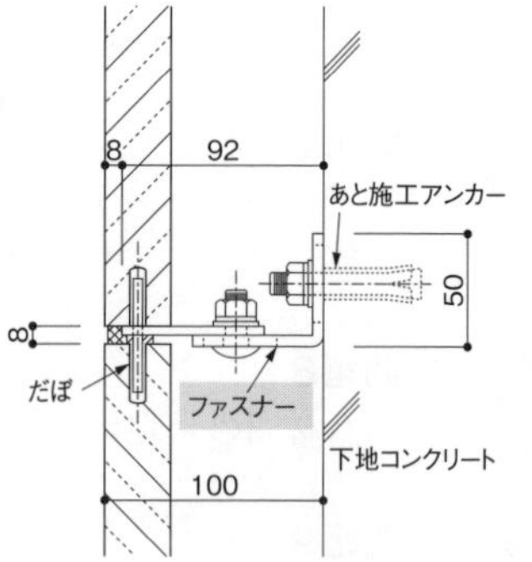

ファスナー（ダブルファスナー）の例

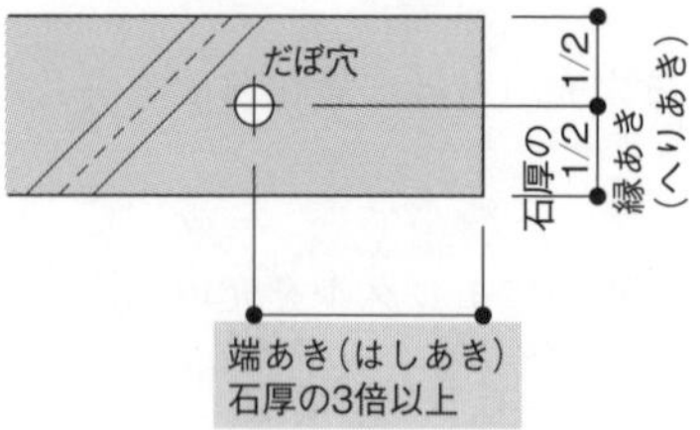

だぼ穴の端あきと縁あき

5-2

壁のタイル張り工事に関する記述として、**適当**か、**不適当**か、判断しなさい。

Check □□□

問題1

モザイクタイル張りのたたき押えは、タイル目地に盛り上がった張付けモルタルの水分で目地部の紙が湿るまで行った。

Check □□□

問題2

接着剤張りの接着剤は、下地に厚さ３mm程度になるように塗布し、くし目ごてでくし目を立てた。

Check □□□

問題3

小口タイルの改良積上げ張りの張付けモルタルは、下地モルタルの上に塗厚４mm程度で塗り付けた。

Check □□□

問題4

二丁掛けタイルの改良積上げ張りにおいて、１日の張付け高さを1.8mとした。

Check □□□

問題5

密着張りの張付けモルタルは２度塗りとし、その塗り付ける面積は、２m²／人以内にタイルを張り終える面積とした。

Check □□□

問題6

改良圧着張りでは、張付けモルタルを下地面側に５mm程度、タイル裏面に３mm程度の厚さで塗り、たたき押えを行い張り付けた。

Check □□□

問題7

50二丁タイルのマスク張りの張付けモルタルは、ユニットタイルの裏面に厚さ４mm程度のマスク板をあて、所定の厚さに塗り付けた。

Check □□□

問題8

マスク張りでは、張付けモルタルを塗り付けたタイルは、塗り付けてから20分を限度に張り付けた。

Check □□□

問題9

タイル張り面の伸縮調整目地は、縦目地を３m内外、横目地を４m内外ごとに設けた。

解 説

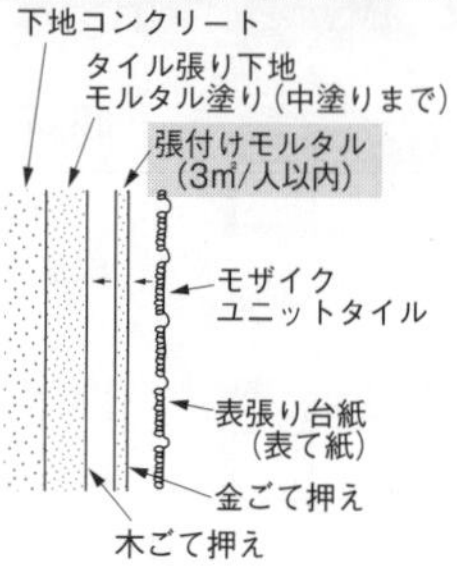

モザイクタイル張り

問題１　正しい

モザイクタイル張りのたたき押えは、全面にわたって十分に行う必要があるが、その目安は、タイル目地に盛り上がった張付けモルタルの水分で、紙張りの目地部分が濡れてくることによって判断する。

問題２　正しい

問題３　誤り

小口タイルの**改良積上げ張り**の**張付けモルタル**は、タイル**裏面全面**に**7㎜**程度の厚さになるように塗り付ける。

問題４　誤り

改良積上げ張りは、タイル裏面に塗り付けるモルタルの厚さが他の張り方より大きく、タイルを下部から上部に張り付けるので、**1日の張付け高さ**を**1.5 m以下**と制限している。

問題５～７　正しい

関連　●小口タイルの密着張りの張付けモルタルは、だれが生じるおそれがあるので、**2回**に分けて塗り、**塗厚**は**5㎜程度**とする。

関連　**〈外壁のタイル密着張り工法〉**

- 張付けは、**上部より下部**へと張り進めるが、まず**1段おき**に水糸に合わせて張り、そのあと間を埋めるようにして張り付ける。
- 小口タイルの張付けは、振動工具による衝撃位置をタイルの両端と中間の３箇所とする。
- 引張接着強度検査の試験体数は、100㎡以下ごとに１個以上とし、かつ全面積で３個以上とする。

問題８　誤り

マスク張りでは、張付けモルタルを塗り付けたタイルは、直ちに張り付る。

問題９　正しい

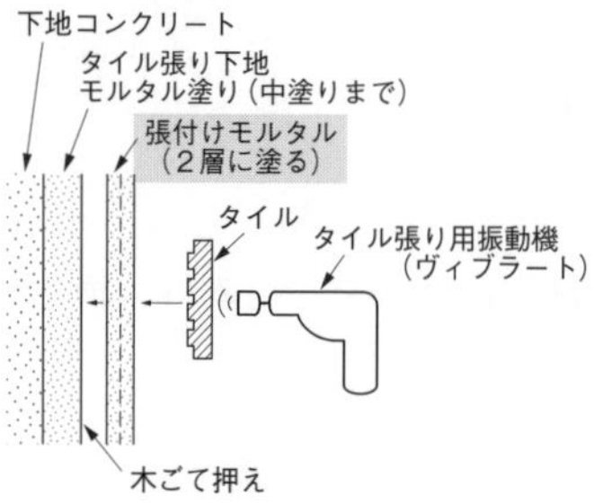

密着張り

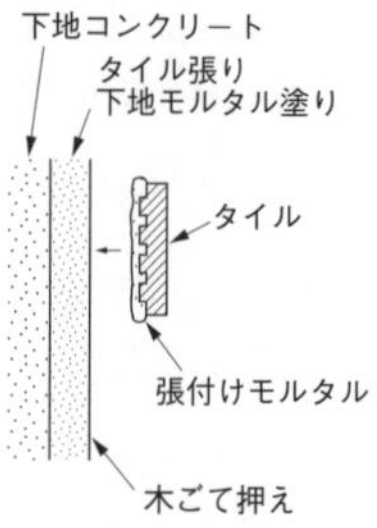

改良積上げ張り

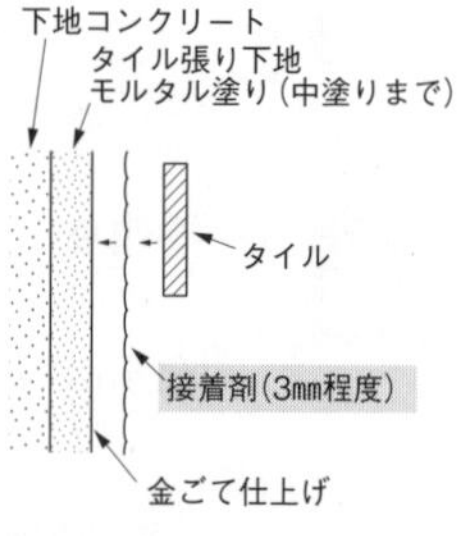

接着剤張り（モルタル下地）

6　建具工事

6-1

建具工事に関する記述として、**適当**か、**不適当**か、判断しなさい。

〈アルミニウム製建具〉

Check □□□

問題１

アルミニウム合金がコンクリート、モルタルに接する箇所には、ウレタン樹脂系の塗料を施した。

Check □□□

問題２

建具取付け用の躯体アンカーの打込み位置は、開口の隅より250㎜内外を端とし、中間は600㎜の間隔とした。

Check □□□

問題３

外部建具周囲のモルタルを充填する際は、仮止め用のくさびを取り除いた。

Check □□□

問題４

外部建具周囲の充填モルタルは、ＮａＣｌ換算0.06％（質量比）以下まで除塩した海砂を使用した。

Check □□□

問題５

モルタルが長時間アルミニウム材に付着すると、変色することがあるため、早期に除去、清掃した。

〈鋼製建具〉

Check □□□

問題６

建具枠は、くつずりの裏面に鉄線を付け、あらかじめモルタル詰めを行った後、取り付けた。

Check □□□

問題７

枠及び戸の取付け精度は、ねじれ、反り、はらみともそれぞれ許容差を、±４㎜とした。

Check □□□

問題８

片開きドアに取り付けるドアクローザは、押して開ける側に取り付けるのでパラレル取付けとした。

Check □□□

問題９

防火設備の防火戸が枠と接する部分は、戸当たりを設け、閉鎖したときにすき間がない構造とした。

解説

問題1　正しい

問題2　誤り

躯体アンカーの打込み位置は、**開口部の隅**より**150㎜内外**を端とし、**中間**は**500㎜内外**の間隔に設ける。

関連 建具枠に組み込む補強材、**アンカー**等は、鋼製又はアルミニウム合金製とする。**鋼製**のものは、**亜鉛めっき**等の接触による腐食防止処理を行ったものを使用する。

問題3　正しい

関連 仮止めに用いるくさびは、モルタル充填の際に取り除かないと作業ができないようにするために長いものを用いる。

問題4　誤り

外部建具周囲の充填モルタルに海砂を用いる場合は、**NaCl 換算 0.04％以下**まで除塩したものを使用する。

関連 **水切り付きサッシ**は、水切り板及びサッシ下枠部と躯体間を、二度に分けてモルタル詰めを行う。

問題5　正しい

問題6　正しい

関連 **ステンレス鋼板製のくつずり**は、厚さ**1.5㎜**のものを用いる。表面仕上げは、一般に傷が目立ちにくい**ヘアライン仕上げ**が用いられる。

問題7　誤り

枠及び戸の**取付け精度**は、ねじれ、反り、はらみともそれぞれ許容差が**2㎜以内**である。

関連 通常の鋼製建具枠は、心墨、陸墨等の基準墨を出し、建具にも基準墨に合う位置にマークして位置を調整する。精度の許容差は、面内、面外とも2㎜以内とする。

問題8・9　正しい

【参考】板ガラスのはめ込み

- 不定形シーリング材構法において、可動窓の場合、開閉時の衝撃によるガラスの損傷を避けるため、エッジスペーサーを設置する。
- 不定形シーリング材構法におけるセッティングブロックは、一般にガラス横幅寸法の約1/4のところに2箇所設置する。
- グレイジングガスケット構法におけるガスケットは、伸ばさないようにし、各隅を留め付ける。
- 構造ガスケット構法の場合、ジッパーを取り付ける際には、ジッパーとジッパー溝に滑り剤を塗布する。

6-2 建具工事に関する記述として、**適当**か、**不適当**か、判断しなさい。

〈自動扉〉

Check □□□

問題1

スライディングドアなので、開速度、閉速度とも500mm/ｓに設定した。

Check □□□

問題2

押しボタンスイッチ式のスライディングドアには、安全性を考慮して、補助センサーを設置した。

〈電動式の重量シャッター〉

Check □□□

問題3

外部に面するシャッターには、耐風圧性を高めるため、ガバナー装置を取り付けた。

Check □□□

問題4

シャッターには、全開又は全閉した際に所定の位置で自動的に停止させるためのリミットスイッチを取り付けた。

〈メタルカーテンウォール工事〉

Check □□□

問題5

床面に取り付けるファスナーは、カーテンウォール部材を精度よく取り付けるために、各階ごとに出された地墨をもとに取り付けた。

Check □□□

問題6

床面に取り付けるファスナーのボルト孔は、躯体の施工誤差を吸収するため、ルーズホール方式とした。

Check □□□

問題7

部材の熱伸縮による発音を防止するため、滑動する金物間に摩擦低減材を挟んだ。

Check □□□

問題8

パネル材は、脱落防止のために３箇所以上仮止めし、本止め後速やかに仮止めボルトを撤去した。

Check □□□

問題9

組立て方式は、すべての構成部材を工場で組み立てるノックダウン方式とした。

解　説

問題1　誤り

自動ドア開閉装置において、スライディングドアの開閉速度は、**開速度**は**500 mm / s 以下**、**閉速度**は**350 mm / s 以下**である。

関連 自動ドア開閉装置において、**手動開き力**は、ドアを手で**100N以下**の力で開閉できなければならない。

問題2　正しい

関連 車いす使用者用の押しボタンスイッチ（点感知）は、ドアより70～100 cm後退した位置で、床より60～120 cmの高さに設置する。

問題3　誤り

ガバナー装置は、シャッターの急激な落下を防止するための装置である。耐風圧性を高めるには、スラットのはずれ止め機構を取り付ける等で対処する。

関連 スラットの形式では、**インターロッキング**形は**防火**シャッターに用いられ、**オーバーラッピング**形は**防煙**シャッターとして用いられる。

問題4　正しい

関連 シャッターの降下時の挟（はさ）まれ事故防止のため、座板等が障害物に接すると降下が停止する接触式の**障害物感知装置**を用いる。

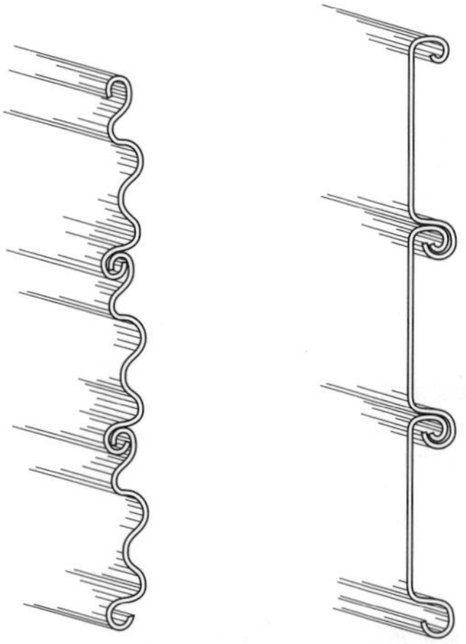

スラットの形状

問題5　誤り

カーテンウォール部材を精度よく取り付けるためには、建物の基準墨を基にピアノ線等を用いて水平・垂直方向に連続した基準を設定して取り付ける。

問題6～8　正しい

問題9　誤り

単一材とユニット式があるが、**単一材**の組立て方式の場合は、**ノックダウン方式**等部材単一で工事現場で取り付けられるように加工した部材である。

関連 躯体付け金物を鉄骨部材に溶接固定する場合は、一般的には本体鉄骨の製作に合わせて鉄骨工場で行う場合と、金物のみを別途搬入して、現場で取付ける場合とがある。

7　金属工事

7-1

軽量鉄骨天井下地に関する記述として、**適当**か、**不適当**か、判断しなさい。

Check □□□

問題１
吊りボルトは、間隔を900mm程度とし、周辺部では端から150mm以内に配置する。

Check □□□

問題２
屋内の天井のふところが1,500mm以上ある吊りボルトは、径が６mmの丸鋼を用いて振れ止め補強を行った。

Check □□□

問題３
屋内及び屋外に使用する野縁は、ボード張付け面の幅寸法が、シングル野縁は25mm、ダブル野縁は50mmのものを用いた。

Check □□□

問題４
ボード１枚張りの場合、野縁の間隔は450mm程度とする。

Check □□□

問題５
下地張りがなく、野縁が壁に突き付けとなる場所に天井目地を設けるので、厚さ0.5mmのコ形の亜鉛めっき鋼板を野縁端部の小口に差し込んだ。

Check □□□

問題６
野縁を野縁受けに取り付けるクリップのつめの向きは、野縁受けに対し同じ向きに留め付けた。

Check □□□

問題７
ダクト等で直接吊りボルトが取り付けられないので、アングル等の鋼材をダクトと切り離して設け、吊りボルトを取り付けた。

Check □□□

問題８
下り壁により天井に段違いがある場合、2,700mm程度の間隔で段違い部分の振れ止め補強を行う。

Check □□□

問題９
照明器具の開口のために、野縁及び野縁受けを切断したので、それぞれ同材で補強した。

解説

問題1　正しい

問題2　誤り

天井のふところが**1,500㎜以上**ある場合には、**縦横間隔1,800㎜**程度に吊りボルト（径**9㎜以上**）の丸鋼を用いて振れ止め補強を行う。

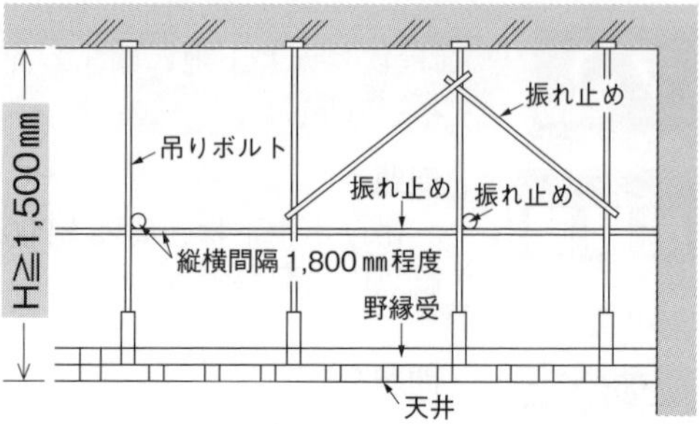

天井のふところが大きい場合

問題3　正しい

(類題)**野縁受け用のハンガー**は、吊りボルトにナット２個を用いて挟み込んで固定した。⇨ **正しい**

問題4　誤り

野縁の間隔はボード類**1枚張り**の場合、ボード類の１辺の長さが600㎜以下で**300㎜程度**とする。

問題5　正しい

問題6　誤り

野縁と野縁受けの留付けクリップの**つめの向き**は、野縁受けに対して交互に向きを変えて留め付ける。

問題7　正しい

問題8　正しい

問題9　正しい

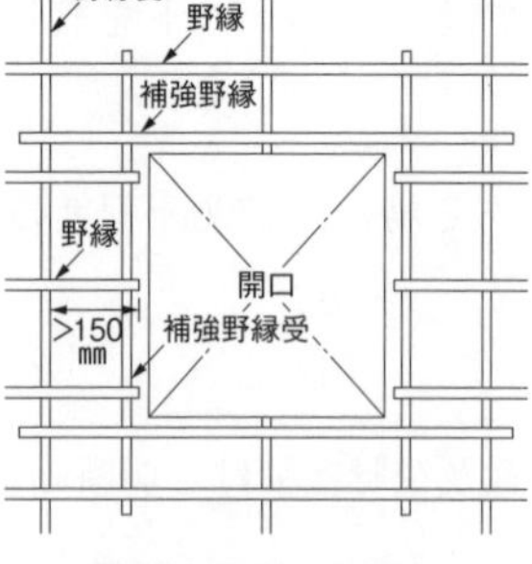

野縁を切断する場合

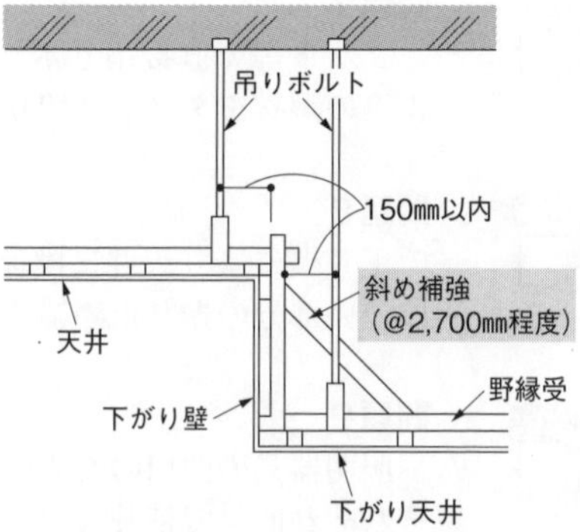

下がり壁による段違いの場合

7-2

軽量鉄骨壁下地に関する記述として、**適当**か、**不適当**か、判断しなさい。

Check □□□

問題1

ランナーは、両端部は端部から50mm内側で固定し、中間部は900mm間隔で固定した。

Check □□□

問題2

スタッドは、上下ランナーに差し込み、半回転させて取り付けた。

Check □□□

問題3

スタッドの高さが4.5mだったので、90形のスタッドを用いた。

Check □□□

問題4

スタッドの間隔は、ボード２枚張りの場合は600mmとし、ボード１枚張りの場合は300 mmとした。

Check □□□

問題5

スタッドの建込み間隔の精度は、±５mmとした。

Check □□□

問題6

スペーサーは、各スタッドの端部を押さえ、間隔600mm程度に留め付けた。

Check □□□

問題7

スタッドの高さが2.5mだったので、振れ止めは、床面ランナー下端から約1.2m の高さに１段のみ設けた。

Check □□□

問題8

振れ止めは、フランジ側を下向きにして、スタッドに引き通した。

Check □□□

問題9

65形のスタッド材を使用した高さ4.0mのそで壁端部に、スタッド材を２本抱き合わせて溶接したものを補強材として用いた。

解説

問題1　正しい

関連　ランナーを軽量鉄骨天井下地に取り付ける場合は、タッピンねじの類又は溶接で、間隔900mm程度に固定する。

問題2　正しい

問題3　正しい

関連　スタッドは、上部ランナーの上端とスタッド天端のすき間が**10mm以下**となるように切断する。

問題4　誤り

スタッドの間隔は、ボード**2枚張り**の場合は**450 mm**程度、ボード**1枚張り**の場合は、**300 mm**程度とし、スタッドの上下は、ランナーに差し込む。

問題5～7　正しい

問題8　誤り

振れ止めは、ウェブの背を下側、**フランジ側**を**上向き**にしてスタッドに引き通し、振れ止めに浮きが生じないようにスペーサーで固定する。

関連　振止めは、床面から1,200mm程度の間隔でスタッドに引き通し、スペーサーで固定する。

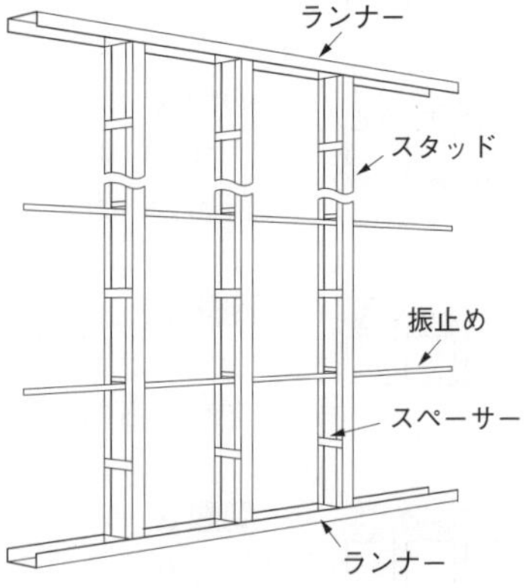

壁下地材の名称

問題9　誤り

袖壁の端部の補強は、使用するスタッド材の種類に応じて、出入り口など開口部に用いる垂直方向の補強材（C－60×30×10×2.3）と同材をスタッドに溶接等固定し補強する。

【参考】金属の表面処理

- 海岸近くの屋外に設ける鋼製手摺は、溶融亜鉛めっきとし、上に塗装を行う。
- ステンレスと銅合金の接触腐食防止処置として、銅合金を塩化ビニル材で被覆する。
- ステンレスとアルミニウムの接触腐食防止処置として、アルミニウムにアクリル系の塗料を塗布する。
- ステンレスのヘアライン仕上げは補修が比較的容易なので、取付け後についた軽微な傷は現場で補修する。

8　内装工事

8-1

内装工事（断熱工事等）に関する記述として、**適当**か、**不適当**か、判断しなさい。

〈硬質ウレタンフォーム吹付け工法〉

Check □□□

問題1
コンクリート面に吹き付ける場合、吹付け面の温度は20～30℃が適当である。

Check □□□

問題2
換気の少ない場所では、酸欠状態となりやすいので、強制換気などの対策を行う。

Check □□□

問題3
吹付け作業は、随時厚みを測定しながら作業し、吹付け厚さの許容誤差は０から＋10㎜とする。

Check □□□

問題4
冷蔵倉庫など断熱層が特に厚い施工では、１日の最大吹付け厚さは100㎜とする。

Check □□□

問題5
ウレタンフォームが厚く付き過ぎて表面仕上げ上支障となるところは、カッターナイフで除去した。

Check □□□

問題6
ウレタンフォームが自己接着性に乏しいため、吹き付ける前にコンクリート面に接着剤を塗布した。

〈押出法ポリスチレンフォーム張付け工法〉

Check □□□

問題7
セメント系下地調整塗材を用いてすき間ができないようにしてから、断熱材を全面接着で張り付けた。

Check □□□

問題8
断熱材の継目は突付けとし、テープ張りをしてからコンクリートを打ち込んだ。

解説

問題１　正しい

関連　断熱材の吹付け厚さが30㎜以上の場合は、多層吹きとする。

問題２・３　正しい

問題４　誤り

冷蔵倉庫など断熱層が特に厚い施工であっても、**１日の総吹付け厚さ**は80㎜を超えないものとする。

問題５　正しい

問題６　誤り

硬質ウレタンフォーム吹付け工法の現場発泡断熱材は、接着性があるので**接着剤**は**必要ない**。

問題７　正しい

関連　張付け工法の場合は、断熱材と躯体との境界面に結露が生じさせないように、樹脂モルタル等を用いてすき間ができないようにし、**断熱材**は**全面接着**とする。

問題８　正しい

押出法ポリスチレンフォーム打込み工法は、継目は突付けとしてテープ張りをするか、相欠き目地等にしてすき間ができないようにしてコンクリートを打ち込む。

(類題) 押出法ポリスチレンフォーム打込み工法において、窓枠回りの防水剤入りモルタル詰めを行った部分には、現場発泡の硬質ウレタンフォームを充填した。⇨ **正しい**

【参考】ロックウール吹付け工事

- 材料混和方法を現場配合とする場合、現場でセメントをスラリー化し、ノズル先でロックウールとセメントスラリーを吐出させながら吹き付ける。
- プレキャストコンクリート部材に用いた型枠に、はく離材が塗られている場合は、接着力を高めるため、合成樹脂エマルション**シーラー**により**下地処理**を行う。
- 吹付けロックウールの密度は、断熱吸音用の場合は0.18 g/cm^3程度とし、不燃材指定の場合は0.2 g/cm^3以上とする。
- 発塵防止のために表面を硬化させる場合は、こて押え終了後、表面にセメントスラリーを均一に吹き付ける。

8-2 内装工事（ビニル床シート張り）に関する記述として、**適当**か、**不適当**か、判断しなさい。

Check □□□

問題１
下地コンクリートの仕上がりの平坦さは、３ｍにつき７㎜以下とした。

Check □□□

問題２
巻きぐせは、施工に先立ち室温を20℃以上にした状態で敷き延ばしてとった。

Check □□□

問題３
湯沸室の床への張付けには、酢酸ビニル樹脂系接着剤を使用した。

Check □□□

問題４
シートの張付けは、室温を10℃以上にした状態で行った。

Check □□□

問題５
寒冷期に施工する際、採暖を行い、床シート及び下地とも５℃以下にならないようにした。

Check □□□

問題６
圧着は、圧着棒を用いて空気を押し出すように行い、その後45kgローラーで圧着した。

Check □□□

問題７
床シートを立ち上げて幅木としたので、天端処理は、シリコーンシーリング材でシールする方法とした。

〈熱溶接工法〉

Check □□□

問題８
熱溶接工法において、溶接作業は、床シートを張付け後12時間以上放置してから行った。

Check □□□

問題９
熱溶接工法において、溶接部の床シートの溝部分と溶接棒は、250～300℃の熱風で加熱溶融させ、圧着溶接した。

Check □□□

問題10
熱溶接工法の溶接部の溝は、Ｖ字形とし、深さを床シート厚さの２/３とした。

解説

問題１　正しい

問題２　正しい

(類題) 張付けに先立ち、仮敷きを行い室温で24時間以上放置して、床シートの巻きぐせをとった。⇨ **正しい**

問題３　誤り

湯沸室や**洗面所**等の湿気及び水の影響を受けやすい箇所に用いる接着剤は、耐水性に優れた**エポキシ樹脂**系接着剤を用いる。

問題４・５　正しい

張付け時の室温が５℃以下になると、接着剤が硬化せず、所定の接着強度が得られないため、**室温**を**10℃以上**に保つようにする。

寒冷期に施工する際、**5℃以下**又は接着剤の硬化前に５℃以下になるおそれがあるときは**作業を中止**する。やむを得ず施工する場合は、ジェットヒーター等の採暖を行う。

問題６　正しい

問題７　正しい

床シートを立ち上げて幅木とする場合、天端処理をシリコーンシーリング材でシールする方法、キャップをかぶせる方法、入り幅木にする方法がある。

問題８　正しい

問題９　誤り

溶接作業は、熱風溶接機を用い、床シート溝部分と溶接棒を 180 ～ 200℃の熱風で加熱溶融させて、溶接棒を押さえ付けるようにして圧着溶接する。

問題10　正しい

シートの継手溶接の溝は、Ｖ字形又はＵ字形とし、均一な幅に床シートの厚さの２/ ３程度までの深さとする。

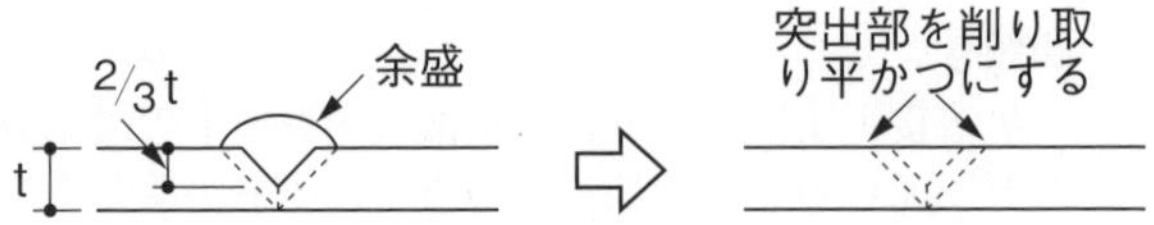

8-3 内装工事（合成樹脂塗り床）に関する記述として、**適当**か、**不適当**か、判断しなさい。

Check □□□

問題1

コンクリート下地表面のぜい弱層は、研磨機などで削り取る。

Check □□□

問題2

下地調整に用いる樹脂パテは、塗床材と同質の樹脂とセメントなどを混合したものとする。

Check □□□

問題3

プライマーは、下地の吸込みが激しく塗膜とならない部分には、先に塗ったプライマーの硬化前に再塗布する。

Check □□□

問題4

施工場所の湿度が85％を超える可能性が高かったので、作業を中止した。

Check □□□

問題5

エポキシ樹脂のコーティング工法では、調合した材料を金ごてで塗り付けた。

Check □□□

問題6

無溶剤形エポキシ樹脂塗り床の流しのべ工法において、主剤と硬化剤の１回の練混ぜ量は、２時間で使い切れる量とした。

Check □□□

問題7

エポキシ樹脂モルタル塗床で防滑仕上げに使用する砂は、最終仕上げの一つ前の工程と同時に均一に散布する。

Check □□□

問題8

弾性ウレタン塗り床のコンクリート下地面の含水率を定期的に測定し、測定値に変化がなくなり、下地が十分乾燥したことを確認してから施工した。

Check □□□

問題9

弾性ウレタン塗り床の平滑仕上げでは、下地調整後にウレタン樹脂を床に流し、金ごてで平滑に仕上げた。

Check □□□

問題10

弾性ウレタン塗り床の防滑仕上げでは、トップコートを塗布した後に、スチップル材を均一に散布した。

解 説

問題1　正しい

問題2　正しい

関連 合成樹脂を配合したパテ材や樹脂モルタルでの下地調整は、**プライマーの乾燥後**に行う。

問題3　誤り

プライマーの吸込みが激しく塗膜を形成しない場合は、全体が**硬化した後**、吸込みが止まるまで数回にわたり塗る。

関連 弾性ウレタン塗り床のプライマーとして、1液形ポリウレタン又は**2液形エポキシ樹脂**系プライマーを使用する。

問題4　正しい

関連 塗り床の施工中は、直射日光を避けるとともに、換気及び火気に注意し、また、周辺を汚さないよう養生を行う。

問題5　誤り

コーティング工法は、エポキシ樹脂等の水性形、溶剤形塗り床材を**ローラーばけ**や**スプレー**で塗り付ける工法である。

問題6　誤り

無溶剤形エポキシ樹脂塗り床の**流しのべ工法**に用いられる主剤と硬化剤の1回の練混ぜ量は、通常**30分以内**に使い切れる量とする。

問題7・8　正しい

問題9　正しい

関連 弾性ウレタン塗り床でウレタン樹脂1回の塗厚さは、**2㎜以下**とする。

問題10　誤り

防滑仕上げでは、滑り止め用のスチップル材を均一に塗り付けてスチップル状に仕上げてから、トップコートを塗り付ける。

【参考】セルフレベリング材塗り

- 下地コンクリートの乾燥期間は、打込み後、1箇月以上とする。
- 製造業者の指定する材料を用いて、セルフレベリング材を流す前日に吸水調整材塗りを1～2回行い乾燥させる。
- コンクリート床面のセルフレベリング材の塗り厚は、5～20㎜とし、標準塗り厚を10㎜とする。
- セルフレベリング材が硬化するまでは、直射日光を避けるとともに窓や開口部を**ふさいで**、**風**によるシワの発生を**防ぐ**。室温が5℃以下になるおそれがある場合は採暖する。

8-4

内装工事（壁のせっこうボード張り）に関する記述として、**適当**か、**不適当**か、判断しなさい。

Check □□□

問題1

木製壁下地に釘打ちする際に、ボード厚の３倍程度の長さの釘を用いて、釘頭が平らになるまで打ち込んだ。

Check □□□

問題2

下張りボードへの上張りボードの張付けは、主に接着剤を用い、ステープルを併用して張り付けた。

〈せっこう系接着材による直張り工法〉

Check □□□

問題3

下地のＡＬＣパネル面にはプライマー処理を行った。

Check □□□

問題4

１回の接着材の塗付け面積は､張り付けるボード２枚分とした。

Check □□□

問題5

ボード下端と床面との間にスペーサーを置き、床面から10㎜程度浮かして張り付けた。

Check □□□

問題6

接着材を塗り付ける間隔は、ボードの周辺部より中央部付近を小さくした。

Check □□□

問題7

一度に練る接着材は、２時間以内に使い切れる量で計画した。

Check □□□

問題8

鉄筋コンクリート造の薄い戸境壁の共振現象による遮音性の低下を避けるため、両面に同じ仕様でせっこうボードの直張りを行った。

Check □□□

問題9

接着材の盛上げ高さは、接着するボードの仕上がり面までの高さとする。

Check □□□

問題10

外壁の室内面では、躯体に打ち込んだポリスチレンフォーム断熱材にプライマー処理をして、せっこうボードを張り付けた。

解　説

問題1　正しい

関連 **軽量鉄骨下地**にボードを直接張り付ける場合、ドリリングタッピンねじは、下地の裏面に10㎜以上の余長の得られる長さのものを用いる。

問題2　正しい

関連 **重ね張り**とする場合、上張りは縦張りとし、水平方向には目地を設けず、下張りの継目と同じ位置にならないようにする。

問題3　正しい

問題4　誤り

1回の接着材の塗付けは、張り付けるボード**1枚分**とする。

問題5　正しい

問題6　誤り

接着材の塗付け間隔は、ボード周辺部や力の掛かりやすい**下部**は中央部付近より**小さく**する。

問題7　誤り

一度に練る接着材の量は、**1時間**以内に使い切れる量とする。

問題8　誤り

共振現象による遮音性の低下を避けるため、厚さの違う同種材料の組合せや制振シートをボードにはさむ等の対策を講ずる。

問題9　誤り

接着材の**盛上げ高さ**は、下地からボードの仕上げ高さまでの**2倍**とし、ボード裏面との接着面が直径120㎜～150㎜得られるように押さえ付ける。

問題10　正しい

【参考】せっこうボード張り

- 洗面所のシージングせっこうボードには、切断面にもアクリルシーラー等を塗布する。
- せっこうボードを曲率の小さな下地に張る場合は、ボードの片面の紙に切れ目を入れて曲面にする。
- テーパーボードの継目処理で、グラスメッシュのジョイントテープを用いる場合、ジョイントコンパウンドの下塗りを省略できる。

9　その他の仕上げ工事

9-1

アスファルト防水改修工事に関する記述として、**適当**か、**不適当**か、判断しなさい。

Check □□□

問題1

既存の保護コンクリートの撤去は、ハンドブレーカーを使用し、仕上げや構造体に影響を与えないように行った。

Check □□□

問題2

既存のアスファルト防水層の撤去は、けれん棒を使用し、下地に影響を与えないように行った。

Check □□□

問題3

既存のアスファルト防水層の立上り部は、劣化は少なかったが平場とともに撤去した。

Check □□□

問題4

既存の露出アスファルト防水層の上に、露出アスファルト防水密着工法を行うので、既存防水層表面の砂は可能な限り取り除き、清掃後、アスファルト系下地調整材を1.0kg/m²塗布した。

Check □□□

問題5

既存のコンクリート保護層を撤去し、防水層を撤去しないで保護アスファルト防水密着工法を行うので、ルーフドレン周囲の既存防水層は、ルーフドレン端部から150㎜まで四角形に撤去した。

Check □□□

問題6

平場の既存の保護コンクリート等を残す工法において、二重ドレンを設けないので、ルーフドレン回りの保護コンクリートもそのまま残した。

Check □□□

問題7

既存のコンクリート保護層及び防水層を撤去して保護アスファルト防水絶縁工法を行うので、撤去後の下地コンクリート面の２㎜未満のひび割れ部は、ゴムアスファルト系シール材で補修した。

解 説

問題1　正しい

問題2　正しい

問題3　正しい

問題4　正しい

問題5　誤り

既存コンクリート保護層を撤去し、防水層を撤去しないで保護アスファルト防水密着工法を行う場合、ルーフドレン周囲の防水層は、ルーフドレン端部から**300㎜程度**まで、四角形に撤去する。

問題6　誤り

平場の既存保護層等を残し、二重ドレンを設けない場合は、ルーフドレン端部から**500㎜程度**まで保護コンクリート等の既存保護層を四角形に撤去する。

(類題) 既存のコンクリート保護層の上に露出アスファルト防水絶縁工法を行う際、二重ドレンを設けないので、コンクリート保護層は、ルーフドレン端部から500㎜まで四角形に撤去した。⇨**正しい**

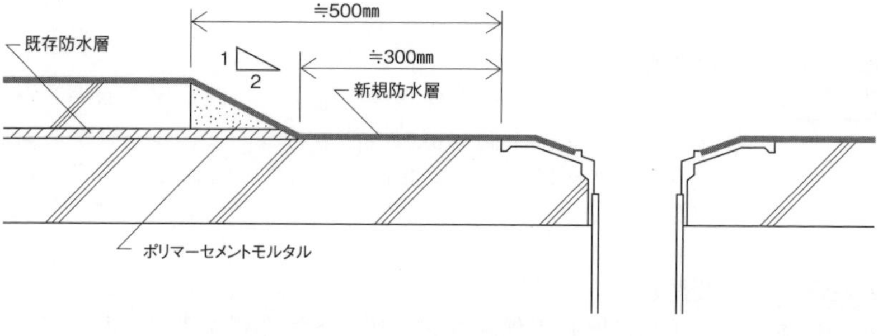

保護層及び防水層を撤去した場合の下地処理

問題7　正しい

下地コンクリート面等のひび割れ部は、**2㎜未満**の場合、ゴムアスファルト系シール材で補修し、**2㎜以上**の場合は、Uカットの上、ポリウレタン系シール等を充填する。

9-2

内装改修工事における既存床仕上げ材の撤去及び下地処理に関する記述として、**適当**か、**不適当**か、判断しなさい。

Check □□□

問題1

ビニル床タイルは、ダイヤモンドカッターで切断し、スクレーパーにより他の仕上げ材に損傷を与えないように撤去した。

Check □□□

問題2

ビニル床シートの下地モルタルの浮き部分の撤去の際に用いるダイヤモンドカッターの刃の出は、モルタル厚さ以上とした。

Check □□□

問題3

下地面に残ったビニル床タイルの接着剤は、アスベストを含有していなかったのでディスクサンダーを用いて除去した。

Check □□□

問題4

乾式工法のフローリング張り床材の除去は、丸のこで適切な寸法に切断し、ケレン棒ではがし取った。

Check □□□

問題5

コンクリート下地の合成樹脂塗床材は、電動ケレン棒を使用し、コンクリート下地表面から3㎜程度の深さまで削り取った。

Check □□□

問題6

新規仕上げが合成樹脂塗床なので、下地のコンクリート面の凹凸部の補修は、エポキシ樹脂モルタルで行った。

Check □□□

問題7

既存合成樹脂塗床面に同じ塗床材を塗り重ねるので、接着性を高めるため、既存仕上げ材の表面を目荒しした。

Check □□□

問題8

合成樹脂塗床の塗り替えにおいて、下地面に油が付着していたので、油潤面用のプライマーを用いた。

Check □□□

問題9

磁器質床タイルは、張替え部をダイヤモンドカッターで縁切りをし、タイル片を電動はつり器具により周囲を損傷しないように撤去した。

解　説

問題１　誤り

ビニル床タイル等は、ダイヤモンドカッターではなく、通常の**カッター**で切断し、**スクレーパー**等により他の仕上げに損傷を与えないように撤去する。

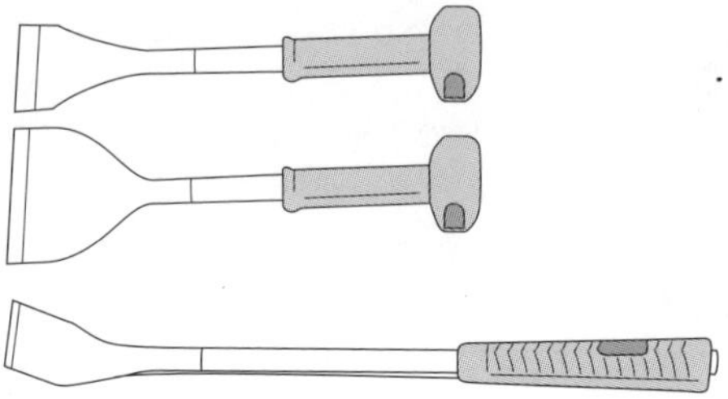

スクレーパー
（へら状の刃に柄を付けた工具の総称）

問題２　誤り

下地モルタルの撤去は、ダイヤモンドカッター等で行うが、カッターの刃の出は、モルタル厚さ**以下**とし、健全部分と縁を切ってから行う。

問題３　正しい
問題４　正しい
問題５　正しい
問題６　正しい
問題７　正しい
問題８　正しい
問題９　正しい

【参考】住宅のユニット工事

- システムキッチンのシンクの排水性を確認するシンクの排水性試験は、溜めた20リットルの水が60秒以内に排水できる性能があるかどうかを調べる。
- システムキッチンのウォールキャビネットは、取付け後に棚におもり等を載せ一定期間放置し、取付け部に変形や緩みが生じないことを確認する（10㎝^{2}当たり0.25kgのおもりをほぼ等分布に載せて放置し、24時間後に確認する）。
- 高層の共同住宅において、浴室ユニットの組立ては、フルキュービクル方式やフルセミキュービクル方式を用いるので、**先行搬入**し、その後に壁軸組みを完成させる。
- 洗面化粧台ユニットの化粧キャビネットを軽量鉄骨下地組のボード壁に取り付けるためには、下地補強用の胴縁やボードアンカーの使用等によって取付け強度を確保する。

9-3

鉄筋コンクリート造建物の外壁仕上げの改修工事に関する記述として、**適当**か、**不適当**か、判断しなさい。

Check □□□

問題1
タイル張り外壁において、漏水がなく、浮きも見られず、単にタイル表面のひび割れ幅が0.3㎜だったので、美観上該当タイルをはつって除去し、タイル部分張替え工法で改修した。

Check □□□

問題2
タイル張り外壁において、1箇所当たりの下地モルタルと下地コンクリートとの浮き面積が0.2㎡だったので、アンカーピンニング部分エポキシ樹脂注入工法で改修した。

Check □□□

問題3
コンクリート打放し仕上げの外壁において、コンクリート表面に生じた幅が0.3㎜の挙動のおそれのあるひび割れは、硬質形エポキシ樹脂を用いた樹脂注入工法で改修した。

Check □□□

問題4
コンクリート打放し仕上げの外壁において、コンクリート表面のはく落が比較的浅い欠損部分は、ポリマーセメントモルタルを充填し、全面を複層仕上塗材塗りで改修した。

〈圧着張り工法を用いた二丁掛けタイルの改修〉

Check □□□

問題5
下地コンクリートに生じたひび割れ幅が0.2㎜以上1.0㎜以下だったので、エポキシ樹脂注入工法で下地コンクリートを改修し、周囲のタイルは張り替えた。

Check □□□

問題6
漏水がなく、浮きも見られず、単にタイル表面のひび割れ幅が0.3㎜だったので、美観上該当タイルをはつって除去し、部分張替え工法で改修した。

Check □□□

問題7
タイルと下地モルタルとの間で、1箇所が0.2㎡程度の浮きが発生していたので、注入口付アンカーピンニングエポキシ樹脂注入タイル固定工法で改修した。

Check □□□

問題8
下地モルタルと下地コンクリートとの間で、1箇所が4㎡程度の浮きが発生していたので、アンカーピンニング部分エポキシ樹脂注入工法で改修した。

解説

問題1　正しい

問題2　正しい

問題3　誤り

外壁のコンクリート打放し仕上げのひび割れ部の改修工法は、次表による。0.3㎜で挙動のおそれのあるひび割れは、**Uカットシール材充填工法**又は軟質形エポキシ樹脂を用いた**樹脂注入工法**を用いる。

ひび割れ幅	改修工法	特徴
1.0㎜超	Uカットシール材充填工法	•挙動のあるひび割れに適用
0.2㎜以上 1.0㎜以下	Uカットシール材充填工法 樹脂注入工法	•挙動のある部分は、どちらの工法を用いるかを判断する •樹脂注入工法の方が耐用年数が期待できる
0.2㎜未満	シール工法	•一時的な漏水防止処置

問題4　正しい

問題5　正しい

問題6　正しい

問題7　正しい

問題8　誤り

アンカーピンニング部分エポキシ樹脂注入工法は、1箇所**0.25㎡未満**の構造体コンクリートと下地モルタル間の浮きの場合に行う固定方法である。

【参考】外壁に用いる押出成形セメント板の一般的な取付け方法

- 縦張り工法のパネルの目地幅は、縦目地よりも横目地の方を大きくする。
- 横張り工法のパネルの取付け金物（Zクリップ）は、取付けボルトが取付け金物のルーズホールの中心に位置するように取り付ける。
- 縦張り工法のパネルの取付け金物（Zクリップ）は、パネルがロッキングできるように正確、かつ堅固に取り付ける。
- **横張り工法**のパネルは、積上げ枚数**3枚以下ごと**に構造体に固定した自重受け金物で受ける。

❺

施工管理法

❺ 施工管理法

1 施工計画

1-1 施工管理の概要に関する記述として、**適当**か、**不適当**か、判断しなさい。

〈建築工事の工期とコストの一般的な関係〉

Check □□□
問題1
最適工期は、直接費と間接費の和が最小となるときの工期である。

Check □□□
問題2
総工事費は、工期に比例して増加する。

Check □□□
問題3
直接費は、工期の短縮に伴って増加する。

Check □□□
問題4
間接費は、工期の短縮に伴って減少する。

〈突貫工事になると工事原価が急増する原因〉

Check □□□
問題5
歩増しや残業手当等による賃金等の割増が生じること。

Check □□□
問題6
一交代から二交代へと1日の作業交代数の増加に伴う現場経費が増加すること。

Check □□□
問題7
1日の施工量の増加に対応するため、仮設及び機械器具の増設が生じること。

Check □□□
問題8
型枠等の消耗役務材料の使用量が、施工量に比例して増加すること。

解　説

問題1　正しい

最適工期とは、経済速度で工事の施工を行う最も経済的な工期であり、直接費と間接費とを合わせた総工事費が最小になるときの工期である。

問題2　誤り

総工事費は、**直接費**と**間接費**とを**合わせた**費用であり、工期に比例しては増加しない。

問題3　正しい

直接費は、工期が短くなれば、残業や応援を頼むことが多くなり増加する。

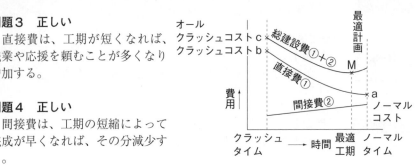

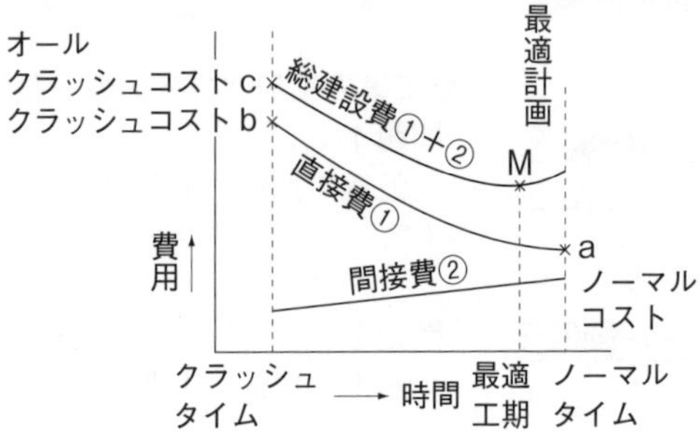

工期・建設費曲線

問題4　正しい

間接費は、工期の短縮によって完成が早くなれば、その分減少する。

問題5　正しい

歩増し、残業手当、深夜手当等の支給により、施工量に比例的でない賃金方式を採用せざるを得ないため、工事原価が急増する原因となる。

問題6　正しい

一交代から二交代、三交代へと一日の作業交代数の増加による現場経費等の固定費の増加のため、工事原価が急増する原因となる。

問題7　正しい

施工量の増加による仮設及び機械器具の増設、監督職員の増員等の施工規模の拡大のため、工事原価が急増する原因となる。

問題8　誤り

型枠等の消耗役務材料の使用量は、施工量に比例して増加するのではなく、型枠材や支保工材の転用回数等の減少により、施工量は比例的でなく**急増**する。

1-2 建築工事における事前調査や準備作業に関する記述として、**適当**か、**不適当**か、判断しなさい。

〈周 辺 環 境〉

Check □□□

問題1

街路樹が施工上の支障となったので、設計監理者の承認を得て伐採した。

Check □□□

問題2

竣工後のクレーム対応資料とするため、周辺道路や近隣建物の状況写真を着工前だけでなく工事中も撮影することとした。

Check □□□

問題3

揚重機の設置計画に当たって、敷地周辺の電波障害範囲の調査を行った。

Check □□□

問題4

交通量の多い道路に面した工事なので、休日に行った交通量調査に基づいて施工計画を立案した。

〈施　　工〉

Check □□□

問題5

建物の位置と高さの基準となるベンチマークは、複数設置すると誤差を生じるおそれがあるので、設置は1箇所とした。

Check □□□

問題6

掘削深さや地盤条件に応じた山留めを設けることとしたので、隣接建物の基礎の調査は省略した。

Check □□□

問題7

根切り、山留め工事の計画に対して設計時の地盤調査で不足があったので、追加ボーリングを行った。

Check □□□

問題8

洪積地盤であったので、山留め壁からの水平距離が掘削深さ相当の範囲内にある既設構造物の調査を行った。

Check □□□

問題9

掘削中に地下水を排水するので、周辺の井戸の使用状況を調査した。

解　説

問題1　誤り

街路樹が施工上支障となる場合には、**道路管理者**の許可申請による承認を得て、工事中、一時他の場所に**移植**しておき、完成後に**現状復帰**させる等の措置を取る。

(類題) 敷地内及びその周辺の地形、地質及び地層の状態の調査を行った。

⇨ **正しい**

問題2　正しい

(類題) 工事で騒音や振動が発生するので、近隣の商店や工場の業種の調査を行った。⇨ **正しい**

問題3　正しい

問題4　誤り

交通量調査は、工事車両の搬出入が多い時期や時間帯について調査しなければならないので、休日に限らず**平日**についても調査し、施工計画を立案する。

(類題) 搬入道路の計画をするために、周辺道路に通学路の指定があるか調査した。⇨ **正しい**

問題5　誤り

ベンチマークは、敷地付近の移動のおそれのない箇所に**2箇所以上**設ける。

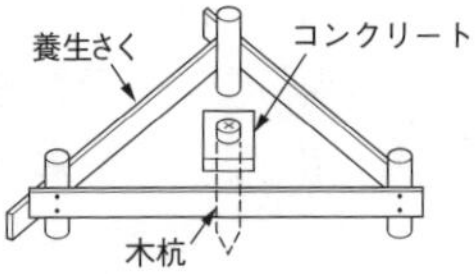

ベンチマーク

問題6　誤り

根切り、山留め工事は、周辺環境に対して影響を及ぼすことが多いことから、周辺構造物、埋設物等について事前に調査する。

(類題) 根切り計画に当たって、地中障害物の調査のみならず、過去の土地利用の履歴も調査した。⇨ **正しい**

問題7　正しい

(類題) 山留め計画に当たって、敷地内の試掘を実施し、湧出する地下水の水質調査を行った。⇨ **正しい**

問題8　正しい

問題9　正しい

(類題) 地下水の排水計画に当たって、公共ますの有無と下水道の排水能力を調査した。⇨ **正しい**

1-3 施工計画書に関する記述として、**適当**か、**不適当**か、判断しなさい。

Check □□□

問題1

総合施工計画書は、施工方針、施工計画、管理計画を含めて作成する。

Check □□□

問題2

総合施工計画書は、工種別施工計画書を先に作成し、それに基づき作成する。

Check □□□

問題3

工事の着手に先立ち作成する総合施工計画書には、現場の構成員と社内支援スタッフとの関わり方を記載した。

Check □□□

問題4

工事の着手に先立ち作成する総合施工計画書には、主要品質のつくり込み方針や主要な工事の流れに関わる制約条件を記載しなかった。

Check □□□

問題5

工事の着手に先立ち作成する総合施工計画書には、工事関係図書の周知徹底の方法や工種別の施工計画書及び施工図などの作成の有無を記載した。

Check □□□

問題6

工事の着手に先立ち作成する総合施工計画書には、工程管理計画として、総合実施工程表は記載したが、工種別の工程表を記載しなかった。

Check □□□

問題7

工種別施工計画書は、施工方針に大きく関わる主要な工事について作成する。

Check □□□

問題8

工種別施工計画に含まれる施工要領書は、専門工事業者が作成してもよい。

解説

問題１　正しい

総合施工計画書は、総合仮設を含めた工事の全般的な進め方や主要工事の施工方針、施工計画、管理計画等を含めて作成する。

問題２　誤り

総合施工計画書を**先に**作成し、工種別施工計画書は、一工程の施工の着手前に、総合施工計画書に基づき作成する。

問題３　正しい

請負者は、総合施工計画書には現場の施工管理組織及び指示系統と社内組織に記載した支援スタッフとの関わり方を記載する。

問題４　誤り

総合施工計画書には、主要品質のつくり込み方針や主要な工事の流れに関わる制約条件等、**重要施工管理項目**等を記載する。

問題５　正しい

品質管理について、設計図書や工事関係図書の周知徹底の方法、確認や検査の計画、施工管理の手順、トレーサビリティを確保する方法等を記載する。

問題６　正しい

総合実施工程表を記載することはあげられているが、工種別工程表は補足的な目的で作成することが多く、記載しなくてもよい。

問題７　正しい

工種別施工計画書は、工事の内容・品質に多大な影響を及ぼすと考えられる施工方針に大きく関わる主要な工事について作成する。

問題８　正しい

工種別施工計画に含まれる施工要領書は、方針を示し、専門工事業者に作成させ、計画書としている場合が多い。

1-4

仮設計画･総合仮設計画に関する記述として、**適当**か、**不適当**か、判断しなさい。

〈仮設事務所等〉

Check □□□

問題1

施工者用事務室と監理者用事務室は、同一建物内でそれぞれ独立して設ける計画とした。

Check □□□

問題2

作業員詰所は、火災防止や異業種間のコミュニケーションが図れ、衛生管理がしやすいように小部屋方式とする計画とした。

Check □□□

問題3

仮設の給水設備において、工事事務所の使用水量は、50リットル/人・日を見込む計画とした。

Check □□□

問題4

作業員の仮設男性用小便所の箇所数は、同時に就業する男性作業員30人以内ごとに1個を設置する計画とした。

〈電 気 設 備〉

Check □□□

問題5

屋外に施設する溶接用ケーブル以外の移動電線で使用電圧が300V以下のものは、1種キャブタイヤケーブルを使用することとした。

Check □□□

問題6

仮設の照明設備において、常時就業させる場所の作業面の照度は、普通の作業の場合、100 lx以上とする計画とした。

Check □□□

問題7

工事用電力の使用電力が90kW必要となったので、低圧受電で契約する計画とした。

Check □□□

問題8

工事用の電力量が工程上で極端なピークを生じるので、一部を発電機で供給する計画とした。

Check □□□

問題9

工事用の動力負荷は、工程表に基づいた電力量山積みの50%を実負荷とする計画とした。

解説

問題1　正しい

関連 現場に設ける工事用の事務所は、**強度**や**防火性能**を満足した上で、**経済性**や**転用性**のよいものを選ぶ。

問題2　誤り

作業員詰所は、大部屋形式の方が異業種間のコミュニケーションや整理整頓あるいは設置や空調設備のコストを考慮しても効果的であり、**大部屋方式**が多用されている。

問題3　正しい

問題4　正しい

(類題) 作業員の**仮設男性用大便所**の**便房**の数は、同時に就業する男性作業員**60人以内ごとに1個以上**設置する計画とした。⇨ **正しい**

問題5　誤り

屋側（建造物の屋外側面）又は屋外に施設する使用電圧が300 V以下の移動電線は、溶接用ケーブルを除き1種キャブタイヤケーブルは使用してはならない。

関連 工事用電気設備のケーブルを埋設配管とする場合の深さは、**重量物**が通過する道路下は**1.2m以上**その他は0.6m以上に埋設し、埋設表示する。

問題6　誤り

仮設の照明設備において、**常時**就業させる普通作業の作業面照度は、**150 lx 以上**、精密作業の作業面照度は、300 lx 以上とする。

問題7　誤り

工事用電力の申し込みは、使用電力により、契約電力が50kW未満の場合は低圧受電、**50kW 以上2,000kW未満**の場合は**高圧**受電、2,000kW以上の場合は特別高圧受電となる。

問題8　正しい

関連 **スタッド溶接機**のように一時的に電力が必要な場合には、**発電機**からの供給でまかない、電力負荷の山崩しを図ることが経済的である。

問題9　誤り

工事用の**動力負荷**は、工事用電力量の山積みの**60%**を実負荷として最大使用電力量を決定するので、50%では少ない。

関連 工事用使用電力量の算出に用いる蛍光灯・投光器・電灯等の照明器具の**同時使用係数**は、**1.0**とする。

1-5 仮設計画・総合仮設計画に関する記述として、**適当**か、**不適当**か、判断しなさい。

〈仮　設　備〉

Check □□□

問題1

仮囲いを設けなければならないので、その高さは地盤面から1.5mとする計画とした。

Check □□□

問題2

仮囲いは、工事現場の周辺や工事の状況により危害防止上支障がないので、設けない計画とした。

Check □□□

問題3

傾斜地に設置した仮囲いの鋼板の下端に生じたすき間は、木製の幅木でふさぐこととした。

Check □□□

問題4

ハンガー式の門扉は、重量と風圧を軽減するため、上部に網を張る構造とする計画とした。

Check □□□

問題5

鉄筋コンクリート造の工事であったので、ゲートの有効高さは、コンクリート満載時の生コン車の高さとした。

Check □□□

問題6

山留めの切梁支柱と乗入れ構台の支柱は、荷重に対する安全性を確認した上で兼用する計画とした。

Check □□□

問題7

溶接に使用するガスボンベ類の貯蔵小屋の壁は、１面を開口とし、他の３面は上部に開口部を設ける計画とした。

Check □□□

問題8

仮設の危険物貯蔵庫は、作業員詰所や他の倉庫と離れた場所に設置した。

Check □□□

問題9

工事用エレベーターは、安全性が高く簡便なラックピニオン駆動方式を用いる計画とした。

Check □□□

問題10

タワークレーンの高さが地上から60mとなるので、航空障害灯を設置する計画とした。

解　説

問題１　誤り

工事を行う場合においては、工事期間中、工事現場の周囲にその地盤面からの高さが**1.8 m以上**の板塀その他これに類する仮囲いを設けなければならない。

(類題) 仮囲いは、通行人の安全や隣接物を保護するとともに、周辺環境に配慮して設置することとした。⇨ **正しい**

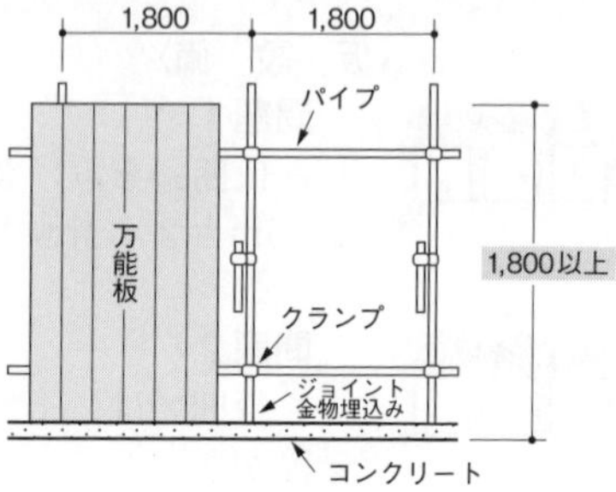

仮囲いの例

問題２　正しい

仮囲いと同等以上の効力を有する他の囲いがある場合、工事現場の周辺若しくは工事の状況により危害防止上支障がない場合においては、設けなくてもよい。

問題３　正しい

問題４　正しい

問題５　誤り

工事現場のゲート高さは、鉄筋コンクリート造の工事では、一般に**空荷で退場する生コン車の高さ**で決まることが多く、それにあわせた高さを有効高さとする。

問題６　正しい

山留めの切梁支柱と構台支柱を兼用する場合、切梁から伝達される荷重に乗入れ構台の自重と、その他の積載荷重を合せた荷重の安全性を構造計算で確認し施工する。

問題７　正しい

ボンベ類の貯蔵小屋は、通気のため、壁の**１面は開口**とし、他の**３面の壁**は、**上部に開口部**を設ける。

問題８　正しい

問題９　正しい

問題10　正しい

地表又は水面から**60 m以上**の高さの物件には、**航空障害灯**を設置しなければならない。

1-6 施工計画に関する記述として、**適当**か、**不適当**か、判断しなさい。

〈仮設工事〉

Check □□□

問題1

仮設照明用のビニル外装ケーブル（Ｆケーブル）は、コンクリートスラブに直接打ち込む計画とした。

Check □□□

問題2

乗入れ構台の構造計算に採用する積載荷重は、施工機械や車両などの荷重のほかに、雑荷重として１kN/㎡を見込む計画とした。

Check □□□

問題3

仮設の荷受け構台は、跳ね出しタイプで上階からワイヤロープでつる構造とし、ワイヤロープの安全係数を10で計画した。

〈土工事・基礎工事〉

Check □□□

問題4

土工事で、ボイリング発生の防止のため、止水性の山留め壁の根入れを深くし、動水勾配を減らすこととした。

Check □□□

問題5

山留め壁工法における一次根切りでは、山留め壁が自立状態となるので、一次根切り深さを浅くする計画とした。

Check □□□

問題6

地下水位が高く軟弱な地盤に設ける山留め壁なので、ソイルセメント柱列山留め壁とする計画とした。

Check □□□

問題7

水平切梁工法においてプレロードを導入する場合、設計切梁軸力の100％を導入する計画とした。

Check □□□

問題8

親杭横矢板工法において、横矢板が親杭のフランジからはずれないように、桟木又はぬきを横矢板の両側に釘で止める計画とした。

Check □□□

問題9

高層建物で敷地全般にわたり深い地下掘削を行うので、逆打ち工法を採用する計画とした。

解説

問題１　正しい

使用電圧が300 V以下の低圧屋内配線であって、建設工事用の仮設照明用では、1年以内に限り、ビニル外装ケーブル（Fケーブル）をコンクリート内に直接埋設してもよい。

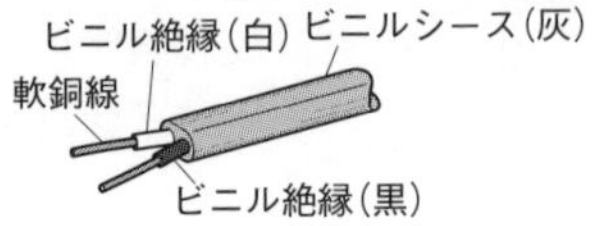

問題２　正しい

問題３　正しい

荷受け構台の跳ね出しタイプで上階からワイヤロープでつる構造のものは、つり足場と同様、**つりワイヤロープ**及びつり鋼線の安全係数が**10以上**、つり鎖及びつりフックの安全係数が５以上としなければならない。

問題４　正しい

問題５　正しい

問題６　正しい

ソイルセメント柱列山留め壁は、比較的山留め壁の剛性・止水性に優れているので、地下水位が高い砂層地盤や砂礫地盤から軟弱地盤まで広い範囲に適している。

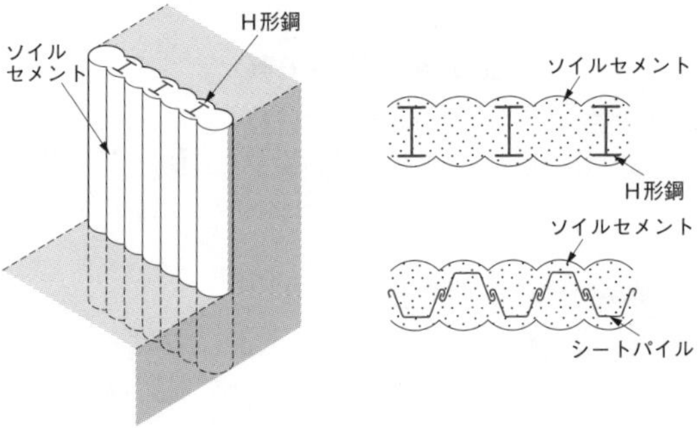

問題７　誤り

水平切梁工法において**プレロードを導入**する場合、設計切梁軸力の**50～80%**程度の荷重により段階を追って均等に加える。

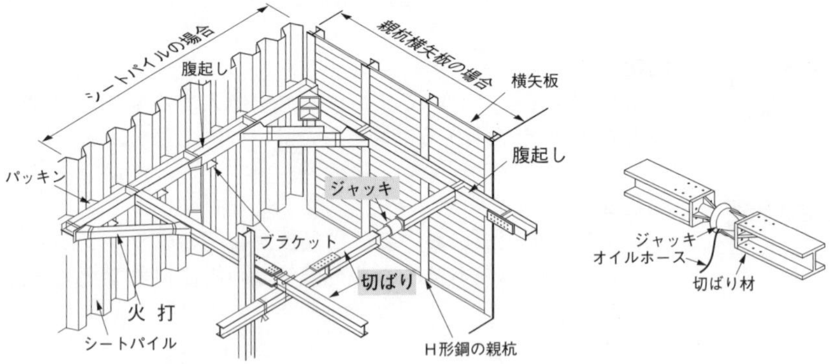

鋼製切ばりを使った山留め

問題８　正しい

問題９　正しい

1-7 施工計画に関する記述として、**適当**か、**不適当**か、判断しなさい。

〈鉄 骨 工 事〉

Check □□□

問題1

現場で使用する鋼製巻尺は、JISの１級品とし、張力を50Ｎとして鉄骨製作工場の基準巻尺とテープ合わせを行う計画とした。

Check □□□

問題2

建築構造用圧延鋼材の品質は、ミルシートだけによらず、ミルマーク、ステンシル、ラベル等を活用して確認することとした。

Check □□□

問題3

鉄骨建方において、架構の倒壊防止用にワイヤロープを使用するので、このワイヤロープを建入れ直し用に兼用する計画とした。

Check □□□

問題4

部材の剛性が小さい鉄骨は、大ブロックにまとめて建入れ直しを行う計画とした。

〈鉄筋コンクリート工事〉

Check □□□

問題5

ガス圧接継手で、圧接当日に鉄筋冷間直角切断機を用いて切断した鉄筋の圧接端面は、グラインダー研削を行わないこととした。

Check □□□

問題6

スラブ型枠の支柱は、コンクリートの圧縮強度が12N/mm^2以上、かつ、施工中の荷重及び外力について安全であることを確認して取り外し、転用することとした。

Check □□□

問題7

鉄筋の組立て後、スラブ筋や梁配筋などの上を直接歩かないよう道板を敷き、通路を確保することとした。

Check □□□

問題8

コンクリートの打設計画において、同一打込み区画に同じメーカーのセメントを使用した複数のレディーミクストコンクリート工場のコンクリートを打ち込む計画とした。

解説

問題1　正しい

問題2　正しい

問題3　正しい

関連 鉄骨の建方計画は、組立て順序、建方中の補強等全体的に検討するが、**部分架構**についても、自重や強風等その他の荷重について安全性を確認する。

問題4　誤り

部材の剛性が小さい鉄骨の建入れ直しは、ワイヤを緊張しても部材が弾性変形をするだけで修正されない場合があるので、できるだけ**小ブロック**ごとに決めるようにする。

問題5　正しい

問題6　正しい

問題7　正しい

問題8　誤り

同一打込み工区に同時に複数の工場よりコンクリートが供給されると、品質責任の所在を明確にすることが困難なため、複数の工場からの**混合使用**は**避ける**。

【参考】鉄骨鉄筋コンクリート造の中層ビルにおける鉄骨建方の施工計画

- 雨天の場合は時間降雨量が1㎜以上、風の場合は最大風速10ｍ/s以上のときは、作業不能日としてその日数を推定して工程計画を作成する。
- 建方クレーンの旋回範囲に66,000Ｖの高圧送電線がある場合の**離隔距離**は**2.2m**確保する。
- 床面積当たりの鉄骨量が50kg/㎡を下回る時等には、鉄骨の建方時に自立させるために過大な補強をしなければならない場合がある。
- タワークレーンによる鉄骨建方の歩掛りは、一般に30ピース/日とする。

1-8 施工計画に関する記述として、**適当**か、**不適当**か、判断しなさい。

〈その他の工事〉

Check □□□

問題1

メタルカーテンウォール工事において、躯体付け金物は、本体鉄骨の製作に合わせてあらかじめ鉄骨工場で取り付けることとした。

Check □□□

問題2

コンクリートブロック工事において、1日の積上げ高さの限度は、1.8m以内として施工する計画とした。

Check □□□

問題3

左官工事において、内壁のモルタル塗り厚さが20㎜の場合、3回塗りとする計画とした。

Check □□□

問題4

壁張り石工事の湿式工法において、ぬれ色や白華の防止のため、石裏面処理材を使用する計画とした。

Check □□□

問題5

シーリング工事において、ＡＬＣパネル間の目地には、低モジュラスのシーリング材を使用することとした。

Check □□□

問題6

タイル工事において、外壁タイル張り面の伸縮調整目地の位置は、下地コンクリートのひび割れ誘発目地と一致させる計画とした。

Check □□□

問題7

金属工事において、海岸近くの屋外に設ける鋼製手すりが塗装を行わず亜鉛めっきのままの仕上げとなるので、電気亜鉛めっきとすることとした。

Check □□□

問題8

コンクリート面にビニル壁紙を直張りとするので、下地が乾燥していない場合は、シーラー処理を行ってから壁紙を張る計画とした。

解説

問題1　正しい

関連 **パネルユニット型メタルカーテンウォール**は、面内剛性が高く、パネルユニット自体の面内変形で層間変位を吸収することは無理なので、施工も比較的簡単で、層間変位の追従性が高い**ロッキング方式**を用いると良い。

問題2　誤り

コンクリートブロックの１日の積上げ高さは、1.6 m以下を標準とする。

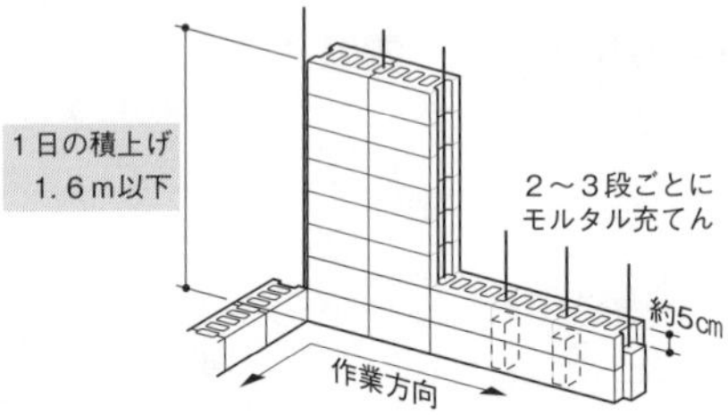

問題3　正しい

壁・天井のモルタルの１回の塗り厚さは、標準６mm、最大９mmが限度であり、塗り厚さが20mmの場合、３回塗りは適当である。

問題4　正しい

石裏面処理材の使用目的は、主としてぬれ色及び白華の防止であり、湿式工法等で使用される。

問題5　正しい

問題6　正しい

各々の位置が異なった場合、躯体あるいは下地における亀裂誘発目地の位置にあるタイルには、ひび割れが発生する。また、タイル面のみに伸縮調整目地を設けても、ほとんど意味をなさない。躯体及び下地モルタル面の亀裂誘発目地と**一致**させる必要がある。

関連 タイル工事において、**密着張り**における振動工具による加振は、張付けモルタルがタイルの周囲から目地部分に盛り上がる状態になるまで行う。

問題7　誤り

海岸近くの屋外に設ける鋼製手すりが塗装を行わず亜鉛めっきのままの仕上げとなる場合は、めっきの付着量の多い**溶融亜鉛めっき**のＡ種を用いる。

問題8　誤り

コンクリート面にビニル壁紙を直張りする場合、シーラーを用いても湿気止めの役目は果たさず、下地の乾燥が不十分な時には、カビや変色が起きやすい。

1-9

労働基準監督署長へ提出する計画の届出に関する記述として、**適当**か、**不適当**か、判断しなさい。

Check □□□

問題1

つり上げ荷重が3ｔ以上のクレーンを設置する場合は、当該工事の開始の日の14日前までに、届け出なければならない。

Check □□□

問題2

積載荷重1ｔ以上の人荷用のエレベーターを設置する場合は、その計画を当該工事の開始の日の14日前までに届け出なければならない。

Check □□□

問題3

ゴンドラを設置する場合は、その計画を当該工事の開始の日の30日前までに届け出なければならない。

Check □□□

問題4

支柱の高さが3.5m以上の型枠支保工を設置する場合は、その計画を当該工事の開始の日の30日前までに届け出なければならない。

Check □□□

問題5

高さが31mを超える建築物を解体する場合は、その計画を当該仕事の開始の日の30日前までに届け出なければならない。

Check □□□

問題6

高さ10m以上の構造の足場を60日以上設置する場合は、当該工事の開始の日の30日前までに、届け出なければならない。

Check □□□

問題7

高さ及び長さがそれぞれ10m以上の架設通路を60日以上設置する場合は、当該工事の開始の日の30日前までに、届け出なければならない。

Check □□□

問題8

掘削の深さが10m以上の地山の掘削の作業を労働者が立ち入って行う場合は、当該仕事の開始の日の14日前までに、届け出なければならない。

Check □□□

問題9

耐火建築物に吹き付けられた石綿等を除去する場合、仕事の開始の日の14日前までに、届け出なければならない。

解 説

問題1　誤り

つり上げ荷重が**3.0 t 以上**の**クレーン**を設置する場合は、工事の開始の日の**30 日前**までに届け出なければならない。

問題2　誤り

積載荷重**1 t 以上**の**人荷用エレベーター**を設置する場合は、工事の開始の日の**30 日前**までに届け出なければならない。

問題3　正しい

問題4　正しい

問題5　誤り

高さ**31 mを超える**建築物または工作物の**建設**、**改造**、**解体**又は破壊の仕事を行う場合は、仕事開始の日の**14 日前**までに、届け出なければならない。

関連 指定地域内において特定建設作業を伴う建設工事を施工しようとする者は、原則として、当該特定建設作業の開始の日の7日前までに、**市町村長**に届け出なければならない。

問題6～9　正しい

労働安全衛生法関係の手続き

書　類　名	提出先	提出者	提出時期
総括安全衛生管理者選任報告	**労働基準監督署長**	事業者	遅滞なく
安全管理者選任報告			
衛生管理者選任報告			
※**型わく支保工**設置計画届			工事開始日の**30 日前**
※**足場**の組立て・解体計画届（**10 m以上**）			
事業場設置届			
建築物又は工作物の建設等計画届（**31 m超**）			工事開始日の**14 日前**
地山の掘削計画届（**10 m以上**）			
石綿（アスベスト）等の除去			

※計画の届出を要しない仮設物

- **型わく支保工**：支柱の高さが**3.5 m未満**のもの。
- **架設通路**：高さおよび長さがそれぞれ**10 m未満**のもの。
- 足場：つり足場、張出し足場以外の足場で、高さが10 m未満のもの。
- 高さおよび長さがそれぞれ**10 m以上**の架設通路、またはつり足場、張出し足場もしくは高さ**10 m以上**の足場が、組立てから解体までの期間が**60 日未満**のもの。

2 工程管理

2-1

工程計画及び工程表に関する記述として、**適当**か、**不適当**か、判断しなさい。

Check □□□

問題1

工程計画の準備として、工事条件の確認、工事内容の把握及び作業能率の把握などを行う。

Check □□□

問題2

工事を行う地域の労務や資材の調達状況、天候や行事、隣接建造物の状況などを考慮する。

Check □□□

問題3

算出した工期が指定工期を超える場合、クリティカルパス上に位置する作業を中心に、作業方法の変更、作業者の増員、工事用機械の台数や機種の変更などの検討を行う。

Check □□□

問題4

基本工程を最初に立て、それに基づき順次、詳細工程を決定する。

Check □□□

問題5

各作業の日程計画を立て、次に手順計画を決定する。

Check □□□

問題6

工期が指定され、工事内容が比較的容易でまた施工実績や経験が多い工事の場合は、積上方式(順行型)を用いる。

Check □□□

問題7

同一設計内容の基準階を多く有する高層建築物の工事においては、タクト手法などを用いる。

Check □□□

問題8

工期の調整は、工法、労働力、作業能率及び作業手順などを見直すことにより行う。

Check □□□

問題9

マイルストーンは、工事の進ちょくを表す主要な日程上の区切りを示す指標であり、掘削開始日、地下躯体完了日、防水完了日等が用いられる。

解 説

問題1　正しい
問題2　正しい
問題3　正しい
問題4　正しい

問題5　誤り
工程を立てるにあたっては、数量や仕様を確認して仕事の順序を明らかにして**手順を決定後**、その手順に沿って各作業の**日程を決定**して工期を計算するのが一般的である。

問題6　誤り
工程計画の立案には、大別して積上方式（順行型）と割付方式（逆行型）とがあり、一般には**工期が制約**されているので、積上方式とは逆に、竣工期日から各工種の工期を定めていく**割付方式**を採用する場合が多い。

問題7　正しい
問題8　正しい
問題9　正しい

【参考】

●工程計画を立案するに当たっての、検討項目の一般的な手順

対象の全体工事を有意義に管理できる程度の**部分工事**に分解する。
- ⇨ 部分工事相互の**順序**を組み立てる。
- ⇨ 部分工事ごとに**施工法**を明らかにし、必要とする**資材**、**作業量**、機械等を決める。
- ⇨ 部分工事に要する**施工期間**と**予算**を検討する。
- ⇨ 全工程を通して、**作業量の均等化**をし、**投入資源の平準化**をする。
- ⇨ 部分工事が全工期の中に納まるように**調整**するとともに、全体の**予算を決定**する。

●工程管理における進ちょく度管理の一般的な手順

工程表によって進ちょくの**現状**を把握する。
- ⇨ 工程会議などで**遅れの原因**がどこにあるか調査する。
- ⇨ 遅れている作業の工程表の作成や工程表によって**余裕時間**を再検討する。
- ⇨ 作業員の増員、施工方法の改善等の**遅延対策**を立てる。

2-2 工程表に関する記述として、**適当**か、**不適当**か、判断しなさい。

Check □□□

問題1
工程表は、休日及び天候等を考慮した実質的な作業可能日数を算出して、暦日換算を行い作成する。

Check □□□

問題2
バーチャート工程表は、ネットワーク工程表に比べて作業の手順が漠然としており、遅れに対する対策が立てにくい。

Check □□□

問題3
バーチャート工程表では、他の工種との相互関係、手順、各工種が全体の工期に及ぼす影響等が明確でない。

Check □□□

問題4
山積工程表における山崩しは、工期短縮に用いられる手法である。

Check □□□

問題5
Sチャートは、工事出来高の累計を縦軸に、工期の時間的経過を横軸に表示するものである。

Check □□□

問題6
Sチャートは、直観的に予定と実施とを対比でき、一般に資源配分手法として使用する。

Check □□□

問題7
Sチャートは、工事の遅れが一目で速やかに把握でき、施工計画で定めた工程の進ちょく状況がよくわかる。

Check □□□

問題8
Sチャートにおいて、グラフの曲線の傾きが水平になると工事が進んでいないことを示す。

Check □□□

問題9
Sチャートにおいて、実績の出来高の累積値がバナナ曲線の内にある場合は、工程の遅れを示す。

Check □□□

問題10
集合住宅の仕上工事は、各種専門工事の一定の繰り返し作業となるので、タクト手法では管理できない。

解　説

問題1～3　正しい

関連 **バーチャート工程表**は、作業間の関連が示されないので、**クリティカルパスが明確**に**なりにくい**。

問題4　誤り

山積工程表における**山崩し**は、日程計算でわかっている作業の余裕日数を利用して､いくつかの作業の開始を遅らせることによって**平均化**をはかるものである。

問題5　正しい

問題6　誤り

資源配分手法は、日々の資源山積み量を求めて、その凹凸を調べ、凸の期間における作業の開始日を遅らせ、全体の資源量を平準化するもので、Ｓチャートとは異なる。

問題7～8　正しい

問題9　誤り

Ｓチャートの計画曲線の上下に設ける許容限界線で囲まれた範囲の形がバナナに似ていることからバナナ曲線といわれる。実績の工事出来高が**曲線内**にある場合は、工程は**計画通り**に進行している。

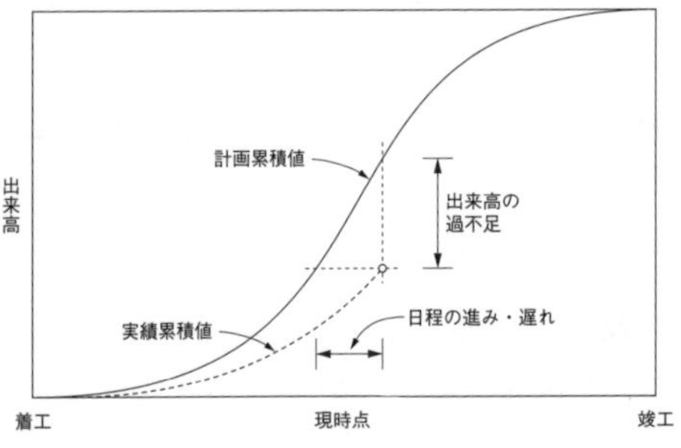

Ｓチャートにおける計画値と実績値の比較

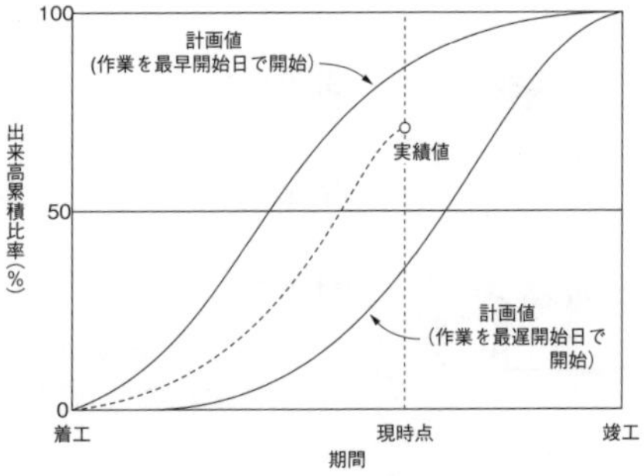

バナナ曲線

問題10　誤り

タクト手法は、同一設計内容の基準階が多い高層建築物の工事に適しており、集合住宅等の仕上工事の工程計画手法として適している。

関連
- 設定したタクト期間では終わることができない一部の作業の場合、作業期間をタクト期間の２倍又は３倍に設定する。
- 各作業の進捗が密接に関連しているため、１つの作業の遅れは全体の作業を停滞させる原因となる。
- 作業の進捗にしたがって生産性が向上するため、工事途中でタクト期間を短縮又は作業者の人数を削減する必要が生じる。

2-3 ネットワーク工程表に関する記述として、**適当**か、**不適当**か、判断しなさい。

Check □□□

問題1

ネットワーク工程表は、数多い作業の経路のうちで、どの経路が全体の工程を最も強く支配するか、あらかじめ確認することができる。

Check □□□

問題2

コンピュータを使用すれば複雑な工程表を作成しやすい。

Check □□□

問題3

工程上の要となる作業が明らかになるので、重点管理が可能になる。

Check □□□

問題4

クリティカルパスは、必ずしも1本とは限らない。

Check □□□

問題5

クリティカルパス以外の作業でも、フロートを消費してしまうとクリティカルパスになる。

Check □□□

問題6

フリーフロートは、その作業の中で使うと、後続作業に影響を及ぼす。

Check □□□

問題7

トータルフロートは、フリーフロートからディペンデントフロートを引いたものである。

Check □□□

問題8

トータルフロートが0の作業をつないだものが、クリティカルパスである。

Check □□□

問題9

トータルフロートが0ならば、ディペンデントフロートも0である。

Check □□□

問題10

フリーフロートが0ならば、トータルフロートも必ず0である。

Check □□□

問題11

バーチャート工程表に比べ、少ない労力で作成できる。

解説

問題１　正しい

関連　**ネットワーク工程表**は、全体の出来高が一目では判りにくいので、目的や規模等によっては、一目で概略が判りやすい**バーチャート工程表**と**併用**することが望ましい。

問題２～５　正しい

問題６　誤り

フリーフロートは、後続作業の最早開始時刻に全く影響を与えない**余裕時間**であり、その作業の中で使い切っても後続作業のフロートに全く影響を与えない。

問題７　誤り

トータルフロートは、当該作業の**最遅終了時刻**（ＬＦＴ）から当該作業の**最早終了時刻**（ＥＦＴ）を**差し引いて**求められる。

①　**トータルフロート＝最遅終了時刻－最早終了時刻**
　　TF　　　　　LFT　　　　　EFT

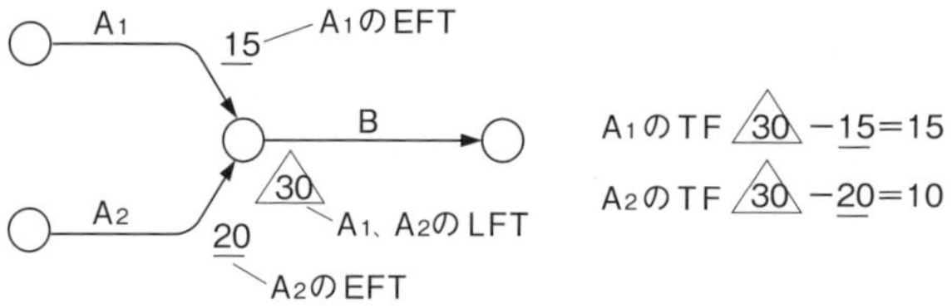

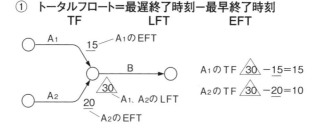

関連　**ディペンデントフロート**は、後続作業のトータルフロートに影響を与えるフロートである。

問題８・９　正しい

問題10　誤り

フリーフロートは、ある作業を最早開始時刻でスタートし、後続の作業も最早開始で始めたとき、後続の作業に全く影響を与えない余裕をいうので、トータルフロートは０になるとは限らない。フリーフロートはトータルフロートより小さいか同じになる。

関連　**結合点**に入る作業が**１つ**だけの場合は、その作業のフリーフロートは**０**となる。

問題11　誤り

ネットワーク工程表は、バーチャート工程表に比べ、作成には手法の知識と多くのデータが必要で、**多くの労力**を必要とする。

関連　バーチャート工程表に比べ、各作業の順序や因果関係が明確になり、工事手順の検討ができる。

2-4 図に示すそれぞれのネットワーク工程表に関する記述として、**適当**か、**不適当**か、判断しなさい。

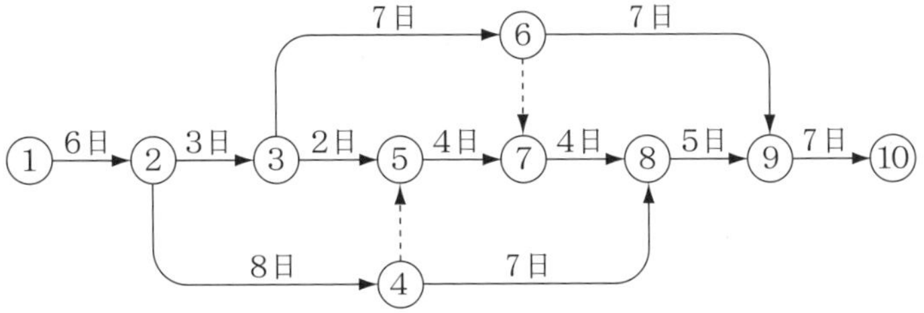

Check

問題1
作業⑦ → ⑧の最早開始時刻は、18日である。

Check

問題2
作業⑤ → ⑦のフリーフロートは、０日である。

Check

問題3
クリティカルパスは、所要工期が34日のルートである。

Check

問題4
作業⑥ → ⑨のトータルフロートは、２日である。

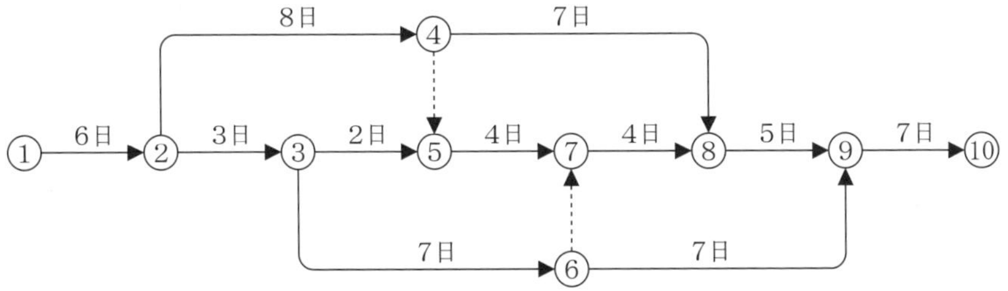

Check

問題5
所要工期は、34日である。

Check

問題6
作業⑥→⑨のトータルフロートは、２日である。

Check

問題7
作業⑦→⑧の最早開始時刻は、18日である。

Check

問題8
作業⑤→⑦のフリーフロートは、０日である。

解　説

問題１　正しい

問題２　正しい

問題３　正しい

クリティカルパスの経路は、①→②→④→⑤→⑦→⑧→⑨→⑩　である。

問題４　誤り

作業⑧→⑨が 27 日で、作業⑥→⑨が 23 日なので、トータルフロートは、**４日**である。

問題５　正しい

クリティカルパスは、①→②→④→⑤→⑦→⑧→⑨→⑩　である。

問題６　誤り

作業⑥→⑨のトータルフロートは、27 －（16 ＋ 7）＝**４日**である。

問題７　正しい

問題８　正しい

【参考】ネットワーク工程表（文章のみでの出題の例）

次の条件の建築工事の**所要工期**を求める。ただし、(　　) 内は各作業の所要日数である。

条件

① 作業Ａ(６日)、作業Ｂ(７日)は、同時に着工する。
② 作業Ｃ(８日)は、作業Ａ、Ｂが完了後着工できる。
③ 作業Ｄ(４日)、作業Ｅ(９日)は、作業Ｂが完了後着工できる。
④ 作業Ｆ(８日)は、作業Ｃ、Ｄが完了後着工できる。
⑤ 全工事は、作業Ｅ、Ｆが完了したとき終了する。

⇨ 設問の条件を入れると、下記のネットワーク工程表となる。

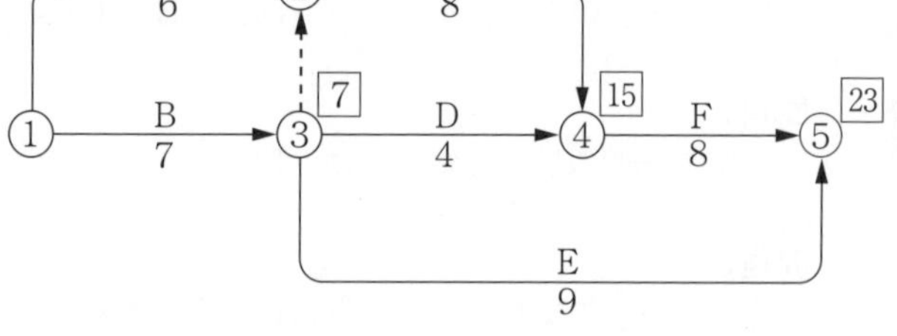

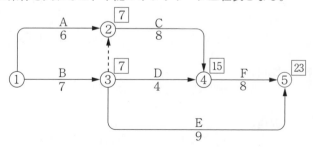

クリティカルパスによる所要工期は、**B → C → F**　で **23 日**となる。

3　品質管理

3-1

建築施工における品質管理に関する記述として、**適当**か、**不適当**か、判断しなさい。

Check □□□

問題１
目標品質を得るための管理項目を設定し、次工程に渡してもよい基準としての管理値を明示する。

Check □□□

問題２
品質管理は、品質計画の目標のレベルにかかわらずち密な管理を行う。

Check □□□

問題３
品質管理計画においては、設計品質を確認して重点的に管理する項目や管理目標を設定し、管理目標は可能な限り数値で明示する。

Check □□□

問題４
品質管理を組織的に行うためには、品質管理活動に必要な業務分担、責任及び権限を明確にする。

Check □□□

問題５
発注者が要求する基本的な品質には、一般的に、建築物の仕上り状態、機能や性能などがある。

Check □□□

問題６
品質計画には、施工の目標とする品質、品質管理及び体制等を具体的に記載する。

Check □□□

問題７
確認が必要な項目は、品質管理計画に基づき、試験又は検査を行う。

Check □□□

問題８
品質の目標値を大幅に上回る品質が確保されていれば、優れた品質管理といえる。

解説

問題1　正しい

問題2　誤り

品質管理は、全ての品質について同じレベルで行うよりは、重点指向により**重点的な管理**等を行うことが要求品質に合致したものを作ることにつながる。

問題3～7　正しい

問題8　誤り

品質の目標値を大幅に上回る品質は、**過剰品質**で優れた品質管理とはならない。最小のコストで目標値を確保することが最良の管理となる。

【参考】日本産業規格（JIS）に規定する品質管理の用語

- **偏差**とは、測定値からその期待値を引いた差である。
- **標準偏差**とは、分散の正の平方根で、値が大きいと測定値のばらつきは大きく、値が小さいと測定値のばらつきが小さいことを示す。
- **標準**とは、関係する人々の間で利益又は利便が公正に得られるように統一及び単純化を図る目的で定めた取決めである。
- **公差**とは、許容限界の上限と下限との差である。
- **レンジ**とは、計量的な観測値の最大値と最小値の差である。
- **許容差**とは、許容限界の上限と下限の差である。
- **かたより**とは、観測値・測定結果の期待値から真の値を引いた差である。
- **ばらつき**とは、観測値・測定結果の大きさがそろっていないこと、又は不ぞろいの程度である。
- **誤差**とは、観測値・測定結果から真の値を引いた値である。
- **管理限界**とは、工程が統計的管理状態にあるとき、管理図上で統計量の値がかなり高い確率で存在する範囲を示す限界をいう。
- **層別**とは、母集団をいくつかの層に分割することである。
- **母集団の大きさ**とは、母集団に含まれるサンプリング単位の数である。
- **抜取検査方式**とは、定められたサンプルの大きさ、及びロットの合格の判定基準を含んだ規定の方式である。

3-2

建築施工における品質管理に関する記述として、**適当**か、**不適当**か、判断しなさい。

Check □□□

問題1

材料・部材・部品の受入れ検査は、種別ごとに行い、必要に応じて監理者の立会いを受ける。

Check □□□

問題2

不良の再発防止のため、品質管理の実施に当たっては、プロセス管理より、試験や検査に重点を置いた管理とする。

Check □□□

問題3

記録については、どのような記録を作成し、保管すべきかを品質管理計画段階で明確にする。

Check □□□

問題4

検査の結果に問題が生じた場合には、適切な処理を施し、その原因を検討し再発防止処置を行う。

Check □□□

問題5

品質に及ぼす影響では、計画段階よりも施工段階で検討する方がより効率的である。

Check □□□

問題6

品質管理では、出来上り検査で品質を確認することよりも、工程で品質を造り込むことを重視する。

Check □□□

問題7

品質を確保するためには、工程の最適化を図るより、検査を厳しく行う方がよい。

Check □□□

問題8

適正な工程が計画できたら、作業が工程どおり行われているかどうかの管理に重点をおく。

Check □□□

問題9

建設業においては、設計者と施工管理会社及び専門工事会社の役割分担を明確にして品質管理を行う。

Check □□□

問題10

品質保証活動とは、広くとらえれば営業・企画・設計・見積・契約・施工・保全に関する全活動である。

解 説

問題1　正しい

問題2　誤り

不良の再発防止のためには、試験や検査に重点を置くより、作業そのものを適切に実施する方が重要であり、**プロセス管理**に**重点**を置いた管理をする。

問題3　正しい

問題4　正しい

問題5　誤り

品質管理は、品質に与える影響が大きい上流管理（生産工程の上流でできるだけ手を打つこと）を行うことが望ましく、施工段階より**計画段階**で検討する方が**効果的**である。

問題6　正しい

問題7　誤り

品質は、工程で造り込むのがよく、**工程の最適化**を図ることが望ましい。検査に重点をおく品質管理は、手直しを必要とする等適切な管理にはならない。

問題8　正しい

問題9　正しい

問題10　正しい

【参考】施工品質管理表（ＱＣ工程表）の作成

- **工種別**又は**部位別**に作成し、品質確認の作業の流れに沿って、材料、作業員、作業のやり方等をプロセスでの作りこみとチェック事項をまとめたものである。
- **管理項目**には、重点的に実施すべき項目を取り上げる。
- **検査**の時期、頻度、方法を明確にする。
- 工事監理者、施工管理者、専門工事業者の**役割分担**を明確にする。
- 施工条件、施工体制は関係しない。
- **管理値**を外れた場合の処置をあらかじめ定めておく。

3-3 品質管理に用いる図表の説明に関する記述として、**適当**か、**不適当**か、判断しなさい。

Check □□□

問題1
特性要因図とは、特定の結果と原因系の関係を系統的に表した図のことである。

Check □□□

問題2
散布図は、２つの事象の関係を見る手法であり、両者の間に強い相関がある場合には、プロットされた点は直線又は曲線に近づく。

Check □□□

問題3
パレート図は、出現頻度の数値の小さい方から順に並べた棒グラフで、それに累積度数曲線を描き加えたものである。

Check □□□

問題4
ヒストグラムは、データがどんな値を中心に、どんなばらつきをもっているかを見ることができる。

Check □□□

問題5
管理図とは、データの度数分布の形等に注意し、規格値との関係をみる図のことである。

Check □□□

問題6
レディーミクストコンクリートの品質管理には、$\overline{X}$－R管理図が一般的に用いられる。

Check □□□

問題7
$\overline{X}$－R管理図により、作業工程が管理状態にあるかどうかが分かる。

Check □□□

問題8
$\overline{X}$－R管理図により、作業工程における測定値の変動の大きさが分かる。

Check □□□

問題9
$\overline{X}$－R管理図により、作業工程における測定値の変動の周期性が分かる。

Check □□□

問題10
$\overline{X}$－R管理図により、作業工程の異常原因が分かる。

解説

問題1　正しい

問題2　正しい

問題3　誤り

パレート図は、問題点をその現象別や要因別に集計し、出現度数の**大きい順**に並べて棒グラフで表し、さらに累計した和を折れ線グラフにした図をいう。

問題4　正しい

問題5　誤り

管理図とは、データをプロットした折れ線グラフに、管理限界線を記入して、作業工程が管理状態にあるかを判定するための図である。設問の説明はヒストグラムである。

問題6～9　正しい

問題10　誤り

管理図では異常があったことは分かるが、その原因は**特性要因図**等を用いなければ分からない。

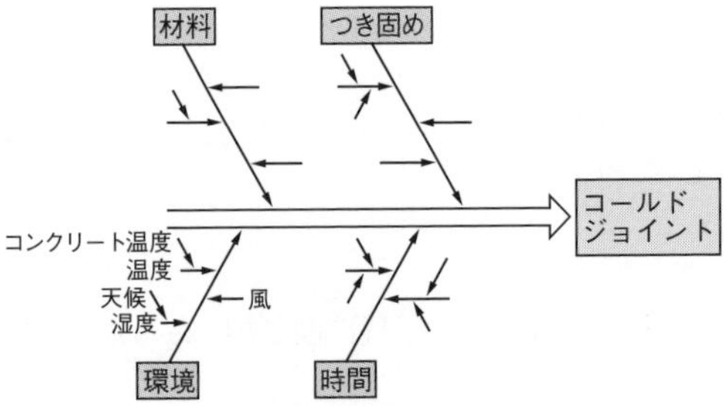

特性要因図

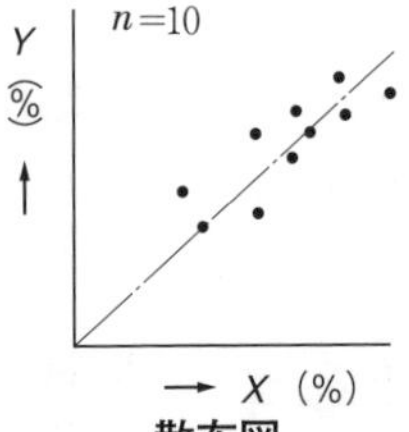

散布図

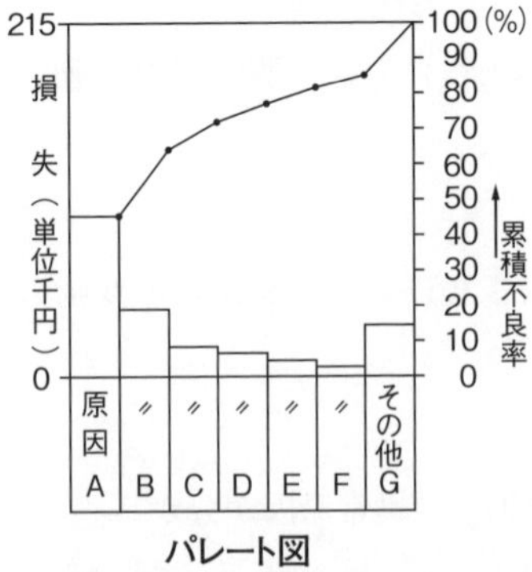

パレート図

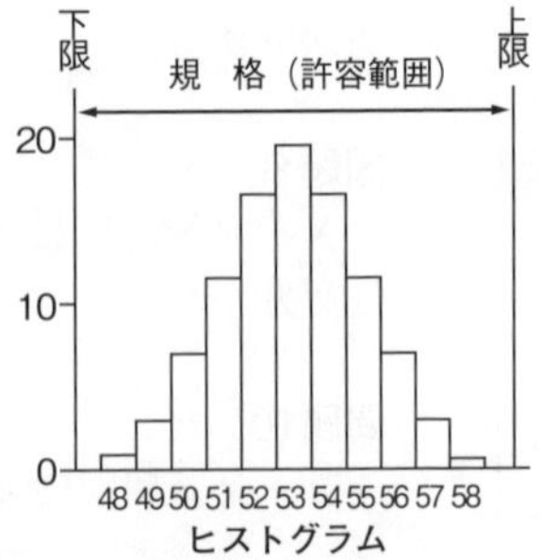

ヒストグラム

3-4

検査及び試験に関する記述として、**適当**か、**不適当**か、判断しなさい。

Check □□□

問題1

検査とは、品物の特性値に対して、測定、試験などを行って、規定要求事項と比較して、適合しているかどうかを判定することをいう。

Check □□□

問題2

間接検査とは、購入者が供給者以外の第三者に試験を依頼して行う検査をいう。

Check □□□

問題3

無試験検査とは、品質情報、技術情報などに基づいて、サンプルの試験を省略する検査をいう。

Check □□□

問題4

抜取検査とは、製品又はサービスのサンプルを用いる検査をいう。

Check □□□

問題5

品物がロットとして処理できない場合は、抜取検査とする。

Check □□□

問題6

全数検査は、不良品を見逃すと人命に危険を与えたり、経済的に大きな損失を受ける場合に適用される。

Check □□□

問題7

鉄筋（ＳＤ490を除く。）のガス圧接部の検査は、外観検査は目視により全数検査とし、超音波探傷検査は抜取り検査とした。

Check □□□

問題8

圧接部の抜取検査は、試験方法について特記がなかったので、超音波探傷試験で行った。

Check □□□

問題9

抜取検査の超音波探傷試験は、１検査ロットに対して３箇所無作為に抜き取って行った。

Check □□□

問題10

抜取検査で不合格となったロットについては、試験されていない残り全数に対して超音波探傷試験を行った。

解説

問題1　正しい

問題2　誤り

間接検査とは、購入検査で供給者が行った検査を必要に応じて確認することにより、購入者の試験を省略する検査である。

関連 間接検査は、長期にわたって供給側の検査結果が良く、使用実績も良好な品物の受入検査の場合に適用される。

問題3　正しい

関連 **無試験検査**は、工程が安定状態にあり、品質状況が定期的に確認でき、そのまま次工程に流しても損失は問題にならない状態の場合に適用される。

問題4　正しい

問題5　誤り

ロットからあらかじめ定められた検査方法に従って、サンプルを採ることができる場合には、抜取検査とするが、**ロット処理ができない**場合は、**抜取検査はできない**。

関連 **破壊検査**となる場合は、**抜取検査**とする。

問題6　正しい

関連 **不良率**が大きく、あらかじめ決めた品質水準に達していない場合は、**全数検査**とする。

問題7　正しい

問題8　正しい

関連 **外観検査**は、**全数検査**とし、圧接部のふくらみの直径、ふくらみの長さ、圧接面のずれ、鉄筋中心軸の偏心量、圧接面の折れ曲がりについて行う。

問題9　誤り

抜取検査の**超音波探傷試験**は、非破壊試験で、１検査ロットに対して**30箇所**行う。

問題10　正しい

【参考】検査

- **非破壊検査**とは、非破壊試験の結果から、規格などによる基準に従って合否を判定する方法をいう。
- **中間検査**は、不良なロットが次工程に渡らないように事前に取り除くことによって損害を少なくするために行う。
- **受入検査**は、依頼した原材料、部品又は製品などを受け入れる段階で行う検査で、生産工程に一定の品質水準のものを流すことを目的で行う。

3-5

品質を確保するための管理値に関する記述として、**適当**か、**不適当**か、判断しなさい。

Check □□□

問題1

既製コンクリート杭の継手において、現場溶接継手部の開先の目違い量の最大値は、2㎜とした。

Check □□□

問題2

鉄骨梁の製品検査において、梁の長さの限界許容差は、±5㎜とした。

Check □□□

問題3

鉄骨のすみ肉溶接の検査で、余盛の高さが7㎜以上のものを合格とした。

Check □□□

問題4

鉄骨の建方における柱の倒れの管理許容差は、柱1節の高さの1/500以下、かつ20㎜以下とした。

Check □□□

問題5

スタッド溶接後のスタッド仕上り高さの許容差は、±2㎜とした。

Check □□□

問題6

鉄骨工事において、スタッド溶接後のスタッドの傾きの許容差を、15°以内とした。

Check □□□

問題7

構造体コンクリートの部材の断面寸法の許容差は、柱・梁・壁においては0㎜から+15㎜までとした。

Check □□□

問題8

コンクリート工事において、コンクリート部材の設計図書に示された位置に対する各部材の位置の許容差を、±20㎜とした。

Check □□□

問題9

コンクリート工事において、ビニル床シート下地のコンクリート面の仕上がりの平坦さを、3mにつき7㎜以下とした。

Check □□□

問題10

カーテンウォール工事において、プレキャストコンクリートカーテンウォール部材の取付け位置の寸法許容差のうち、目地の幅については、±5㎜とした。

解説

問題1　正しい

問題2　正しい

問題3　誤り

鉄骨のすみ肉溶接の**余盛の高さ**は、0 ≦ Δ *a* ≦ 0.4 *S* かつ Δ *a* ≦ 4㎜を合格とする。

名　称	図	管理許容差	限界許容差
隅肉溶接の余盛の高さ Δ *a*	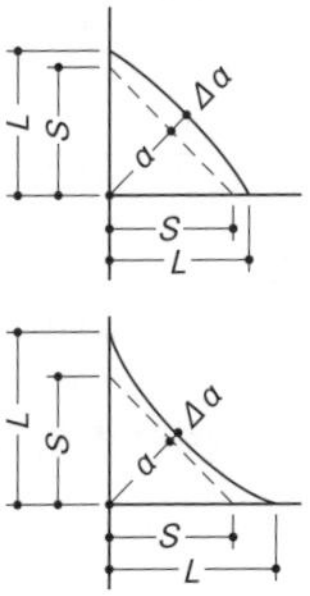	0 ≦ Δ *a* ≦ 0.4 *S* かつ Δ *a* ≦ 4㎜	0 ≦ Δ *a* ≦ 0.6 *S* かつ Δ *a* ≦ 6㎜

問題4　誤り

鉄骨の建方における柱の倒れの管理許容差は、柱の1節の高さの**1/1,000以下**、かつ**10㎜以下**とする。

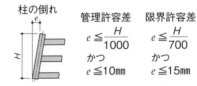

柱の倒れ

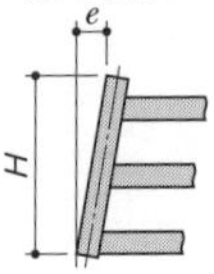

管理許容差	限界許容差
$e \leqq \frac{H}{1000}$ かつ $e \leqq$ 10㎜	$e \leqq \frac{H}{700}$ かつ $e \leqq$ 15㎜

問題5　正しい

問題6　誤り

スタッド溶接後のスタッド**仕上り高さ**の許容差は、**± 2㎜**以内、**傾きは5°以下**とする。

関連　スタッド溶接後の15° 打撃曲げ試験は、1ロットにつき1本以上行い、打撃により15° まで曲げた結果、溶接部に割れその他の欠陥が認められない場合、合格とする。

問題7　正しい

問題8　正しい

問題9　正しい

問題10　正しい

3-6 コンクリートの試験及び検査に関する記述として、**適当**か、**不適当**か、判断しなさい。

Check □□□

問題1

設計基準強度48 N/mm^{2}の圧縮強度の検査は、コンクリートの打込み工区ごと、打込み日ごと、かつ、300 m^{3}ごとに検査ロットを構成し、1検査ロットにおける試験回数は3回とする。

Check □□□

問題2

普通コンクリートの場合、構造体コンクリートの1回の圧縮強度試験には、適当な間隔をおいた3台の運搬車から1個ずつ採取した合計3個の供試体を用いた。

Check □□□

問題3

荷卸し地点におけるコンクリートの空気量の許容差は、指定した空気量に対して、±2.5%とした。

Check □□□

問題4

塩化物量の試験では、塩化物イオン量が0.30kg/m^{3}以下であることを確認する。

Check □□□

問題5

スランプ試験において、試料をスランプコーンに詰めるときは、ほぼ等しい量の3層に分けて詰めた。

Check □□□

問題6

スランプ21 cmのコンクリートの荷卸し地点におけるスランプの許容差を、±1.5cmとした。

Check □□□

問題7

呼び強度27以上で高性能ＡＥ減水剤を使用して、指定したスランプが18cmを超える場合、その許容差は±2.5 cmとする。

Check □□□

問題8

スランプフロー試験において、試料をスランプコーンに詰め始めてから、詰め終わるまでの時間は3分とした。

Check □□□

問題9

高流動コンクリートにおいて、荷卸し地点におけるスランプフローの許容差は、指定したスランプフローに対して、±7.5 cmとした。

解 説

問題1　正しい

関連　普通コンクリートの強度試験の試験回数は、打込み工区ごと、打込み日ごと、かつ、コンクリート150 m^3ごと及びその端数につき1回行う。

問題2　正しい

関連　軽量コンクリートの場合、構造体コンクリートの強度管理用供試体試料の採取は、荷卸し地点とするが、圧送後の性状が変化しやすい場合は、輸送管の筒先とする。

問題3　誤り

荷卸し時におけるフレッシュコンクリートの**空気量の許容差**は、**± 1.5%**である。

関連　**軽量コンクリート**の空気量の許容差は、**±1.5%**とする。

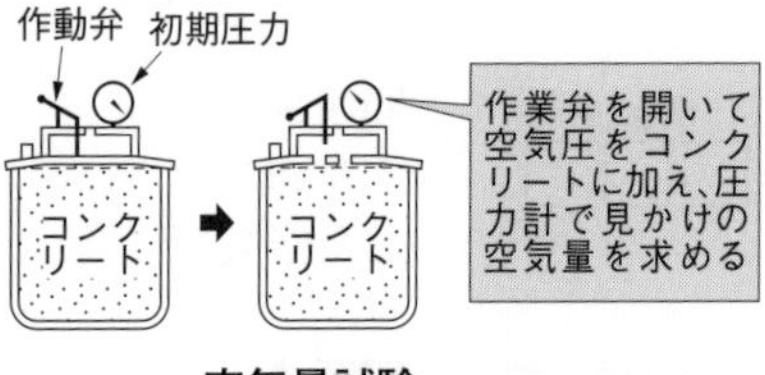

空気量試験

問題4　正しい

関連　塩化物量の簡易試験方法の測定は、同一試料から採った3個の分取試料について各1回測定し、その平均値を測定値とする。

問題5　正しい

問題6　正しい、問題7　誤り

コンクリートの荷卸し地点におけるスランプの許容差

指定したスランプ（cm）	許容差（cm）
5、6.5	± 1.5
8以上 **18** 以下	**± 2.5**
21	**± 1.5** *

＊呼び強度 **27 以上**で高性能ＡＥ減水剤を使用する場合は、**± 2**とする。

問題8　誤り

スランプフロー試験のスランプコーンへの試料の詰め方は、詰め始めてから、詰め終わるまでの時間を**2分以内**とする。

問題9　正しい

関連　**マスコンクリート**において、構造体コンクリート強度の推定のための供試体の養生方法は、標準養生とする。

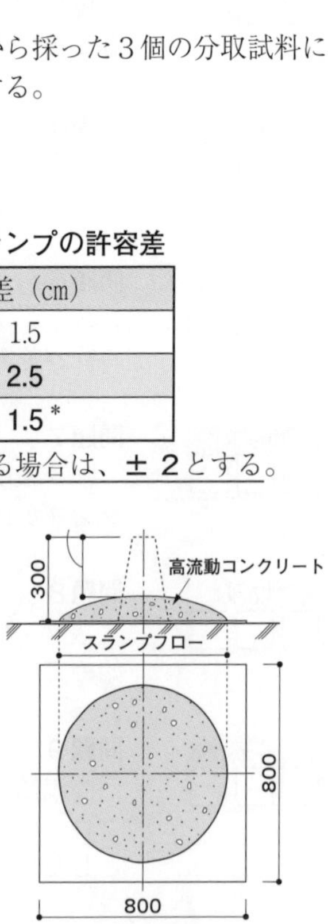

スランプフロー

3-7

仕上工事における試験及び検査に関する記述として、**適当**か、**不適当**か、判断しなさい。

Check □□□

問題１

アルミニウム製建具の陽極酸化皮膜の厚さの測定は、渦電流式厚さ測定器を用いて行った。

Check □□□

問題２

乾式工法における吹付けロックウールの施工中の吹付け厚さの確認は、吹付け面積５㎡ごとに行った。

Check □□□

問題３

塗装工事において、モルタル面のアルカリ度検査は、pHコンパレーターを用いて行った。

Check □□□

問題４

塗装下地のモルタル面のアルカリ度は、ｐＨ12以下であることを確認した。

Check □□□

問題５

２成分形シーリング材の硬化状況確認のためのサンプリングは、同一製造所の同一製造年月日のものを１ロットとして行った。

Check □□□

問題６

室内空気中に含まれるホルムアルデヒドの濃度測定は、パッシブ型採取機器を用いて行った。

Check □□□

問題７

工事現場での木材の含水率の測定は、高周波水分計を用いて行った。

Check □□□

問題８

現場搬入時の造作材の含水率は、15％以下であることを確認した。

Check □□□

問題９

錆止め塗装を工事現場で行う場合の塗付け量の確認は、塗布面積に対する塗料の使用量をもとに行った。

Check □□□

問題10

アスファルト防水における溶融アスファルトの施工時の温度は、下限を230℃とした。

解説

問題１　正しい

問題２　正しい

問題３　正しい

問題４　誤り

塗装可能な下地のアルカリ度の一般的な目安は、コンクリート、**モルタル**面では**ｐＨ９以下**、プラスター面ではｐＨ８以下である。

問題５　誤り

シーリング材の硬化状況等の確認のための**サンプリング**は、材料名・練混ぜ年月日・ロット番号・通し番号を表示し、１組の作業班が１日に行った施工箇所を１ロットとして各ロットごとに行う。

関連　シーリング材は、同一種類のものであっても、製造所ごとに組成が異なるため、接着性能に問題が起こる場合があるので、**製造所ごと**に行う。

問題６　正しい

問題７　正しい

問題８　正しい

木材の工事現場搬入時の含水率は、造作材、下地材では**15％以下**、構造材では20％以下である。

問題９　正しい

錆止め塗装の**塗付け量**の確認は、膜厚測定が困難な場合は、**使用量**から塗付け量を推定することができる。

(類題) 工場塗装における鉄鋼面の錆止め塗装の塗膜厚は、硬化乾燥後に電磁微厚計で確認した。⇨ **正しい**

問題10　正しい

アスファルト防水における**溶融アスファルト**の施工時の温度の下限は、一般の３種アスファルトで**230℃程度**、低煙・低臭タイプのアスファルトでは210℃程度である。

3-8

壁面のタイル工事で行う試験及び検査に関する記述として、**適当**か、**不適当**か、判断しなさい。

Check □□□

問題1

外壁のタイル張り及び屋内の吹抜け部分のタイル張りの打音検査は、タイル張り面積の全面について行う。

Check □□□

問題2

小口平タイルの接着力試験は、タイルの1/3の大きさの鋼製アタッチメントを用いて行った。

Check □□□

問題3

接着力試験の試験体の個数は、300㎡ごと及びその端数につき1個以上とする。

Check □□□

問題4

二丁掛けタイルの接着力試験の試験体は、タイルを小口平の大きさに切断して行う。

Check □□□

問題5

接着力試験の試験体の周辺部は、試験に先立ち、コンクリート面まで切断する。

Check □□□

問題6

外壁タイル張りの接着力試験の判定は、タイルの引張接着強度が$0.3N/mm^2$以上のものを合格とした。

Check □□□

問題7

タイル型枠先付け工法における接着力試験については、引張接着強度が$0.4N/mm^2$以上のものを合格とする。

解 説

問題1　正しい

問題2　誤り

小口平タイルの接着力試験における試験体の大きさは、小口平以下のタイルの場合は、タイルの大きさとし、試験に用いる鋼製アタッチメントの大きさ・形状は、**測定するタイルと同一の大きさ・形状とする**。

問題3　誤り

接着力試験は、引張接着強度を確認するもので、試験体の個数は、**100 ㎡ごと**及びその**端数につき1個以上**、かつ、**全体で3個以上**とする。

問題4　正しい

問題5　正しい

問題6　誤り

外壁タイル張りの接着力試験の判定は、タイルの引張接着強度が**0.4 N / mm^2 以上**のものを合格とする。

問題7　誤り

タイル型枠先付け工法は、現場で組み立てる型枠にタイルを先付けして張り付ける工法で、接着力試験の引張接着強度が**0.6N/mm^{2}以上**のものを合格とする。

3-9

JIS Q 9000（品質マネジメントシステム－基本及び用語）の用語の定義に関する記述として、**適当**か、**不適当**か、判断しなさい。

Check □□□

問題1

品質とは、明示されている、通常、暗黙のうちに了解されている若しくは義務として要求されている、ニーズ又は期待である。

Check □□□

問題2

品質保証とは、品質要求事項が満たされるという確信を与えることに焦点を合わせた品質マネジメントの一部である。

Check □□□

問題3

マネジメントシステムとは、方針及び目標、並びにその目標を達成するためのプロセスの確立などの一連の要素をいう。

Check □□□

問題4

プロセスとは、インプットを使用して意図した結果を生み出す、相互に関連する又は相互に作用する一連の活動をいう。

Check □□□

問題5

トレーサビリティとは、設定された目標を達成するための対象の適切性、妥当性又は有効性を確定することをいう。

Check □□□

問題6

品質マネジメントとは、品質に関して組織を指揮し、管理するための調整された活動をいう。

Check □□□

問題7

品質マニュアルとは、顧客などからの要求事項を記述した文書をいう。

Check □□□

問題8

顧客満足とは、顧客の期待が満たされている程度に関する顧客の受けとめ方をいう。

Check □□□

問題9

手直しとは、要求事項に適合させるため、不適合となった製品又はサービスに対してとる処置をいう。

Check □□□

問題10

是正処置とは、起こり得る不適合又はその他の起こり得る望ましくない状況の原因を除去するための処置をいう。

解説

問題1　誤り

品質とは、対象に本来備わっている特性の集まりが要求事項を満たす程度をいう。

問題2～4　正しい

問題5　誤り

トレーサビリティとは、対象の履歴や適用又は所在を追跡できることをいう。設問の説明は、**レビュー**のことである。

問題6　正しい

問題7　誤り

品質マニュアルとは、組織の品質マネジメントシステムについての仕様書をいう。

問題8・9　正しい

問題10　誤り

是正処置とは、不適合の原因を除去し、再発を防止するための処置である。設問の記述は、**予防処置**（起こり得る不適合またはその他の起こり得る望ましくない状況の原因を除去するための処置。）についてである。

是正処置 ⇨ **再発を防止**、予防処置 ⇨ **発生を未然に防止**

【参考】その他のJISの用語の定義

- **品質特性**とは、要求事項に関連する、対象に本来備わっている特性である。(JIS Q 9000)
- **品質管理**とは、品質要求事項を満たすことに焦点を合わせた品質マネジメントの一部である。(JIS Q 9000)
- **プロジェクト**とは、開始日及び終了日をもち、調整され、管理された一連の活動からなり、時間、コスト及び資源の制約を含む特定の要求事項に適合する目標を達成するために実施される特有のプロセスである。(JIS Q 9000)
- **環境側面**とは、環境と相互に作用する可能性のある、組織の活動又は製品又はサービスの要素をいう。(JIS Q 14001)
- **環境影響**とは、有害か有益かを問わず、全体的に又は部分的に組織の環境側面から生じる、環境に対するあらゆる変化をいう。(JIS Q 14001)
- **環境方針**とは、トップマネジメントによって正式に表明された、環境パフォーマンスに関する組織の全体的な意図及び方向付けをいう。(JIS Q 14001)
- **環境目的**とは、組織が達成を目指して自ら設定する、環境方針と整合する全般的な環境の到達点をいう。(JIS Q 14001)

3-10 工事現場における材料の保管又は取扱いに関する記述として、**適当**か、**不適当**か、判断しなさい。

Check □□□

問題1

高力ボルトは、現場受け入れ時に包装を開封し、全数を確認してからシートを掛けて保管する。

Check □□□

問題2

被覆アーク溶接棒は、吸湿しているおそれがある場合、乾燥器で乾燥してから使用する。

Check □□□

問題3

防水用の袋入りアスファルトを積み重ねるときは、10段以上積まないようにして保管する。

Check □□□

問題4

砂付ストレッチルーフィングは、ラップ部分(張付け時の重ね部分)を上に向けて立てて保管した。

Check □□□

問題5

シーリング材は、有効期間を確認して、高温多湿や凍結温度以下にならない場所に保管する。

Check □□□

問題6

裸台で運搬してきた板ガラスは、屋内の床に、ゴム板を敷いて平置きで保管した。

Check □□□

問題7

ロール状に巻いたカーペットは、屋内の乾燥した場所に、縦置きにして保管した。

Check □□□

問題8

フローリング類を屋内のコンクリートの上に置く場合は、シートを敷き、角材を並べた上に積み重ねて保管する。

Check □□□

問題9

壁紙張りの巻いた材料は、くせの付かないように横にして保管する。

Check □□□

問題10

断熱用の押出法ポリスチレンフォームは、反りぐせ防止のため、平坦な敷台の上に積み重ねて保管する。

解説

問題1　誤り

高力ボルトは、包装の完全なものを**未開封**状態のまま工事現場へ搬入し、乾燥した場所に規格種別、径別、長さ別に整理して保管し、**施工直前**に包装を**開封**する。

問題2・3　正しい

問題4　正しい

関連 **アスファルトルーフィング**類は、吸湿すると施工時に泡立ちや耳浮き等の接着不良になるため、乾燥した場所で保管する。

問題5　正しい

問題6　誤り

裸台で運搬してきた板ガラスは、床への平置きは避け、床にゴム又木板を敷き、壁にもゴム板等を配し、ガラスを立てかけるが、木箱、パレットあるいは車輪付き裸台で運搬してきたガラスは、乗せたままで保管する。

関連 木箱入りのガラスは、裸板の場合と同様に85°程度の角度で立置きする。異寸法のものが混ざる場合には、大箱を先に置き、小箱を後から重ねる。

問題7　誤り

ロール状に巻いたカーペットは、**横置き**にし、変形防止のため２～３段までの俵積みで保管する。

関連 **床シート**類は、横積みにすると重量で変形するおそれがあるので、屋内の乾燥した場所に直射日光を避けて**縦置き**にし、転倒防止のためロープ等で固定し保管する。

問題8　正しい

問題9　誤り

壁紙張りの巻いた材料は、井桁積みや横積みにするとくせがつくので、**立てて**保管する。

問題10　正しい

【参考】 その他の工事現場における材料の保管又は取扱い

- **セメント**や**プラスター**は、湿気を防ぐため、上げ床のある倉庫等で保管し、積上げ高さはあまり高くせず、搬入期日ごとに区分し保管する。
- **ＡＬＣパネル**の積上げは、反りやねじれ、損傷が生じないように、所定の位置に台木を水平に置き、積上げ高さは1段を1.0m以下として2段までとする。
- **プレキャストコンクリート床部材**を積み重ねて平置きとする場合は、上部の部材の台木と下部の部材の台木の位置は同じになるようにする。
- **メタルカーテンウォール**を集中揚重・分離取付けとする場合の部材の保管場所は、小運搬距離や経路上の障害に配慮し確保する。
- 張り石工事に用いる**石材**の運搬は、仕上げ面、稜角を養生し、取付け順序を考慮して輸送用パレット積みで行う。

4 安全管理

4-1

安全管理、労働災害等に関する記述として、**適当**か、**不適当**か、判断しなさい。

Check □□□

問題1

安全衛生管理の基本計画の段階においては、全体工程にわたって、各主要工事の重点災害防止対策を検討する。

Check □□□

問題2

安全衛生管理体制は、作業所の規模（人数）にかかわらず同じ体制としなければならない。

Check □□□

問題3

労働災害には、労働者の災害だけでなく、物的災害も含まれる。

Check □□□

問題4

労働災害における重大災害とは、一時に３名以上の労働者が死傷又は罹病した災害をいう。

Check □□□

問題5

労働災害における労働者とは、所定の事業又は事務所に使用される者で、賃金を支払われる者をいう。

Check □□□

問題6

労働災害の災害発生率として、年千人率や度数率などが用いられる。

Check □□□

問題7

年千人率は、労働者1,000人当たりの１年間の死傷者数を示す。

Check □□□

問題8

度数率は、100万延労働時間当たりの労働損失日数を示す。

Check □□□

問題9

強度率は、1,000延労働時間当たりの死傷者数を示す。

Check □□□

問題10

労働損失日数は、死亡及び永久全労働不能障害の場合、１件につき7,500日とする。

解 説

問題1　正しい

関連 **安全施工サイクル活動**は、日、週、月ごとに基本的な実施事項を定型化し、かつ、その実施内容の改善、充実を図りながら継続的に実施する活動である。

問題2　誤り

安全衛生管理体制は、労働災害を防止するための安全衛生管理組織で、事業場の形態、常時就業する**労働者の人数**により、選任する管理者等の種類、組織体制が異なる。

関連 安全衛生協議会（災害防止協議会）は、定期的に開催しなければならない。

問題3　誤り

労働災害には、単なる**物的災害**は含まれず、就業場所等に起因して、労働者が負傷や疾病にかかったり、死亡する場合をいう。

問題4　正しい

問題5　正しい

問題6　正しい

問題7　正しい

年千人率は次式で表され、発生頻度を示し、労働者1,000人当たりの1年間の死傷者数を示したものである。

$$\text{年千人率}=\frac{\text{年間死傷者数}}{\text{年間平均労働者数}}\times 1{,}000$$（小数点３位以下四捨五入）

問題8　誤り

度数率は次式で表され、災害発生の頻度を示し、100万延労働時間当たりの死傷者数を示したものである。

$$\textbf{度数率}=\frac{\text{死傷者数}}{\text{延労働時間数}}\times 1{,}000{,}000$$（小数点３位以下四捨五入）

問題9　誤り

強度率は次式で示され、1,000労働時間当たりの労働損失日数により、災害の程度を示したものである。

$$\textbf{強度率}=\frac{\text{労働損失日数}}{\text{延労働時間数}}\times 1{,}000$$（小数点３位以下四捨五入）

問題10　正しい

4-2

建設工事の公衆災害を防止するための措置に関する記述として、「建設工事公衆災害防止対策要綱（建築工事編）」上、**適当**か、**不適当**か、判断しなさい(関係機関から特に指示はないものとする)。

Check □□□

問題1

建築工事のため道路の一部の通行を制限する必要があり、制限した後の道路の車線が１車線となる場合にあっては、その車道幅員は３m以上を標準とする。

Check □□□

問題2

道路の通行を制限する必要があり、制限後の車線が２車線となるので、その車道幅員を4.5mとした。

Check □□□

問題3

工事現場内に公衆を通行させるために設ける歩行者用仮設通路は、幅1.5m、有効高さ2.1 mとした。

Check □□□

問題4

防護棚は、骨組の外側から水平距離で1.5m以上突出させ、水平面となす角度を20度以上とする。

Check □□□

問題5

建築工事を行う部分の地盤面からの高さが20m以上の場合は、防護棚を２段以上設置する。

Check □□□

問題6

高さが30mの建築工事において、通行人などに対する危害防止のための最下段の防護棚は、建築工事を行う部分の下15mの位置に設けた。

Check □□□

問題7

騒音伝播防止のため防音パネルを取り付けた枠組足場の壁つなぎの取付け間隔は、垂直方向3.6m以下、水平方向3.7m以下とした。

Check □□□

問題8

仮囲いに設ける出入口の扉は、引戸とし、工事に必要がない限りこれを閉鎖しておいた。

Check □□□

問題9

建設機械の使用に際しては、機械類が転倒しないように、その地盤の水平度、支持耐力の調整などを行った。

解 説

問題1　正しい、問題2　誤り

制限した後の道路の車両が１車線となる場合にあっては、その車道の幅員は３m以上とし、**２車線**となる場合にあっては、その車道幅員は**5.5 m以上**とする。

関連　歩行者対策として、一般の場合には、車道とは別に幅0.75m以上の歩行者用通路を確保する。

問題3　正しい

関連　建築工事のため道路の一部の通行を制限する必要があり、歩行者対策として、特に歩行者の多い箇所において、車道とは別に幅1.5m以上の歩行者用通路を確保する。

問題4　誤り

骨組の外側から水平距離で**２m以上**突出させ、水平面となす角度を20度以上とし、骨組に堅固に取り付ける。

問題5　正しい

問題6　誤り

建築工事を行う部分の地盤面からの高さが10 m以上の場合にあっては１段以上、20 m以上の場合にあっては２段以上設ける。**最下段**の防護棚は建築工事を行う部分の下 **10 m以内**の位置に設ける。

関連　外部足場の外側より水平距離で２m以上の出のある歩道防護構台を設けた場合は、最下段の防護棚は省略してよい。

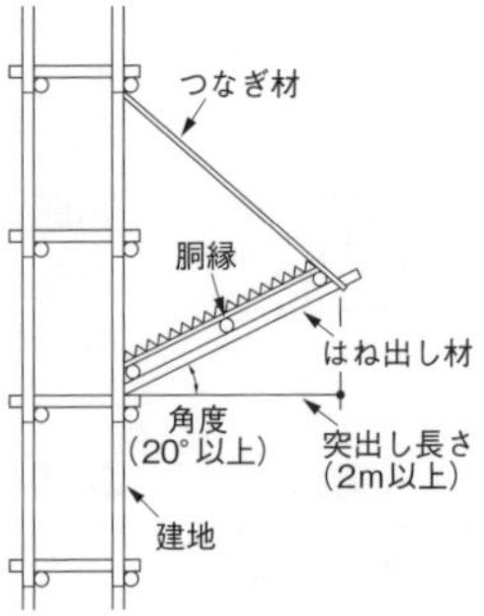

問題7　正しい

問題8　正しい

問題9　正しい

【参考】その他の建設工事の公衆災害を防止するための措置

- 施工者は、施工者が異なる建設工事を隣接輻輳して建築工事を施工する場合には、施工者間で連絡調整を行い、公衆災害の防止に努めなければならない。
- 工事用シートの１類はシートだけで落下物による危険防止に使用され、また、２類は落下物による危険防止の場合に金網と併せて使用される。
- 地盤アンカーの施工において、アンカーの先端が敷地境界の外に出る場合には、敷地所有者又は管理者の許可を得なければならない。
- 地下水の排水に当たっては、排水方法及び排水経路を確認し、当該下水道及び河川の管理者に届出を行い、かつ、土粒子を含む水は、沈砂、ろ過施設等を経て放流しなければならない。

4-3

作業主任者の職務として、「労働安全衛生法」上、**定められている**か、**定められていない**か、判断しなさい。

Check □□□

問題1

土止め支保工作業主任者は、材料の欠点の有無並びに器具及び工具を点検し、不良品を取り除くこと。

Check □□□

問題2

型枠支保工の組立て等作業主任者は、作業中、墜落制止用器具等及び保護帽の使用状況を監視すること。

Check □□□

問題3

木造建築物の組立て等作業主任者は、作業の方法及び順序を決定し、作業を直接指揮すること。

Check □□□

問題4

足場の組立て等作業主任者は、器具、工具、墜落制止用器具等及び保護帽の機能を点検し、不良品を取り除くこと。

Check □□□

問題5

建築物等の鉄骨の組立て等作業主任者は、作業を行う区域内には、関係労働者以外の労働者の立入りを禁止すること。

Check □□□

問題6

建築物等の鉄骨の組立て等作業主任者は、強風、大雨、大雪等の悪天候により、作業の実施について危険が予想されるときは、作業を中止すること。

Check □□□

問題7

地山の掘削作業主任者は、地山のき裂の有無及び湧水の状態を点検すること。

解説

問題1　定められている

土止め支保工作業主任者の職務には、材料の欠点の有無並びに器具及び工具を点検し、不良品を取り除くことが含まれる。

問題2　定められている

型枠支保工の組立て等作業主任者の職務には、作業中、墜落制止用器具等及び保護帽の使用状況を監視することが含まれる。

問題3　定められている

木造建築物の組立て等作業主任者の職務には、作業の方法及び順序を決定し、作業を直接指揮することが含まれる。

問題4　定められている

足場の組立て等作業主任者の職務には、器具、工具、墜落制止用器具等及び保護帽の機能を点検し、不良品を取り除くことが含まれる。

問題5　定められていない

建築物等の鉄骨の組立て等作業主任者の職務には、①作業の方法及び労働者の配置を決定し、作業を直接指揮すること。②器具、工具、墜落制止用器具等及び保護帽の機能を点検し、不良品を取り除くこと。③墜落制止用器具等及び保護帽の使用状況を監視することとあるが、作業を行う区域内には、関係労働者以外の労働者の立入りを禁止することは含まれない。**事業者**の職務である。

問題6　定められていない

事業者は、強風、大雨、大雪等の悪天候により、作業の実施について危険が予想されるときは作業を中止する措置を講じなければならない。措置を講じるのは、作業主任者の職務ではなく、**事業者**である。

問題7　定められていない

事業者が点検者を指名してその者にさせるものとして、明り掘削の作業を行うときに地山の亀裂の有無及び湧水の状態を点検することがあげられている。したがって、地山の掘削作業主任者の職務ではない。**事業者**の職務である。

4-4

作業主任者を選任すべき作業として、「労働安全衛生法」上、**定められているか**、**定められていない**か、判断しなさい。

Check □□□

問題1

掘削面の高さが２ｍの地山の掘削作業

Check □□□

問題2

高さが 3.5 ｍの単管足場の組立作業

Check □□□

問題3

軒の高さが 5.0 ｍの木造建築物の構造部材の組立作業

Check □□□

問題4

軒の高さが５ｍ以上の木造の建築物の解体作業

Check □□□

問題5

高さが 4.5 ｍの平屋建ての鉄骨の組立作業

Check □□□

問題6

鉄筋コンクリート造の建築物の型枠支保工の解体作業

Check □□□

問題7

高さが 3.5 ｍのコンクリート造の工作物の解体作業

Check □□□

問題8

高さが 5.0 ｍの鉄筋コンクリート造建築物のコンクリート打設作業

作業主任者の選任に関する記述として、**適当**か、**不適当**か、判断しなさい。

Check □□□

問題9

同一場所で行う型枠支保工の組立作業において、作業主任者を３名選任したので、それぞれの職務の分担を定めた。

Check □□□

問題10

作業主任者の氏名及びその者に行わせる事項を、作業場の見やすい箇所に掲示することにより関係労働者に周知した。

解説

問題1　定められている

掘削面の高さが２ｍ以上の地山の掘削の作業は、地山の作業主任者を選任しなければならない。

問題2　定められていない

つり足場、張出し足場又は**高さが５ｍ以上**の構造の足場の組立て、解体又は変更の作業には選任しなければならないが、3.5mなので必要ない。

問題3　定められている

軒の高さが５ｍ以上の木造建築物の構造部材の組立て又はこれに伴う屋根下地若しくは外壁下地の取付けの作業に該当するので選任しなければならない。

問題4　定められていない

軒の高さが５ｍ以上の木造建築物の構造部材の組立て、屋根下地、外壁下地の取付け作業については、作業主任者の選任を要するが、**解体作業**については選任する必要はない。

問題5　定められていない

高さが５ｍ以上の建築物の骨組み又は塔で、金属製の部材で構成されているものの組立て、解体、変更の作業は、作業主任者を選任しなければならない。

問題6　定められている

型枠支保工の組立て又は解体の作業については、高さに関係なく作業主任者を選任しなければならない。

問題7　定められていない

コンクリート造の工作物（その高さが５ｍ以上であるものに限る。）の解体又は破壊の作業には選任しなければならないが、3.5 ｍなので必要ない。

問題8　定められていない

コンクリート打設作業は、ずい道については規定されているが、鉄筋コンクリート造建築物では規定されていない。

問題9　正しい

同一の場所で型枠支保工の組立作業を行う場合、作業主任者を**２人以上**選任したときは、それぞれの職務の分担を定める。

問題10　正しい

事業者は、作業主任者の氏名とその者に行わせる事項を、作業場所の見やすい箇所に掲示する等により関係労働者に周知させなければならない。

4-5　安全管理に関する記述として、**適当**か、**不適当**か、判断しなさい。

Check □□□

問題1

建設用リフトのブレーキ及びクラッチの異常の有無については、原則として2月以内ごとに1回、定期に、自主検査を行わなければならない。

Check □□□

問題2

高所から物体を投下するとき、適当な投下設備を設け、監視人を置く等の必要があるのは、3m以上の高さから投下する場合である。

Check □□□

問題3

強風、大雨、大雪等の悪天候のため危険が予想されるとき、労働者を作業に従事させてはならないのは、作業箇所の高さが3m以上の場合である。

Check □□□

問題4

作業を安全に行うため必要な照度を保持しなければならないのは、作業箇所の高さが2m以上の場合である。

Check □□□

問題5

作業に従事する労働者が墜落するおそれのあるとき、作業床を設ける必要があるのは、高さが2m以上の箇所で作業を行う場合である。

Check □□□

問題6

墜落による危険を防止するためのネットは、原則として使用開始後1年以内及びその後6月以内ごとに1回、定期に試験用糸について等速引張試験を行わなければならない。

Check □□□

問題7

機体重量3t以上のブル・ドーザーの運転の業務は、当該業務に係る技能講習を修了した者に行わせた。

Check □□□

問題8

作業床の高さが10m以上の高所作業車の運転の業務は、当該業務に関する安全のための特別の教育を受けた者に行わせた。

Check □□□

問題9

土止め支保工を設けたときは、原則としてその後7日以内ごとに、切りばりの緊圧の度合について点検しなければならない。

解　説

問題１　誤り

事業者は、建設用リフトについては、**１月以内**ごとに１回、ブレーキ及びクラッチの異常の有無等について自主検査を行わなければならない。

関連　**建設用リフト**の運転の業務に労働者を就かせるときは、当該業務に関する安全のための**特別の教育**を行わなければならない。

問題２　正しい

事業者は、**３ｍ以上**の高所から物体を投下するときは、適当な**投下設備**を設け、監視人を置く等労働者の危険を防止するための措置を講じなければならない。

問題３　誤り

事業者は、高さ**２ｍ以上**の箇所で作業を行う場合、強風、大雨、大雪等の悪天候のため、作業の実施について危険が予想されるときは、作業を労働者に従事させてはならない。

問題４　正しい

事業者は、高さが**２ｍ以上**の箇所で作業を行うときは、作業を安全に行うため必要な**照度**を保持しなければならない。

問題５　正しい

事業者は、高さが**２ｍ以上**の箇所で作業を行う場合、墜落により労働者に危険を及ぼすおそれがあるときは、足場を組み立てる等の方法により**作業床**を設けなければならない。

問題６　正しい

ネットは、使用開始後**１年以内**及びその後**６月以内**ごとに１回、定期に試験用糸について等速引張試験を行う。

問題７　正しい

機体重量**３ｔ以上**のブル・ドーザーの運転の業務は、**技能講習**を**修了**した者その他政令で定める資格を有する者でなければ、当該業務に就かせてはならない。

問題８　誤り

作業床の高さが**10ｍ以上**の**高所作業車**の運転の業務は、**技能講習**を修了した者その他政令で定める資格を有する者でなければ、当該業務に就かせてはならない。

問題９　正しい

事業者は、土止め支保工を設けた時、その後**７日**を超えない期間ごとに、切りばりの緊圧の度合等について**点検**しなければならない。

4-6

次の記述について、「労働安全衛生法」上、**適当**か、**不適当**か、判断しなさい。

〈事業者が講ずべき措置〉

Check □□□

問題1

明り掘削の作業において、掘削機械の使用によるガス導管、地中電線路等地下工作物の損壊により労働者に危険を及ぼすおそれがあるときは、掘削機械を使用してはならない。

Check □□□

問題2

車両系建設機械の運転者が運転位置から離れるときは、バケット、ジッパー等の作業装置を地上におろさせなければならない。

Check □□□

問題3

車両系建設機械の定期自主検査を行ったときは、検査年月日等の事項を記録し、これを２年間保存しなければならない。

〈特定元方事業者が、労働災害を防止するため講ずべき措置〉

Check □□□

問題4

特定元方事業者及びすべての関係請負人が参加する協議会を定期的に開催しなければならない。

Check □□□

問題5

関係請負人との間及び関係請負人相互間における、作業間の連絡及び調整を行う。

Check □□□

問題6

作業場所の巡視を、毎作業日に１回以上行わなければならない。

Check □□□

問題7

関係請負人が新たに雇い入れた労働者に対し、雇入れ時の安全衛生教育を行わなければならない。

Check □□□

問題8

新規に入場した下請事業者の作業員に対し、医師による健康診断を行う。

Check □□□

問題9

作業用の仮設の建設物の配置に関する計画の作成を行う。

解　説

問題1　正しい
問題2　正しい

問題3　誤り

車両系建設機械（移動式クレーンなど）の定期自主検査を行ったときは、検査年月日、検査方法等の事項を記録し、これを**3年間**保存しなければならない。

関連　車両系建設機械のブームを上げ、その下で修理、点検を行うときは、ブームが不意に降下することによる労働者の危険を防止するため、安全支柱、安全ブロック等を使用させなければならない。

問題4　正しい
問題5　正しい
問題6　正しい

問題7　誤り

特定元方事業者は、関係請負人が行う労働者の安全又は衛生のための教育に対する指導及び援助を行うこととはあるが、**雇入れ時**の安全衛生教育を行う規定はない。

問題8　誤り

事業者は、常時使用する労働者に対し、1年以内ごとに1回、定期に健康診断を行わなければならない。**健康診断**は直接雇用者の責務で、特定元方事業者の責務ではない。

問題9　正しい

【参考】事業者が行わなければならない点検

- 積載荷重が0.25 t 以上で、ガイドレールの高さが10m以上の建設用リフトを用いて作業を行うときは、その日の作業を開始する前に、ワイヤロープが通っている箇所の状態について点検を行わなければならない。
- つり足場における作業を行うときは、その日の作業を開始する前に、突りょうとつり索との取付部の状態及びつり装置の歯止めの機能について点検を行わなければならない。
- 土止め支保工を設けたときは、原則として、その後**7日**をこえない期間ごとに、切りばりの緊圧の度合について点検を行わなければならない。
- 作業構台の変更の後において、作業構台における作業を行うときは、作業を開始する前に、支柱、はり、筋かい等の緊結部、接続部及び取付部のゆるみの状態について点検を行わなければならない。

4-7 クレーンに関する記述として、「クレーン等安全規則」上、**適当**か、**不適当**か、判断しなさい。

Check □□□

問題1
クレーンの落成検査における荷重試験は、クレーンの定格荷重の荷をつって行った。

Check □□□

問題2
つりクランプ１個を用いて玉掛けをした荷がつり上げられているときは、その下に労働者を立ち入らせてはならない。

Check □□□

問題3
強風により作業を中止した場合であって移動式クレーンが転倒するおそれがあるときは、ジブの位置を固定させる等の措置を講じなければならない。

Check □□□

問題4
つり上げ荷重が３ｔ以上の移動式クレーンを用いて作業を行う際、その移動式クレーン検査証を、当該クレーンに備え付けた。

Check □□□

問題5
移動式クレーンの運転についての合図の方法は、事業者に指名された合図を行う者が定めなければならない。

Check □□□

問題6
移動式クレーンを用いて作業を行う際、玉掛け用具として使用するワイヤロープの直径の減少が、公称径の８％であったので使用した。

Check □□□

問題7
作業の性質上やむを得ない場合は、移動式クレーンのつり具に専用のとう乗設備を設けて労働者を乗せることができる。

Check □□□

問題8
クレーンを用いて作業を行うときは、クレーンのワイヤロープ及びつりチェーンの損傷の有無について、原則として１月以内ごとに１回、定期に、自主検査を行わなければならない。

Check □□□

問題9
移動式クレーンを除くつり上げ荷重が５ｔ未満のクレーンの運転の業務は、当該業務に関する安全のための特別の教育を受けた者に行わせた。

解説

問題1　誤り

落成検査の荷重試験は、クレーンに定格荷重の1.25倍に相当する荷重（定格荷重が200ｔをこえる場合は、定格荷重に50ｔを加えた荷重）の荷をつって行う。

問題2　正しい

関連　移動式クレーンを用いて作業を行うときは、その移動式クレーンの上部旋回体の旋回範囲内に労働者を立ち入らせてはならない。

問題3　正しい

問題4　正しい

関連　移動式クレーンを用いて作業を行うときは、その移動式クレーン検査証を、当該クレーンに備え付けておかなければならない。

問題5　誤り

事業者は、移動式クレーンを用いて作業を行うときは、移動式クレーンの運転について一定の合図を定め、合図を行う者を指名してその者に合図を行わせなければならない。したがって、合図を定めるのは、**事業者**である。

関連　移動式クレーンを用いる場合、当該作業に係る労働者の配置及び指揮の系統は、事業者が定めなければならない。

問題6　誤り

移動式クレーンの玉掛け用具として使用するワイヤロープは、その直径の減少が公称径の**７%を超える**ものを使用してはならない。

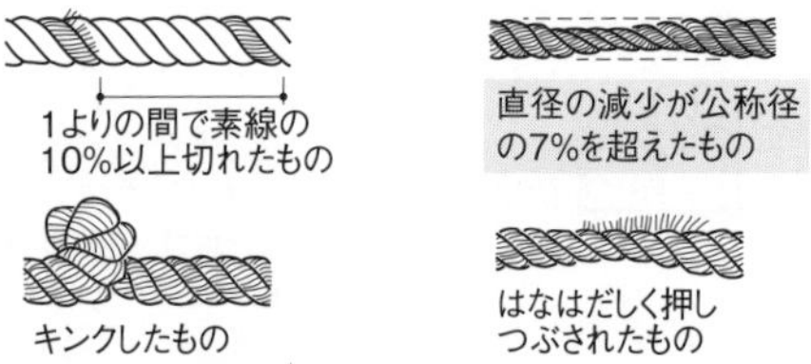

使用禁止のワイヤロープ

関連　つり上げ荷重が１ｔ以上の移動式クレーンの玉掛けの業務は、玉掛け技能講習を修了した者でなければ、当該業務に就かせてはならない。

問題7～9　正しい

【参考】その他のクレーン関連

- 走行クレーン又は旋回クレーンと建設物又は設備との間に歩道を設けるときは、その幅を**0.6m以上**としなければならない。
- 移動式クレーンで作業を行うときは、その日の作業を**開始する前**に、巻過防止装置、過負荷警報装置、ブレーキ等の機能について**点検**を行わなければならない。
- 移動式クレーンを用いて荷を吊り上げるときは、**外れ止め装置**を使用しなければならない。

4-8

ゴンドラに関する記述として、「ゴンドラ安全規則」上、**適当**か、**不適当**か、判断しなさい。

Check □□□

問題1

つり下げのためのワイヤロープが２本のゴンドラでは、要求性能墜落制止用器具をゴンドラに取り付けて作業を行うことができる。

Check □□□

問題2

ゴンドラ検査証の有効期間は２年であり、保管状況が良好であれば１年を超えない範囲内で延長することができる。

Check □□□

問題3

ゴンドラを使用して操作を行う者が単独で作業を行う場合は、操作の合図を定めなくてもよい。

Check □□□

問題4

ゴンドラを使用して作業を行っている箇所の下方には関係労働者以外の者の立ち入りを禁止し、その旨を表示しなければならない。

Check □□□

問題5

ゴンドラを使用して作業するときは、原則として、１月以内ごとに１回自主検査を行わなければならない。

Check □□□

問題6

ゴンドラの操作の業務に労働者をつかせるときは、当該業務に係る技能講習を修了した者でなければならない。

Check □□□

問題7

ゴンドラを使用して作業を行う場所については、当該作業を安全に行うため必要な照度を保持しなければならない。

解説

問題１　正しい

つり下げのためのワイヤロープが**１本**であるゴンドラにあっては、要求性能墜落制止用器具等はゴンドラ**以外**のものに取り付けなければならないが、**２本**の場合は、要求性能墜落制止用器具をゴンドラに取り付けて作業を行うことが**できる**。

問題２　誤り

検査証の**有効期間**は、**１年**であり、その間の保管状況が良好であると都道府県労働局長が認めたものについては、当該ゴンドラの検査証の有効期間を製造検査又は使用検査の日から起算して２年を超えず、かつ、当該ゴンドラを設置した日から起算して１年を超えない範囲内で延長することができる。

問題３　正しい

ゴンドラを使用して作業を行うときは、ゴンドラの操作について一定の合図を定め、合図を行う者を指名して、その者に合図を行わせなければならないが、ゴンドラを操作する者に**単独**で作業を行わせるときは、この限りでない。

問題４　正しい

問題５　正しい

問題６　誤り

事業者は、ゴンドラの操作の業務に労働者をつかせるときは、当該業務に関する安全のための**特別の教育**を行わなければならない。

問題７　正しい

4-9

酸素欠乏に関する記述として、「酸素欠乏症等防止規則」上、**適当**か、**不適当**か、判断しなさい。

Check □□□

問題1

酸素欠乏とは、空気中の酸素の濃度が20％未満である状態をいう。

Check □□□

問題2

酸素欠乏症等とは、酸素欠乏症又は硫化水素中毒をいう。

Check □□□

問題3

酸素欠乏危険作業については、衛生管理者を選任しなければならない。

Check □□□

問題4

酸素欠乏危険作業に労働者を就かせるので、労働者に対して酸素欠乏危険作業特別教育を行った。

Check □□□

問題5

事業者は、酸素欠乏危険作業に労働者を従事させるときは、空気呼吸器等、はしご、繊維ロープ等非常の場合に労働者を避難させ、又は救出するため必要な用具を備えなければならない。

Check □□□

問題6

酸素欠乏危険場所での空気中の酸素の濃度測定は、その日の作業を開始する前に行わなければならない。

Check □□□

問題7

酸素欠乏危険場所で空気中の酸素の濃度測定を行ったときは、その記録を３年間保存しなければならない。

Check □□□

問題8

酸素欠乏危険場所においては、空気中に必要な酸素の濃度を保つよう、純酸素を使用して換気した。

Check □□□

問題9

酸素欠乏の空気が流入するおそれのある地下ピットでの作業では､あらかじめ換気設備を使用して酸素欠乏の空気を上部の地下室へ放出する。

解説

問題１　誤り

酸素欠乏とは、空気中の酸素の濃度が**18%未満**である状態をいう。

関連　**メタン**を含有する地層での深礎杭の掘削においては、酸素欠乏危険作業となるので、規定の酸素濃度に保つよう換気を行う。

問題２　正しい

問題３　誤り

事業者は、酸素欠乏危険作業については**酸素欠乏危険作業主任者**を選任しなければならない。

問題４　正しい
問題５　正しい
問題６　正しい
問題７　正しい

問題８　誤り

事業者は、酸素欠乏危険作業に労働者を従事させる場合は、当該作業を行う場所の空気中の**酸素濃度**を**18%以上**に保つように換気し、換気を行うときは、**純酸素**を**使用してはならない**。

問題９　誤り

酸素欠乏の空気が漏出するおそれのある箇所を閉そくし、酸素欠乏の空気を**直接外部**に**放出**することができる設備を設ける等の措置を講じなければならない。

関連　事業者は、酸素欠乏の空気が流入するおそれのある地下ピット内における作業に労働者を従事させるときは、酸素欠乏の空気が作業を行う場所に流入することを防止するための措置を講じなければならない。

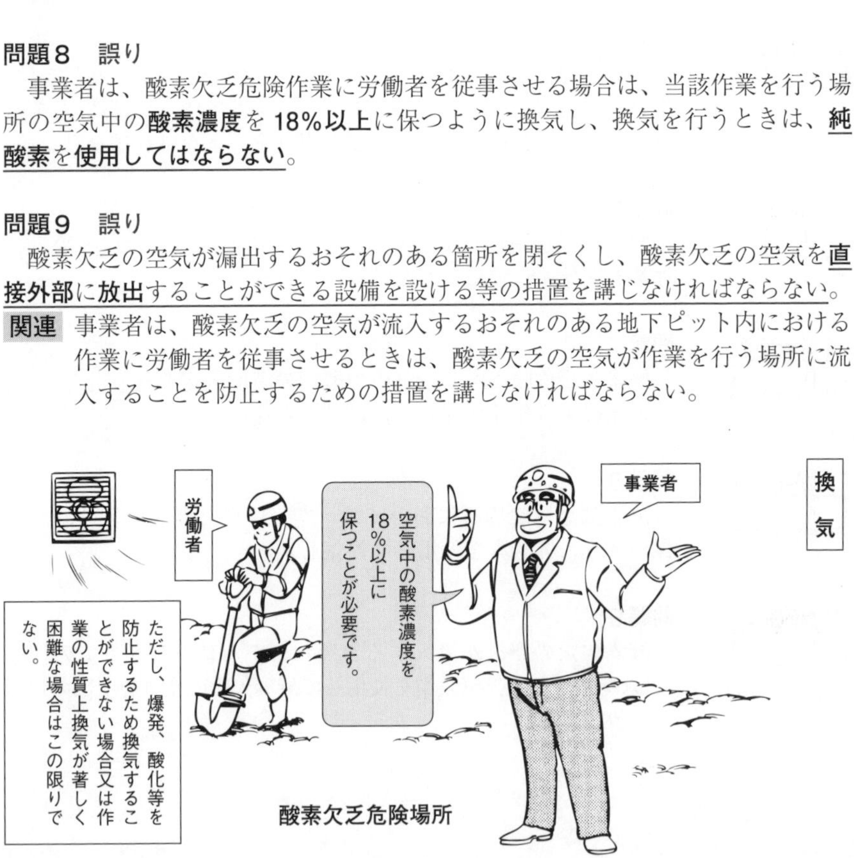

4-10

有機溶剤作業主任者の職務として、「有機溶剤中毒予防規則」上、**定められているか**、**定められていないか**、判断しなさい。

Check □□□

問題1

屋内作業場の有機溶剤の濃度を６月以内ごとに１回、定期に測定し、測定結果を記録し保存する

Check □□□

問題2

屋内作業場で用いる有機溶剤等の区分を、色分け等の方法により、見やすい場所に表示すること。

Check □□□

問題3

局所排気装置、プッシュプル型換気装置又は全体換気装置を１月を超えない期間ごとに点検すること。

Check □□□

問題4

作業に従事する労働者が有機溶剤により汚染され、又はこれを吸入しないように、作業の方法を決定し、労働者を指揮すること。

Check □□□

問題5

当該業務に従事する労働者の送気マスク等の保護具の使用状況を監視すること。

解　説

問題１　定められていない

事業者は、有機溶剤業務を行う屋内作業について、６月以内ごとに１回、定期に当該有機溶剤の濃度を測定し、そのつど記録してこれを３年間保存しなければならない。有機溶剤作業主任者の職務ではない。

関連 **事業者**は、有機溶剤等を屋内に貯蔵するときは、こぼれ、発散等のおそれのない堅固な容器を用いるとともに、有機溶剤の蒸気を屋外に排出する設備を設けなければならない。

問題２　定められていない

事業者は、屋内作業場等で用いる有機溶剤等の区分を、作業中の労働者が容易に知ることができるよう、色分け及び色分け以外の方法により、見やすい場所に表示する。有機溶剤作業主任者の職務ではない。

関連 **事業者**は、屋内作業場で有機溶剤業務に労働者を従事させるときは、有機溶剤の取扱い上の注意事項を、作業中の労働者が見やすい場所に掲示しなければならない。

問題３　定められている

問題４　定められている

関連 屋内作業場において有機溶剤業務に労働者を従事させるときは、有機溶剤による中毒が発生したときの応急処置について労働者が見やすい場所に掲示しなければならない。

問題５　定められている

❻ 法規

❻ 法規

1　建築基準法

1-1　用語の定義に関する記述として、**正しい（適当）**か、**誤り（不適当）**か、判断しなさい。

Check □□□

問題1
事務所の執務室は、居室である。

Check □□□

問題2
地下の工作物内に設ける事務所は、建築物ではない。

Check □□□

問題3
共同住宅の用途に供する建築物は、特殊建築物である。

Check □□□

問題4
建築物に設ける煙突、避雷針は、建築設備である。

Check □□□

問題5
建築物の基礎は、主要構造部である。

Check □□□

問題6
構造上重要でない最下階の床の過半の修繕は、大規模の修繕に該当する。

Check □□□

問題7
建築物に関する工事用の仕様書は、設計図書である。

Check □□□

問題8
床が地盤面下の階で、床面から地盤面までの高さがその階の天井の高さの１／３以上のものは、地階である。

Check □□□

問題9
防火性能とは、建築物の外壁又は軒裏において、建築物の周囲において発生する通常の火災による延焼を抑制するために当該外壁又は軒裏に必要とされる性能をいう。

解 説

問題1　正しい

関連　**居室**には**換気**のための窓その他の開口部を設け、その換気に有効な部分の面積は、その居室の床面積に対して**1/20以上**としなければならない。

問題2　誤り

建築物は、土地に定着する屋根、柱、壁を有するもの、**地下**若しくは高架の工作物内に設ける**事務所**、**店舗**その他これらに類する施設等をいい、建築設備を含む。

関連　**建築**とは、建築物を**新築**し、**増築**し、**改築**し、又は**移転**することをいう。

問題3　正しい

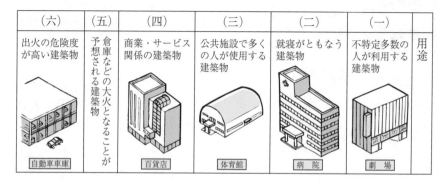

(六)	(五)	(四)	(三)	(二)	(一)	
出火の危険度が高い建築物  自動車車庫	倉庫などの大火となることが予想される建築物	商業・サービス関係の建築物 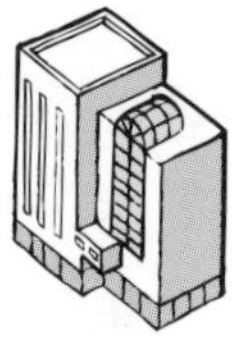 百貨店	公共施設で多くの人が使用する建築物 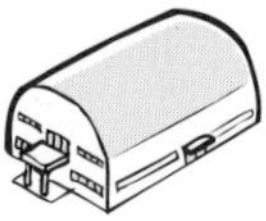 体育館	就寝がともなう建築物 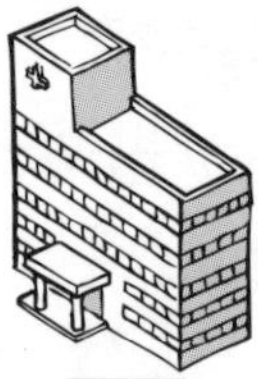 病　院	不特定多数の人が利用する建築物 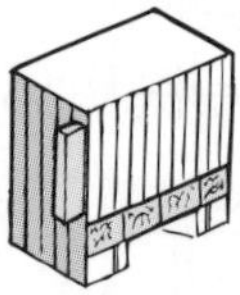 劇　場	用途

問題4　正しい

問題5　誤り

主要構造部は、**壁**、**柱**、**床**、**はり**、**屋根**又は**階段**をいい、建築物の構造上重要でない間仕切壁、間柱、最下階の床等は除かれるので、建築物の**基礎**、**屋外階段**などは主要構造部ではない。

問題6　誤り

大規模の修繕とは、建築物の**主要構造部**の一種以上について行う**過半の修繕**をいい、構造上重要でない**最下階の床**の過半の修繕は、大規模の修繕に**該当しない**。

問題7　正しい

問題8　正しい

問題9　正しい

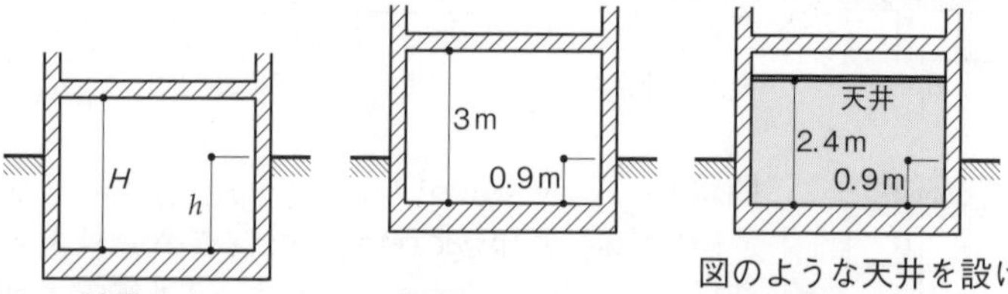

地階となる

$$\frac{h}{H} \geqq \frac{1}{3}$$

地階とならない

$3\text{m} \times \frac{1}{3} = 1\text{m} > 0.9\text{m}$

図のような天井を設けると地階となる

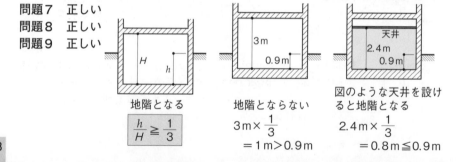

$2.4\text{m} \times \frac{1}{3} = 0.8\text{m} \leqq 0.9\text{m}$

1-2

建築確認手続き等に関する記述として、「建築基準法」上、**正しい（適当）**か、**誤り（不適当）**か、判断しなさい。

Check □□□

問題1
鉄骨造２階建の建築物を新築しようとする建築主は、建築主事又は指定確認検査機関の確認を受けなければならない。

Check □□□

問題2
防火地域及び準防火地域内において、建築物を増築しようとする場合で、その増築部分の床面積の合計が10㎡以内のときは、建築確認を受けなくても建築することができる。

Check □□□

問題3
床面積の合計が10㎡を超える建築物を除却しようとする場合には、当該除却工事の施工者は、建築主事を経由して、その旨を都道府県知事に届け出なければならない。

Check □□□

問題4
特定工程後の工程に係る工事は、当該特定工程に係る中間検査合格証の交付を受けた後でなければ、施工することはできない。

Check □□□

問題5
鉄骨造２階建の新築工事において、特定行政庁の仮使用の認定を受けたときは、建築主は検査済証の交付を受ける前においても、仮に、当該建築物を使用することができる。

Check □□□

問題6
建築主は、確認を受けた建築物について建築主事の完了検査を受けようとするときは、工事が完了した日から７日以内に建築主事に到達するように、検査の申請をしなければならない。

Check □□□

問題7
建築主は、指定確認検査機関による完了検査を受ける場合であっても、建築主事に対して検査の申請をしなければならない。

Check □□□

問題8
建築確認の申請書を提出して、建築主事から確認済証の交付を受けた建築物は、建築主事のみが完了検査をすることができる。

Check □□□

問題9
階数が２の鉄骨造の建築物を新築する場合、当該建築物の建築主は検査済証の交付を受けた後でなければ、原則として、使用することができない。

解説

問題1　正しい

関連「建築確認」の類題

- 店舗の床面積の合計が200㎡の飲食店を新築しようとする場合、確認済証の交付を受けた後でなければ、その工事をすることができない。
- **工事**を施工するために**現場**に設ける**事務所**は、建築確認を受けなくても建築することができる。
- 鉄筋コンクリート造３階建の既存の建築物に**エレベーター**を設ける場合、建築確認を受けなければならない。

問題2　誤り

防火地域及び**準防火**地域**外**において建築物を増築しようとする場合で、その増築部分の床面積の合計が**10㎡以内**のときは、建築確認を受けなくても建築することができるが、設問は防火地域及び準防火地域**内**なので建築確認を受けないと建築することができない。

問題3　正しい

問題4　正しい

(類題) 鉄筋コンクリート造３階建共同住宅の２階の床及びこれを支持する梁に鉄筋を配置する工事の工程は、中間検査の申請が必要な**特定工程**である。

問題5　正しい

問題6　誤り

確認を受けた建築物の工事を完了したときに行う建築主事への検査の申請は、原則として工事が完了した日から**４日以内**に建築主事に到達するようにしなければならない。

問題7　誤り

建築主は、国土交通大臣等の指定を受けた指定確認検査機関に完了検査を受ける場合には、**指定確認検査機関**に完了検査を申請することができる。

問題8　誤り

完了検査は、**建築主事**又はその委任を受けた当該市町村若しくは都道府県の**職員**がその申請を受理した日から**７日以内**に行う。

問題9　正しい

1-3

次の記述のうち、「建築基準法」上、**正しい（適当）**か、**誤り（不適当）**か、判断しなさい。

Check □□□

問題１

１室で天井の高さの異なる部分がある居室の天井の高さは、その平均の高さによる。

Check □□□

問題２

小学校には、非常用の照明装置を設けなければならない。

Check □□□

問題３

回り階段の部分における踏面の寸法は、踏面の狭い方の端から30cmの位置において測定する。

Check □□□

問題４

階段に代わる傾斜路の勾（こう）配は１／８をこえてはならない。

Check □□□

問題５

下水道法に規定する処理区域内においては、汚水管が公共下水道に連結された水洗便所以外の便所としてはならない。

Check □□□

問題６

集会場で、避難階以外の階に集会室を有するものは、その階から避難階又は地上に通ずる２以上の直通階段を設けなければならない。

Check □□□

問題７

映画館の客用に供する屋外への出口の戸は、内開きとしてはならない。

Check □□□

問題８

共同住宅の２階以上の階にあるバルコニーの周囲に設ける手すり壁の高さは、1.1m以上としなければならない。

Check □□□

問題９

映画館の用途に供する建築物で、主階が２階にあるものは、準耐火建築物としなければならない。

Check □□□

問題10

高さ31mを超える建築物には、原則として、非常用の昇降機を設けなければならない。

解説

問題１　正しい

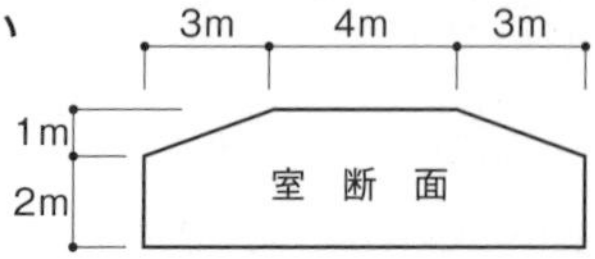

天井高＝平均の高さ

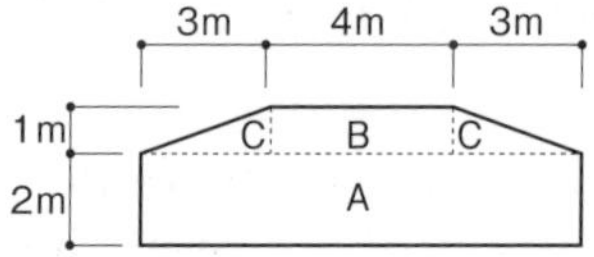

$$\text{天井高}=\frac{\text{Aの面積}+\text{Bの面積}+\text{Cの面積}}{\text{底辺の長さ}}$$

問題２　誤り

学校、体育館等については、**非常用の照明装置**を設置しなくてもよい。

問題３　正しい

関連　**映画館**における客用の階段及びその踊場の幅は、**140 ㎝以上**としなければならない（けあげ：18 ㎝以下、踏面：26 ㎝以上）。

問題４　正しい

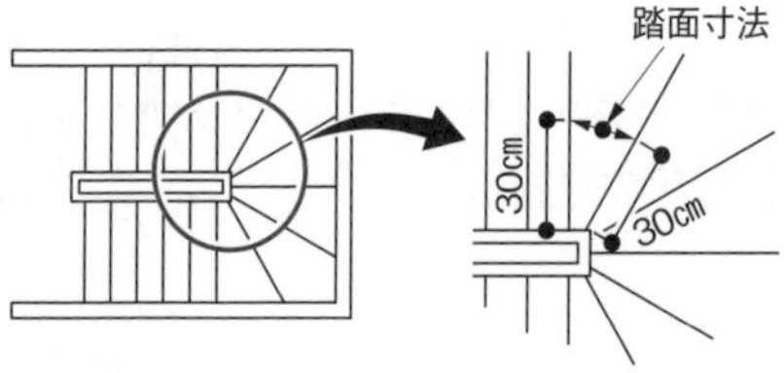

問題３

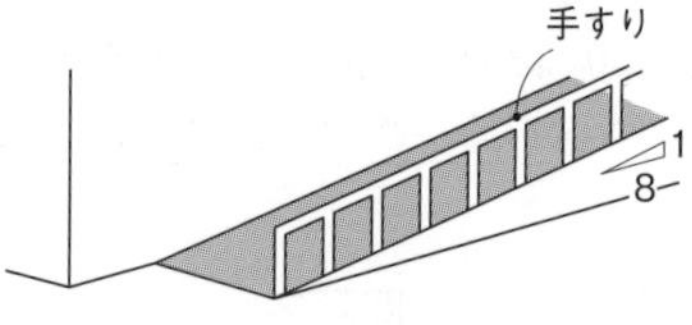

問題４

問題５　正しい
問題６　正しい
問題７　正しい
問題８　正しい
右図。

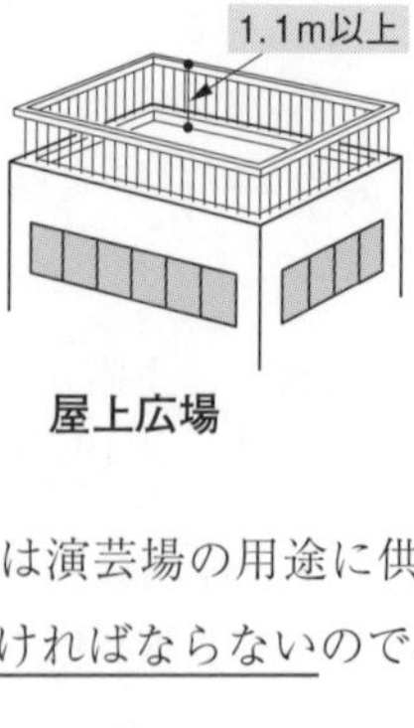

屋上広場

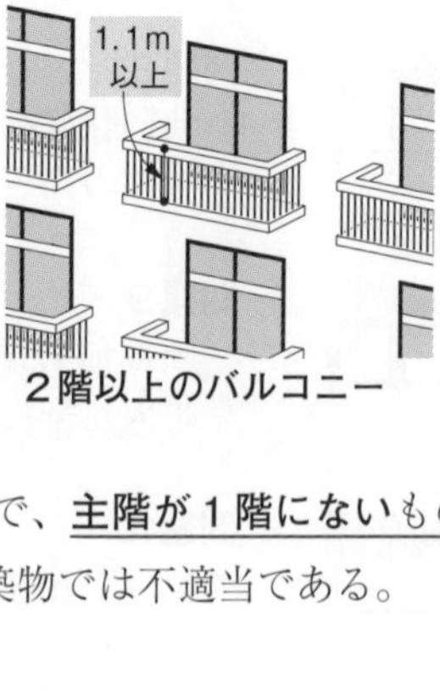

２階以上のバルコニー

問題９　誤り

劇場、**映画館**又は演芸場の用途に供する建築物で、**主階が１階にない**ものは、**耐火**建築物としなければならないので、準耐火建築物では不適当である。

問題10　正しい

1-4

次の記述のうち、「建築基準法」上、**正しい（適当）**か、**誤り（不適当）**か、判断しなさい。

Check □□□

問題1

建築主は、延べ面積が330㎡の鉄筋コンクリート造の建築物を新築する場合は、一級建築士である工事監理者を定めなければならない。

Check □□□

問題2

特定行政庁は、建築物の工事の施工者に、当該工事の施工の状況に関する報告を求めることができる。

Check □□□

問題3

特定行政庁は、建築基準法に違反した建築物の工事の請負人に、当該工事の施工の停止を命じることができる。

Check □□□

問題4

建築基準法の規定は、文化財保護法の規定によって重要文化財に指定され、又は仮指定された建築物についても適用される。

Check □□□

問題5

建築物の所有者、管理者又は占有者は、建築物の敷地、構造及び建築設備を常時適法な状態に維持するよう努めなければならない。

Check □□□

問題6

第１種低層住居専用地域内においては、老人ホームを新築することができる。

Check □□□

問題7

第２種低層住居専用地域内においては、当該地域に関する都市計画において、外壁の後退距離が定められることがある。

Check □□□

問題8

前面道路の反対側に公園又は広場等がある敷地においては、前面道路による建築物の高さの制限（道路斜線制限）の緩和措置がある。

Check □□□

問題9

商業地域内で高さが15mの建築物を新築する場合においては、いかなる場合も日影による中高層の建築物の高さの制限（日影規制）を受けない。

解説

問題1　正しい

延べ面積（A）㎡ ＼ 構造・規模		高さ13 m、かつ軒高9 m以下					高さ＞13 m 又は、軒高＞9 m
		木造			RC造、S造、CB造等		
		階数1	階数2	階数3以上	階数1・2	階数3以上	
A≦30㎡							
30㎡＜A≦100㎡							
100㎡＜A≦300㎡							
300㎡＜A≦500㎡							
500㎡＜A≦1,000㎡	一般の建築物						
	特殊建築物				1級建築士でなければできない設計、工事監理		
1,000㎡＜A	一般の建築物						
	特殊建築物						

問題2　正しい

特定行政庁、建築主事又は建築監視員は、当該工事施工者に、工事の施工の状況に関する報告を求めることができる。

問題3　正しい

問題4　誤り

文化財保護法の規定によって国宝、重要文化財等に指定され、又は仮指定された建築物には、建築基準法の規定は適用されない。

問題5　正しい

関連　建築基準法又はこれに基づく命令若しくは条例の規定の施行又は適用の際現に存する建築物が、規定の改正等によりこれらの規定に適合しなくなった場合、これらの規定は当該建築物に適用されない。

問題6～8　正しい

問題9　誤り

対象区域外でも高さ**10 mを超える**建築物は、冬至日に対象区域内の土地に日影を生じさせるものは、当該対象区域内にある建築物とみなして、**日影規制**の規定を**適用**する。

【参考】工事を施工するために現場に設ける仮設事務所

- 建築主事又は指定確認検査機関の**確認**を**必要としない**。
- 構造耐力上の安全に関する基準に適合する必要がある。
- **居室**には換気のための窓その他の**開口部**を設け、その換気に有効な部分の面積は、その居室の床面積に対して**1/20以上**としなければならない。
- **準防火**地域**内**にあり、延べ面積が50㎡を超える場合は、**屋根**を**不燃**材料で造るか、又はふく等の構造とする必要がある。

1-5

防火区画・内装制限等に関する記述として、「建築基準法」上、**正しい（適当）**か、**誤り（不適当）**か、判断しなさい。

Check □□□

問題1
　主要構造部を耐火構造とした建築物で、延べ面積が1,500㎡を超えるものは、原則として、床面積の合計1,500㎡以内ごとに準耐火構造の床、壁又は特定防火設備で区画しなければならない。

Check □□□

問題2
　主要構造部を準耐火構造とした２階建の事務所の階段部分は、準耐火構造の壁や防火設備で区画しなければならない。

Check □□□

問題3
　建築物の11階以上の部分で、各階の床面積の合計が100㎡を超えるものは、原則として、床面積の合計100㎡以内ごとに耐火構造の床、壁又は防火設備で区画しなければならない。

Check □□□

問題4
　病院の病室の用途に供する部分の防火上主要な間仕切壁は、準耐火構造とし、小屋裏又は天井裏に達せしめなければならない。

Check □□□

問題5
　給水管が準耐火構造の防火区画を貫通する場合は、そのすき間を準不燃材料で埋めなければならない。

Check □□□

問題6
　主要構造部を耐火構造とした学校は、原則として内装制限を受けない。

Check □□□

問題7
　自動車車庫は、原則として、構造及び床面積に関係なく内装制限の規定が適用される。

Check □□□

問題8
　主要構造部を耐火構造とした共同住宅は、内装制限を受けない。

Check □□□

問題9
　主要構造部を耐火構造とした地階部分に設ける飲食店は、内装制限を受けない。

解 説

問題１　正しい

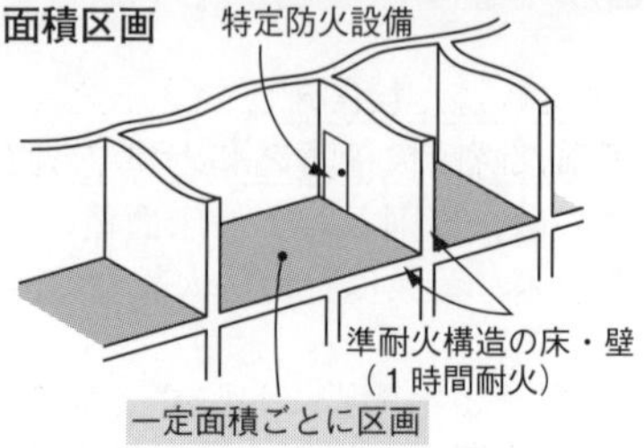

問題２　誤り

主要構造部を**準耐火**構造とした地階又は**３階以上**の居室を有する建築物の階段は、当該部分とその他の部分とを準耐火構造の床・壁又は防火設備で**区画**しなければならない。**２階建の事務所**の場合は、区画をしなくてもよい。

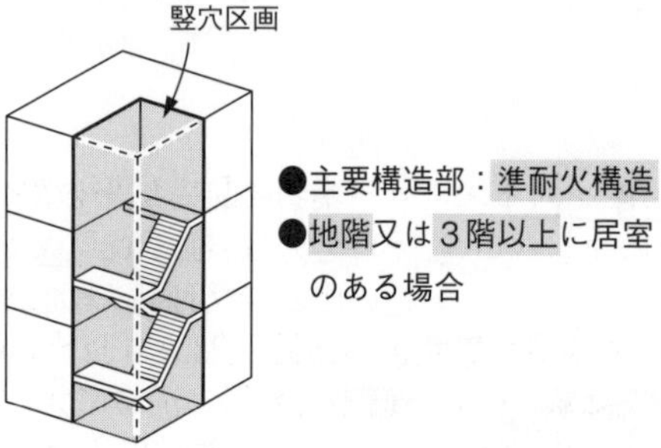

問題３　正しい

問題４　正しい

(類題) **共同住宅**の各戸の**界壁**は準耐火構造とし、小屋裏又は天井裏に達せしめなければならない。

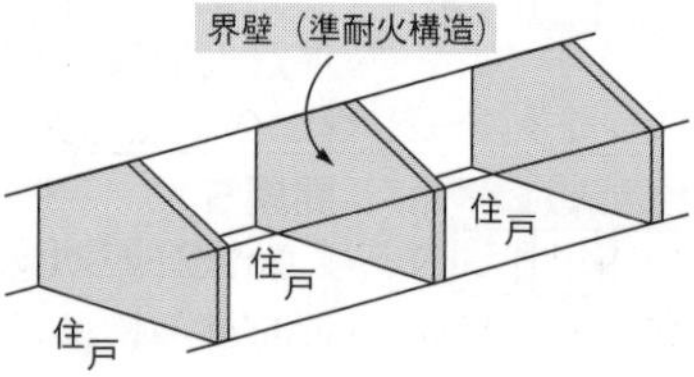

問題５　誤り

給水管、配水管等が**準耐火**構造の床若しくは壁を**貫通**する場合は、そのすき間をモルタル等の**不燃材料**で埋めなければならない。

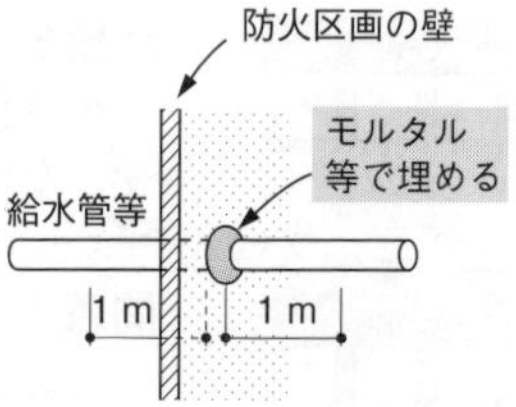

問題６　正しい

主要構造部の構造にかかわらず、**内装制限**を受けない。

問題７　正しい

自動車車庫は、その構造及び床面積に関係なく、原則として、**内装制限**を**受ける**。

問題８　誤り

主要構造部を耐火構造とした**共同住宅**は、**３階以上**の部分の床面積の合計が**300 ㎡以上**の場合、内装制限を受ける。

問題９　誤り

地階又は地下工作物内に設ける**飲食店**は、主要構造部の構造にかかわらず、内装制限を受ける。

1-6 次の記述のうち、「建築基準法」上、**正しい（適当）**か、**誤り（不適当）**か、判断しなさい。

〈防火地域及び準防火地域以外の地域〉

Check □□□

問題１

マーケットの用途に供する２階建の建築物で、延べ面積が1,000㎡のものは、耐火建築物としなければならない。

Check □□□

問題２

３階を自動車車庫の用途に供する建築物は、耐火建築物としなければならない。

〈防火地域及び準防火地域内の規制〉

Check □□□

問題３

防火壁を設けない建築物が、防火地域及び準防火地域にわたる場合は、その建築物の過半が属する地域の規定が適用される。

Check □□□

問題４

準防火地域内で、外壁が耐火構造の建築物は、その外壁を隣地境界線に接して設けることができる。

Check □□□

問題５

防火地域内にある看板で建築物の屋上に設けるものは、その主要な部分を不燃材料で造り、又はおおわなければならない。

Check □□□

問題６

準防火地域内の鉄骨造２階建、延べ面積1,000㎡の倉庫は、耐火建築物又は準耐火建築物としなければならない。

Check □□□

問題７

準防火地域内の事務所の用途に供する地上３階建の建築物で、延べ面積1,200㎡のものは、耐火建築物等又は準耐火建築物等としなければならない。

Check □□□

問題８

準防火地域内の延べ面積500㎡、地上３階建ての博物館は、所定の準耐火建築物とすることができる。

解　説

問題１　誤り

マーケットの用途に供する２階部分の床面積が500㎡以上のものは、**耐火**建築物又は**準耐火**建築物として技術的基準に適合しなければならないので、耐火建築物でなくてもよい。

問題２　正しい

問題３　誤り

防火壁を設けない建築物が防火地域及び準防火地域の内外にわたる場合においては、その**全部**について**防火地域内**の建築物に関する規定を適用する。

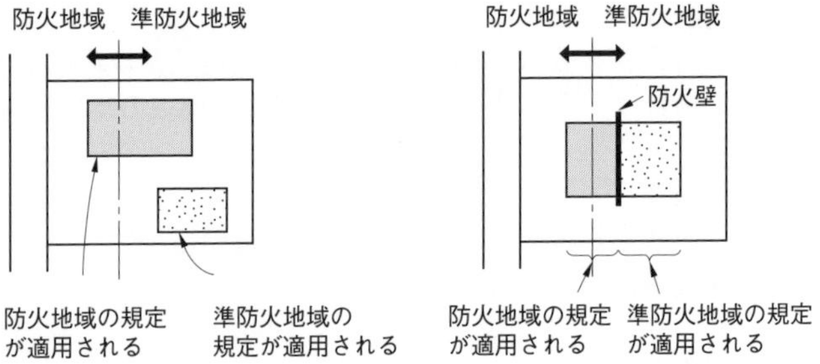

問題４　正しい

問題５　正しい

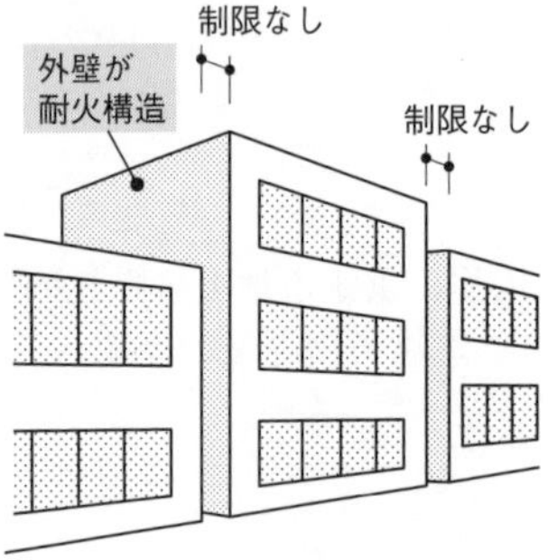

問題４

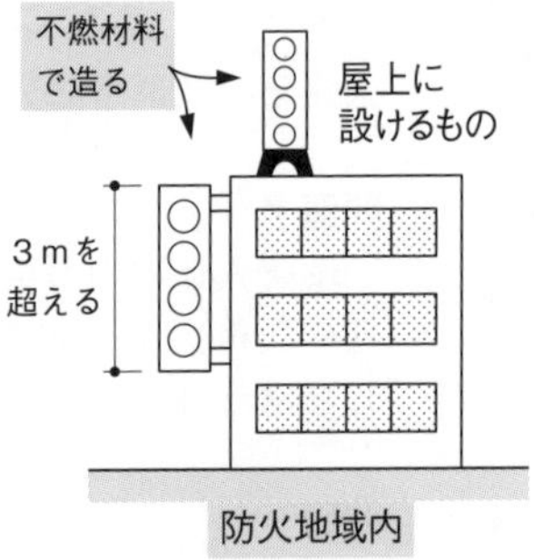

問題５

問題６～８　正しい

2　建設業法

2-1

「建設業法」上の建設業の許可に関する記述として、**正しい(適当)**か、**誤り(不適当)**か、判断しなさい。

Check □□□

問題1
建設業の許可は、一般建設業と特定建設業の区分により、建設工事の種類ごとに受ける。

Check □□□

問題2
建設業者は、許可を受けた建設業に係る建設工事を請け負う場合、当該建設工事に附帯する他の建設業に係る建設工事を請け負うことができる。

Check □□□

問題3
建設業の許可を受けようとする者は、その営業所ごとに、一定の資格又は実務経験を有する専任の技術者を置かなければならない。

Check □□□

問題4
建設業の許可を受けた建設業者は、許可を受けてから１年以内に営業を開始せず、又は引き続いて１年以上営業を休止した場合は、当該許可を取り消される。

Check □□□

問題5
建設業の許可は、５年ごとにその更新を受けなければ、その期間の経過によって、その効力を失う。

Check □□□

問題6
延べ面積150㎡の木造住宅を、請負代金の額が1,500万円で請け負う者は、建設業の許可を受けている必要がある。

Check □□□

問題7
工事１件の請負代金の額が500万円に満たない大工工事のみを請け負うことを営業とする者は、建設業の許可を受けなくてもよい。

Check □□□

問題8
建設業の許可を受けようとする者は、２以上の都道府県の区域内に営業所を設けて営業をしようとする場合、それぞれの都道府県知事の許可を受けなければならない。

解 説

問題1　正しい

関連 ●建設業者は、２以上の建設工事の種類について建設業の許可を受けることができる。
●建設業者として営業を行う個人が死亡し、継承者に営業を引く継ぐ場合は、新規に建設業の許可申請を行う必要がある。

問題2～5　正しい

問題6・7　正しい

軽微な建設工事には、

① 請負代金の額が**建築一式**工事にあっては**1,500万円に満たない**工事
② **延べ面積**が**150㎡に満たない木造住宅**工事
③ 建築一式工事**以外**の建設工事にあっては**500万円に満たない**工事

が挙げられる。

(類題) ●工事一件の請負代金の額が**1,000万円**の**建築一式**工事は、建設業の許可を要しない軽微な建設工事に該当する。⇨ **正しい**
●工事一件の請負代金の額が**500万円**の**電気**工事は、建設業の許可を要しない軽微な建設工事に該当する。⇨ **誤り**
●工事一件の請負代金の額が**500万円**の**造園**工事は、建設業の許可を要しない軽微な建設工事に該当する。⇨ **誤り**

問題8　誤り

建設業を営む者で、**２以上**の都道府県に営業所を設けて営業する場合は**国土交通大臣**の、**一の都道府県**に営業所を設けて営業する場合は**都道府県知事**の許可を受ける。

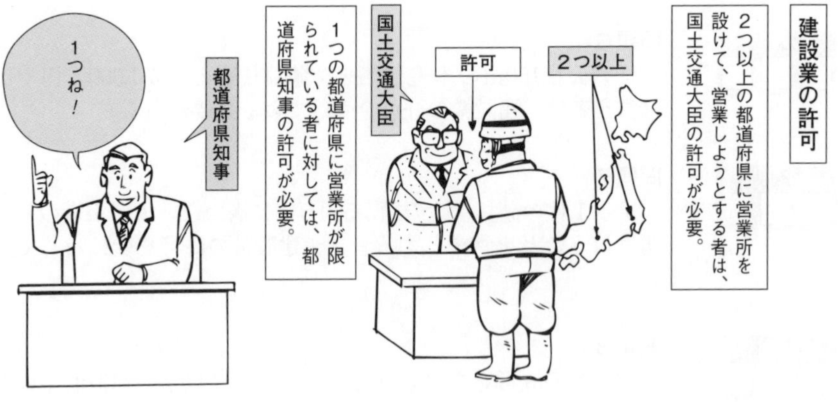

2-2

「建設業法」上の建設業の許可に関する記述として、**正しい（適当）**か、**誤り（不適当）**か、判断しなさい。

〈特定建設業・一般建設業〉

Check □□□

問題1

一般建設業の許可を受けた者が、当該許可に係る建設業について、特定建設業の許可を受けたときは、一般建設業の許可は、その効力を失う。

Check □□□

問題2

特定建設業の許可とは、２以上の都道府県の区域内に営業所を設けて営業をしようとする建設業者に対して行う国土交通大臣の許可をいう。

Check □□□

問題3

発注者から直接請け負った建設工事を施工するに当たり、下請代金の額が政令で定める金額以上の下請契約を締結する場合は、特定建設業の許可を受けた者でなければならない。

Check □□□

問題4

鉄筋工事等、建築一式工事以外の工事を請け負う建設業者であっても、特定建設業者となることができる。

Check □□□

問題5

建築工事業で一般建設業の許可を受けている者は、発注者から請け負った工事のうち、下請業者３者にそれぞれ請負代金の額3,000万円の下請工事を発注することができる。

Check □□□

問題6

国又は地方公共団体が発注者である建設工事を請け負う者は、特定建設業の許可を受けなければならない。

Check □□□

問題7

一般建設業では、営業所ごとに置かなければならない専任の者は、許可を受けようとする建設業に係る建設工事に関して10年以上の実務経験を有する者とすることができる。

Check □□□

問題8

特定建設業の許可基準の１つは、発注者との間の請負契約でその請負代金の額が6,000万円であるものを履行するに足りる財産的基礎を有することである。

解　説

問題1　正しい

問題2　誤り

特定建設業の許可は、**元請**として**一定金額以上**の下請負契約を締結しようとする場合に必要な許可で、都道府県の営業所の設置数ではない。

問題3　正しい

関連　特定建設業の許可を受けた者は、発注者から直接請け負った建設工事を施工するために行う下請契約の下請代金の額に制限を受けない。

問題4　正しい

(類題) 板金工事等、建築一式工事以外の工事を請け負う建設業者であっても、特定建設業者となることができる。

問題5　誤り

建築工事業で**一般建設業**の許可を受けている者が、発注者から直接請け負った工事のうち、**下請**業者に**発注**する総額が、**9,000 万円**なので、発注することができない（**問題6↓**参照）。**特定建設業**の許可を受けている必要がある。

問題6　誤り

特定建設業の許可は、**国**や**地方公共団体**が発注者であることは規定されていない。発注者から直接請け負った建設工事を施工するに当たり、建築工事業において、**下請代金額**が **7,000 万円**（その他 4,500 万円）**以上**となる下請契約を締結する場合は、**特定建設業**の許可を受けた者でなければならない。

建設業の許可に関するフロー

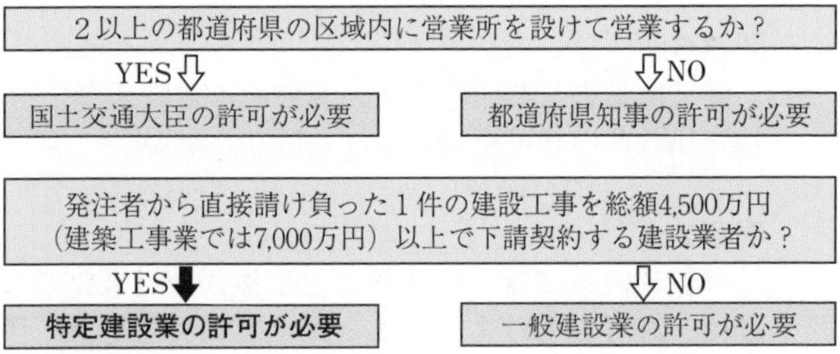

2以上の都道府県の区域内に営業所を設けて営業するか？
YES
NO
国土交通大臣の許可が必要
都道府県知事の許可が必要
発注者から直接請け負った1件の建設工事を総額4,500万円（建築工事業では7,000万円）以上で下請契約する建設業者か？
YES
NO
特定建設業の許可が必要
一般建設業の許可が必要

問題7　正しい

問題8　誤り

特定建設業の**許可**を受けようとする者は、発注者との間の請負契約でその請負代金の額が **8,000 万円**であるものを履行するに足りる**財産的基礎**を有することが条件となる。

2-3

「建設業法」上の元請負人の義務に関する記述として、**正しい（適当）**か、**誤り（不適当）**か、判断しなさい。

Check □□□

問題１

共同住宅の新築工事を請け負った建設業者は、あらかじめ発注者の書面による承諾を得れば、その工事を一括して他人に請け負わせることができる。

Check □□□

問題２

注文者は、請負人に対して、建設工事の施工につき著しく不適当と認められる下請負人があるときは、あらかじめ注文者の書面による承諾を得て選定した下請負人である場合を除き、その変更を請求することができる。

Check □□□

問題３

元請負人が請負代金の出来形部分に対する支払を受けたときは、下請負人に対しこれに相応する下請代金を、当該支払を受けた日から１月以内で、かつ、できる限り短い期間内に支払わなければならない。

Check □□□

問題４

発注者から直接建設工事を請け負った特定建設業者は、当該建設工事の下請負人が、その下請負に係る建設工事の施工に関し、建設業法その他法令の規定に違反しないよう、当該下請負人の指導に努めるものとする。

Check □□□

問題５

元請負人は、前払金の支払を受けたときは、下請負人に対して、資材の購入、労働者の募集その他建設工事の着手に必要な費用を前払金として支払うよう適切な配慮をしなければならない。

Check □□□

問題６

元請負人は、その請け負った建設工事を施工するために必要な工程の細目、作業方法その他元請負人において定めるべき事項を定めようとするときは、あらかじめ、下請負人の意見をきかなければならない。

Check □□□

問題７

元請負人は、下請負人の請け負った建設工事の完成を確認した後、下請負人が申し出たときは、１月以内に当該建設工事の目的物の引渡しを受けなければならない。

解 説

問題1　誤り

建設業者は、原則として、その請負った建設工事をいかなる方法をもってするかを問わず、**一括**して他人に請け負わせては**ならない**。ただし、**共同住宅**の**新築**工事**以外**の建設工事を請け負った元請負人は、あらかじめ**発注者**の書面による**承諾**を得れば、その工事を一括して他人に請け負わせることができる。

関連　**多数の者**が利用する**施設・工作物**に関する**重要**な建設工事で政令で定める建設工事である場合は、建設業者は、その請け負った建設工事を、いかなる方法をもってするかを問わず、一括して他人に請け負わせてはならない。

問題2　正しい

注文者は、請負人に対して、建設工事の施工につき著しく**不適当**と認められる**下請負人**があるときは、その**変更**を請求することができる。

問題3　正しい

問題4　正しい

下請負人に対する特定建設業者の指導等
1. 建設業法の規定
2. 建設工事の施工に関する法令の規定（建築基準法、宅地造成等規制法）
3. 建築工事に従事する労働者の使用に関する規定（労働基準法、労働安全衛生法、職業安定法）
下請負人
法に違反しないように。
特定建設業者

問題5　正しい

問題6　正しい

問題7　誤り

元請負人は、下請負人の請け負った建設工事の完成を確認した後、**下請負人**が**申し出た**ときは、原則として、**直ちに**、当該建設工事の目的物の**引渡し**を受けなければならない。

関連　**元請負人**は、下請負人からその請け負った建設工事が完成した旨の**通知**を受けたときは、当該通知を受けた日から**20日以内**で、かつ、できる限り短い期間内に、その完成を確認するための**検査**を完了しなければならない。

2-4

「建設業法」上の請負契約等に関する記述として、**正しい（適当）**か、**誤り（不適当）**か、判断しなさい。

Check □□□

問題1

注文者は、請負契約の締結後、自己の取引上の地位を不当に利用して、建設工事に使用する資材や機械器具の購入先を指定して請負人に購入させ、その利益を害してはならない。

Check □□□

問題2

請負人は、工事現場に現場代理人を置く場合、注文者の承諾を得なければならない。

Check □□□

問題3

建設工事の請負契約書には、契約に関する紛争の解決方法に関する事項を記載しなければならない。

Check □□□

問題4

請負契約の内容として、天災その他不可抗力による工期の変更又は損害の負担及びその額の算定方法に関する定めを書面に記載しなければならない。

Check □□□

問題5

請負契約の内容として、工事の施工により第三者が損害を受けた場合における賠償金の負担に関する定めを書面に記載しなければならない。

Check □□□

問題6

建設業者は、建設工事の注文者から請求があったときは、請負契約が成立するまでの間に、建設工事の見積書を提示しなければならない。

Check □□□

問題7

委託契約として報酬を得て建設工事の完成を目的とする契約を締結した場合、建設業法の適用は受けない。

Check □□□

問題8

施工体制台帳は、工事現場ごとに備え置き、発注者から請求があったときはその発注者の閲覧に供しなければならない。

解説

問題1　正しい

問題2　誤り

請負人は、請負契約の履行に関し工事現場に代理人をおく場合、**書面**により**注文者**に**通知**しなければならないのであり、注文者の承諾を得る必要はない。

(類題) 請負人は、工事現場に現場代理人を置く場合、その権限に関する事項及びその現場代理人の行為についての注文者の請負人に対する意見の申出の方法を、書面で注文者に通知しなければならない。

問題3　正しい

関連 建設工事の請負契約の締結に際して書面による契約内容の明記に代えて、情報通信の技術を利用した一定の措置による契約の締結を行うことができる。

問題4　正しい

問題5　正しい

問題6　正しい

問題7　誤り

委託その他何らの名義をもってするかを問わず、**報酬**を得て建設工事の完成を目的として締結する契約は、**建設工事の請負契約**とみなして、建設業法の規定を適用する。

問題8　正しい

関連
- 特定建設業者は、建設工事における各下請負人の施工の分担関係を表示した施工体系図を作成し、これを当該工事現場の**見やすい場所**に掲げなければならない。
- 施工体制台帳に記載された下請負人が、その工事を他の請負者に請け負わせた時には**元請負人**に、その請負者の商号や名称、工事内容や工期等を**通知**しなければならない。
- 施工体制台帳には、当該建設工事について、下請負人の商号又は名称、当該下請負人に係る建設工事の内容及び工期等を記載しなければならない。

2-5

「建設業法」上の技術者に関する記述として、**正しい（適当）**か、**誤り（不適当）**か、判断しなさい。

Check □□□

問題1

建設業者が建築工事を施工するとき、主任技術者又は監理技術者を置かなければならない。

Check □□□

問題2

公共性のある施設又は多数の者が利用する施設に関する重要な建設工事で政令で定めるものについては、主任技術者又は監理技術者は、工事現場ごとに、専任の者でなければならない。

Check □□□

問題3

特定建設業者は、発注者から直接請け負った建設工事を施工するときは、下請契約の請負代金の額にかかわらず、当該建設工事に関する主任技術者を置かなければならない。

Check □□□

問題4

発注者から直接、塗装工事を500万円で請け負った建設業者は、主任技術者を工事現場に置かなければならない。

〈ヒント〉

技術者等に関するフロー

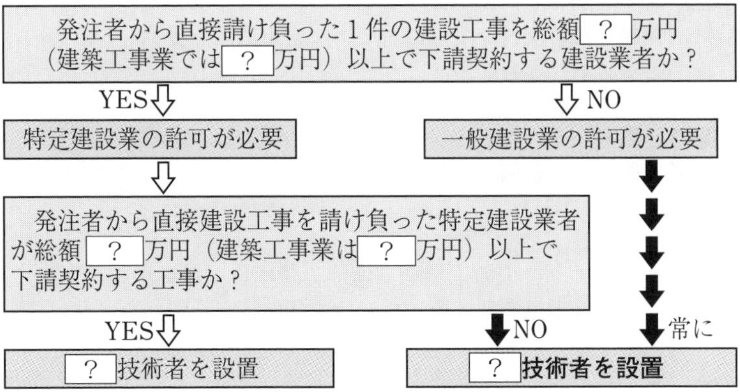
発注者から直接請け負った1件の建設工事を総額 ? 万円
（建築工事業では ? 万円）以上で下請契約する建設業者か？
YES
NO
特定建設業の許可が必要
一般建設業の許可が必要
発注者から直接建設工事を請け負った特定建設業者が総額 ? 万円（建築工事業は ? 万円）以上で下請契約する工事か？
YES
NO
常に
? 技術者を設置
? 技術者を設置

建設業許可と技術者

6 法規

解説

問題1　正しい

発注者から建築一式工事を直接請け負った特定建設業者は、**7,000万円以上**の下請契約を締結した場合には**監理技術者**を置かなければならないが、それ**未満**の場合は、**主任技術者**を置けばよい。

技術者等に関するフロー

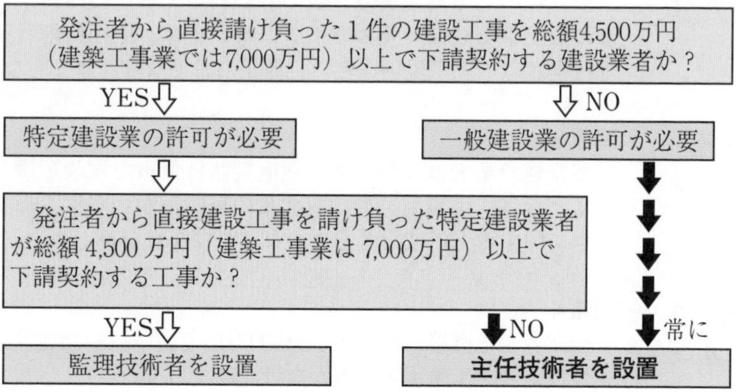

発注者から直接請け負った1件の建設工事を総額4,500万円（建築工事業では7,000万円）以上で下請契約する建設業者か？
YES
NO
特定建設業の許可が必要
一般建設業の許可が必要
発注者から直接建設工事を請け負った特定建設業者が総額4,500万円（建築工事業は7,000万円）以上で下請契約する工事か？
YES
NO
常に
監理技術者を設置
主任技術者を設置

建設業許可と技術者

関連　主任技術者及び監理技術者は、当該建設工事の施工計画の作成、工程管理、品質管理その他の技術上の管理及び施工に従事する者の技術上の指導監督を行わなければならない。

問題2　正しい

関連　工事現場ごとに、専任の者でなければならない監理技術者は、**監理技術者資格者証**の**交付**を受けた者で、所定の**講習**を**受講**したもののうちから選任しなければならない。

問題3　誤り

問題1解説 ↑ 参照。

問題4　正しい

(類題)
- 元請より設備の工事を下請けで請け負った者から、下請代金の額500万円の管工事を請け負った者は主任技術者を置かなければならない。

  ⇨ **正しい**
- 下請負人として鉄筋工事を施工する建設業者が、当該工事現場に主任技術者を置いた。⇨ **正しい**
- 下請負人として建築工事を施工する建設業者が、当該工事現場に主任技術者を置いた。⇨ **正しい**

2-6

「建設業法」上の技術者に関する記述として、**正しい（適当）**か、**誤り（不適当）**か、判断しなさい。

Check □□□

問題1

建築一式工事に関し10年以上実務の経験を有する者を、建築一式工事の主任技術者として置くことができる。

Check □□□

問題2

国、地方公共団体が発注者である建設工事で、発注者から直接請け負った2,000万円の工事に置く主任技術者は、専任の者でなければならない。

Check □□□

問題3

専任の主任技術者を必要とする建設工事のうち、密接な関係のある２以上の建設工事を同一の建設業者が同一の場所又は近接した場所において施工するものについては、同一の専任の主任技術者がこれらの建設工事を管理することができる。

Check □□□

問題4

１件の請負代金の額が8,000万円である診療所の建築一式工事の監理技術者が、他の１件の請負代金の額が1,500万円である事務所の内装工事の主任技術者を兼務した。

Check □□□

問題5

発注者から直接建築一式工事を請け負った建設業者が、7,000万円の下請契約を締結して工事を施工する場合に、工事現場に監理技術者を置いた。

Check □□□

問題6

元請負人から鉄骨工事を１億円で請け負った建設業者は、監理技術者を工事現場に置かなければならない。

解説

問題1　正しい

関連 建設工事を営む者が、行おうとしている事業の許可を有していない場合、その事業の主任技術者の資格のある者を置いて、その工事を自ら行う場合は、施工できる。

問題2　誤り

国、地方公共団体が発注者である建設工事で、請負代金が**一式工事**で**8,000万円以上**、**その他の工事**で**4,000万円以上**の場合は、専任の**主任**技術者又は**監理**技術者を置かなければならない。請負代金の額が2,000万円の建設工事では、専任の者を置く必要はない。

問題3　正しい

問題4　誤り

請負代金の額が**8,000万円**の診療所の建築一式工事は、**専任**の監理技術者を置かなければならず、兼務はできない。

関連 発注者から直接、建築一式工事を請け負った建設業者が、7,000万円の下請契約を締結して工事を施工する場合、監理技術者を置かなければならない。

問題5　正しい

問題6　誤り

発注者から建築一式工事を直接請け負った特定建設業者は、その工事の下請契約の請負代金の総額が、7,000万円以上になる場合には、監理技術者を置かなければならないが、**下請負人**として施工するものは、**主任技術者**を置けばよい。

3　労働基準法

3-1

「労働基準法」に関する記述として、**正しい（適当）**か、**誤り（不適当）**か、判断しなさい。

Check □□□

問題1

労働基準法に定められている基準に達しない労働条件を定める労働契約は、その部分については無効となり、無効となった部分は労働基準法に定められている基準が適用される。

Check □□□

問題2

労働契約は、期間の定めのないものを除き、原則として、3年を超える期間について締結してはならない。

Check □□□

問題3

労働契約の締結に際して、使用者から明示された労働条件が事実と相違する場合には、労働者は、即時に労働契約を解除することができる。

Check □□□

問題4

労使合意の契約があれば、労働をすることを条件とする前貸の債権と賃金を相殺することができる。

Check □□□

問題5

常時10人以上の労働者を使用する使用者は、就業規則を作成し、行政官庁に届け出なければならない。

Check □□□

問題6

賃金（退職手当を除く。）の支払いは、労働者本人の同意があれば、銀行によって振り出された当該銀行を支払人とする小切手によることができる。

Check □□□

問題7

使用者は、法に定める休日に労働させた場合においては、通常の労働日の賃金より政令で定められた率以上の割増賃金を支払わなければならない。

解　説

問題1　正しい
問題2　正しい
問題3　正しい

労働条件の明示
使用者
OK!
・賃金
・労働時間
・その他の労働条件
使用者は労働条件の明示をしなければならない。明示された労働条件が事実と相違する場合は、即時に労働契約を解除できる。
労働者

問題4　誤り

使用者は、前借金その他労働することを条件とする前貸の債権と賃金を**相殺してはならない**。

問題5　正しい
問題6　誤り

賃金は、**通貨**で、直接労働者に、その全額を支払わなければならない。

賃金の支払
賃金支払の5つの原則
一、通貨で、
二、直接本人に、
三、その全額を、
四、毎月一回以上、
五、一定の期日を定めて支払わなければならない。
賃金

問題7　正しい

3-2

「労働基準法」に関する記述として、**正しい（適当）**か、**誤り（不適当）**か、判断しなさい。

Check □□□

問題1

使用者は、労働時間が8時間を超える場合には、少なくとも45分の休憩時間を労働時間の途中に与えなければならない。

Check □□□

問題2

使用者は、原則として、労働者に対し休憩時間を自由に利用させなければならない。

Check □□□

問題3

使用者は、労働者に対し毎週少なくとも1回の休日を与えるか、又は4週間を通じ4日以上の休日を与えなければならない。

Check □□□

問題4

使用者は、事業の正常な運営を妨げられない限り、労働者の請求する時季に年次有給休暇を与えなければならない。

Check □□□

問題5

労働時間、休憩及び休日に関する規定は、監督若しくは管理の地位にある者については適用しない。

Check □□□

問題6

使用者は、満17歳の男子労働者を交替制で午後10時以降に労働させることができる。

Check □□□

問題7

使用者は、満18歳に満たない者を動力により駆動される土木建築用機械の運転の業務に就かせてはならない。

Check □□□

問題8

建設事業が数次の請負によって行われる場合においては、災害補償については、その元請負人を使用者とみなす。

Check □□□

問題9

使用者は、健康上特に有害な業務については、1日について2時間を超えて労働時間を延長してはならない。

Check □□□

問題10

使用者は、クレーンの運転の業務については、1日について2時間を超えて労働時間を延長してはならない。

解　説

問題１　誤り

使用者は、労働時間が**６時間**を超える場合には少なくとも **45 分**、**８時間**を超える場合には少なくとも**１時間**の休憩時間を労働時間の途中に与えなければならない。

関連 **労働時間**は、事業場を異にする場合においても、労働時間に関する規定の適用については通算する。

問題２～５　正しい

問題６　正しい

使用者は、満 18 歳に満たない者を午後 10 時から午前５時までの間に使用してはならない。ただし、**交替制**によって使用する**満 16 歳以上**の**男性**についてはこの限りでない。

問題７　正しい

(類題)
- 使用者は、満18歳に満たない者をつり上げ荷重が１ｔ未満の**クレーン**の**運転の業務**に**就かせてはならない**。
- 使用者は、満18歳に満たない者を土砂が**崩壊**する**おそれのない**、深さ**２ｍ**の地穴における基礎型枠の解体の業務に就かせることが**できる**。
- 使用者は、満18歳に満たない者を**クレーンの玉掛け**の業務における**補助作業の業務**に就かせることが**できる**。
- 使用者は、満18歳に満たない者を足場の組立、解体又は変更の業務のうち**地上**又は**床上**における**補助作業の業務**に就かせることが**できる**。

問題８　正しい

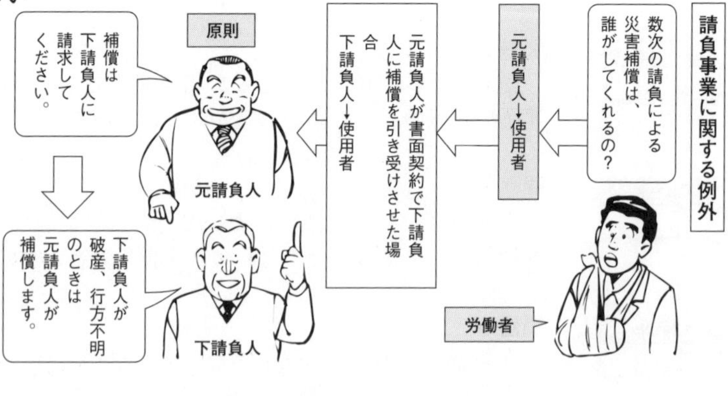

問題９　正しい

問題10　誤り

坑内労働その他厚生労働省令で定める健康上特に**有害な**業務の労働時間の延長は、**１日**について**２時間**を超えてはならないが、その業務の中に、**クレーン**の運転の業務は含まれていない。

4　労働安全衛生法

4-1

建設業の事業場における安全衛生管理体制に関する記述として、「労働安全衛生法」上、**正しい（適当）**か、**誤り（不適当）**か、判断しなさい。

Check □□□

問題1
事業者は、常時100人以上の労働者を使用する建設業の事業場では、総括安全衛生管理者を選任しなければならない。

Check □□□

問題2
事業者は、常時30人の労働者を使用する事業場では、産業医を選任しなければならない。

Check □□□

問題3
事業者は、常時10人以上50人未満の労働者を使用する事業場では、安全衛生推進者を選任しなければならない。

Check □□□

問題4
統括安全衛生責任者は、元請負人と下請負人の労働者の作業が同一の場所において行われることによって生ずる労働災害を防止するために選任される。

Check □□□

問題5
常時50人以上の労働者が同一の場所で作業する建築工事の下請負人は、元方安全衛生管理者を選任しなければならない。

Check □□□

問題6
元方事業者は、店社安全衛生管理者を選任したときは、遅滞なく、所轄労働基準監督署長に届け出なければならない。

Check □□□

問題7
特定元方事業者は、統括安全衛生責任者に元方安全衛生管理者の指揮をさせなければならない。

Check □□□

問題8
関係請負人は、安全衛生責任者に統括安全衛生責任者との連絡を行わせなければならない。

Check □□□

問題9
安全衛生責任者は、安全管理者又は衛生管理者の資格を有する者でなければならない。

解説

問題1　正しい

関連 事業者は、総括安全衛生管理者を選任すべき事由が発生した日から**14日以内**に選任しなければならない。

問題2　誤り

産業医を選任すべき建設業の事業場は、常時**50人以上**の労働者を使用する事業場とする。

(類題)
- 事業者は、常時**50人**の労働者を使用する事業場では、**安全管理者**を選任しなければならない。
- 事業者は、常時**50人**の労働者を使用する事業場では、**衛生管理者**を選任しなければならない。

問題3・4　正しい

関連 都道府県労働局長は、労働災害を防止するため必要があると認めるときは、統括安全衛生責任者の業務の執行について事業者に勧告することができる。

問題5　誤り

統括安全衛生責任者を選任した事業者（**元請負人**）で、建設業等の事業を行うものは、一定の資格を有する者のうちから、**元方安全衛生管理者**を**選任**し、その者に技術的事項を管理させなければならないのであり、下請負人ではない。

関連 元方安全衛生管理者は、その事業場に**専属の者**でなければならない。

問題6　誤り

元方事業者は、店社安全衛生管理者を選任した場合において、所轄労働基準監督署長への届出についての規定はない。

関連
- ８年以上建設工事の施工における安全衛生の実務に従事した経験を有する者は、店社安全衛生管理者となる資格がある。
- 事業者は、店社安全衛生管理者がやむを得ない事由により職務を行うことができないときは、代理者を選任しなければならない。

問題7　正しい

問題8　正しい

(類題) 安全衛生責任者は、統括安全衛生責任者から連絡を受けた事項の関係者への連絡を行わなければならない。

関連 **特定元方事業者**は、関係請負人が行う労働者の安全又は衛生のための教育に対する指導及び援助を行わなければならない。

問題9　誤り

統括安全衛生責任者を選任すべき事業者**以外**の**請負人**から、安全衛生責任者を選任することになっているが、安全衛生責任者の資格についての規定はない。

4-2

「労働安全衛生法」に関する記述として、**正しい(適当)**か、**誤り(不適当)**か、判断しなさい。

Check □□□

問題1

労働災害とは、労働者の就業に係る建設物、設備、原材料、ガス、蒸気、粉じん等により、又は作業行動その他業務に起因して、労働者が負傷し、疾病にかかり、又は死亡することをいう。

Check □□□

問題2

作業環境測定とは、作業環境の実態をは握するため空気環境その他の作業環境について行うデザイン、サンプリング及び分析をいう。

Check □□□

問題3

建設用リフトとは、人及び荷を運搬することを目的とするエレベーターで、土木、建築等の工事の作業に使用されるものをいう。

Check □□□

問題4

石綿等とは、石綿又は石綿をその重量の0.1％を超えて含有する製剤その他の物をいう。

Check □□□

問題5

有機溶剤含有物とは、有機溶剤と有機溶剤以外の物との混合物で、有機溶剤を当該混合物の重量の５％を超えて含有するものをいう。

Check □□□

問題6

事業者は、労働者を雇い入れたときや作業内容を変更したときは、その従事する業務に関する安全又は衛生のための教育を行わなければならない。

Check □□□

問題7

クレーンの運転業務等の就業制限に係る業務に就くことができる者は、当該業務に従事するときは、これに係る免許証その他資格を証する書面の写しを携帯していなければならない。

Check □□□

問題8

事業者は、労働災害の防止上その就業に当たって特に配慮を必要とする者については、これらの者の心身の条件に応じて適正な配置を行うように努めなければならない。

解説

問題1　正しい

問題2　正しい

問題3　誤り

建設用リフトとは、**荷のみ**を運搬することを目的とするエレベーターで、土木、建築等の工事の作業に使用されるものをいう。

問題4　正しい

問題5　正しい

問題6　正しい

関連　事業者は、常時使用する労働者に対し、医師による定期健康診断において、既往歴及び業務歴の調査等を行わなければならない。

問題7　誤り

クレーンの運転業務等の就業制限に係る業務に就く者は、業務に従事する時は、これに係る免許証等の**資格を証する書面**を携帯していなければならず、**写しは不可**である。

問題8　正しい

【参考】機械等貸与者から機械等及び運転者の貸与を受ける場合

- 機械等貸与者は、当該機械等をあらかじめ点検し、異常を認めたときは、補修その他必要な整備を行わなければならない。
- 機械等貸与者は、機械等の貸与を受けた事業者に対し、当該機械等の特性その他使用上注意すべき事項を記載した**書面**を**交付**しなければならない。
- 機械等の貸与を受けた者は、運転者が当該機械等の操作について法令に基づき必要とされる資格又は技能を有する者であることを確認する。
- 機械等の貸与を受けた者は、運転の経路、制限速度その他当該機械等の運行に関する事項を運転者に通知しなければならない。

4-3 次の記述のうち、「労働安全衛生法」上、**定められているか**、**定められていないか**、判断しなさい。

Check □□□

問題1

事業者は、労働安全衛生法で定める公衆災害の防止のための最低基準を守るだけでなく、快適な生活環境の実現のため、労働者の適正な賃金を確保するようにしなければならない。

Check □□□

問題2

建設物を建設する者又は設計する者は、建設物の建設又は設計に際して、建設物が使用されることによる労働災害の発生の防止に資するように努めなければならない。

Check □□□

問題3

建設工事の注文者は、施工方法、工期等について、安全で衛生的な作業の遂行をそこなうおそれのある条件を附さないように配慮しなければならない。

Check □□□

問題4

労働者は、労働災害を防止するため、必要な事項を守るほか、事業者が実施する労働災害の防止に関する措置に協力するように努めなければならない。

〈事業者が新たに職務につくこととなった職長（作業主任者を除く。）に対して行う安全衛生教育に関する事項〉

Check □□□

問題5

作業方法の決定に関すること

Check □□□

問題6

異常時等における措置に関すること

Check □□□

問題7

労働者の配置に関すること

Check □□□

問題8

労働者に対する指導又は監督の方法に関すること

Check □□□

問題9

労働者の健康診断に関すること

Check □□□

問題10

労働者の賃金の支払いに関すること

解　説

問題１　定められていない

事業者は、労働災害の防止のための最低基準を守るだけでなく、快適な職場環境の実現と労働条件の改善を通じて、労働者の**安全**と**健康**を確保しなければならない。

問題２～８　定められている

問題９　定められていない

労働者の**健康診断**に関することは、定められていない。

問題10　定められていない

労働者の**賃金の支払い**に関することは、定められていない。

【参考】

●所轄労働基準監督署長に報告書の提出を遅滞なくしなければならない事故等

- 事業場内で発生した火災
- つり上げ荷重が0.5ｔ以上の移動式クレーンの転倒
- 積載荷重が0.25ｔ以上のエレベーターの搬器の墜落
- 労働者が３日間休業した労働災害 ⇨ **定められていない**

●都道府県労働局長の当該業務に係る免許を必要としないもの

- つり上げ荷重が５ｔ以上の移動式クレーンの運転の業務 ⇨ **必要**
- 建設用リフトの運転の業務
- ゴンドラの操作の業務
- 最大積載量が１ｔ以上の不整地運搬車の運転の業務
- 作業床の高さが10m以上の高所作業車の運転の業務

5　その他の法規

5-1

「建設工事に係る資材の再資源化等に関する法律（建設リサイクル法）」上、政令で定める建設工事の規模に関する基準に照らし、分別解体等をしなければならない建設工事に**該当する**か、**該当しない**か、判断しなさい。

Check □□□

問題1

建築物の新築工事であって、床面積の合計が500m²であるもの

Check □□□

問題2

建築物の増築工事であって、増築に係る部分の床面積の合計が250m²であるもの

Check □□□

問題3

床面積が80m²の家屋の解体工事

Check □□□

問題4

建築物以外のものに係る解体工事であって、請負代金の額が500万円であるもの

Check □□□

問題5

建築物の耐震改修工事であって、請負代金の額が7,000万円の工事

Check □□□

問題6

請負代金が500万円のアスファルト・コンクリートの撤去工事

Check □□□

問題7

請負代金が5,000万円の事務所ビルの改修工事

Check □□□

問題8

建築物の修繕・模様替えの工事であって、請負代金の額が1億円であるもの

解説

問題1　該当する

(類題) 床面積が100㎡の住宅５戸の**新築**工事であって、同一業者が同じ場所で同一発注者と一の契約により同時に行う工事 ⇨ **合計500㎡**なので**該当**

問題2　該当しない

建築物に係る新築又は増築の工事については、当該建築物の床面積の合計が500 ㎡以上であるものとあり、床面積の合計が250 ㎡なので該当しない。

問題3　該当する

問題4　該当する

(類題) **擁壁**の**解体**工事であって、請負代金の額が500万円の工事(**下表↓**④)

問題5　該当しない

建築物に係る新築工事等であって新築又は増築の工事に該当しないものについては、その**請負代金**の額が**１億円以上**であるものとあり、設問は該当しない。

問題6　該当する

問題7　該当しない

(**問題５解説** ↑ 参照)。

問題8　該当する

建設工事に係る資材の再資源化等に関する法律　対象建設工事

	工事の種類	対象規模
①	建築物の**解体**	当該解体工事に係る床面積の合計が **80 ㎡以上**
②	建築物の**新築・増築**	当該工事に係る床面積の合計が **500 ㎡以上**
③	②に**該当しない**もの (建築物の**修繕・模様替**等)	請負金額が **1 億円以上**
④	**建築物以外**のものに係る **解体・新築**工事等	請負金額が **500 万円以上**

※特定建設資材を用いた建築物等の解体工事と特定建設資材を用する新築工事等に限る。

5-2

次の記述のうち、「建設工事に係る資材の再資源化等に関する法律」上、**正しい（適当）**か、**誤り（不適当）**か、判断しなさい。

Check □□□

問題1

解体工事における分別解体等とは、建築物等に用いられた建設資材に係る建設資材廃棄物をその種類ごとに分別しつつ工事を計画的に施工する行為である。

Check □□□

問題2

再資源化には、分別解体等に伴って生じた建設資材廃棄物について、資材又は原材料として利用することができる状態にすることが含まれる。

Check □□□

問題3

再資源化には、分別解体等に伴って生じた建設資材廃棄物であって燃焼の用に供することができるものについて、熱を得ることに利用することができる状態にする行為が含まれる。

Check □□□

問題4

建設資材廃棄物の再資源化等には、焼却、脱水、圧縮その他の方法により建設資材廃棄物の大きさを減ずる行為が含まれる。

Check □□□

問題5

資源の有効な利用を図る上で特に必要として定めた特定建設資材には、コンクリート、木材のほか、建設発生土が含まれる。

Check □□□

問題6

建設業を営む者は、建設資材廃棄物の再資源化により得られた建設資材を使用するよう努めなければならない。

Check □□□

問題7

対象建設工事の元請業者は、特定建設資材廃棄物の再資源化等が完了したときは、その旨を都道府県知事に報告しなければならない。

解説

問題１～４　正しい

問題５　誤り

資源の有効な利用を図る上で特に必要として定めた**特定建設資材**には、コンクリート、コンクリート及び鉄から成る建設資材、木材、アスファルト・コンクリートがある。したがって、**建設発生土**は、特定建設資材に含まれない。

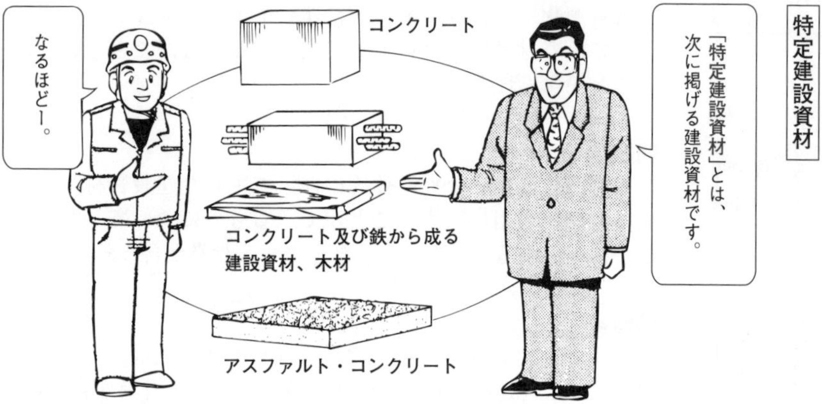

問題６　正しい

問題７　誤り

元請業者は、当該工事に係る特定建設資材廃棄物の再資源化等が**完了**したときは、その旨を**発注者**に**書面**で報告し、記録を作成して保存しなければならない。

【参考】廃棄物の処理及び清掃に関する法律

- 事業者が産業廃棄物の運搬を委託するときは、運搬の最終目的地の所在地が委託契約書に含まれていなければならない。
- 事業者は、工事に伴って発生した産業廃棄物を自ら処理しなければならない。
- 事業者は、産業廃棄物（特別管理産業廃棄物を除く。）を**自ら運搬**する場合、管轄する都道府県知事の許可を受けなくてもよい。
- 汚泥の処理能力が10m^3/日を超える乾燥処理施設（天日乾燥施設を除く。）を設置する場合は、管轄する都道府県知事の許可を受けなければならない。
- 現場事務所から排出される図面、書類は、**一般廃棄物**である。
- **改築**時に発生する**木くず**、**陶磁器くず**は、産業廃棄物である。
- 軽量鉄骨下地材などの**金属くず**は、産業廃棄物である。
- 建築物の地下掘削で生じた**建設発生土**は、産業廃棄物に規定されていない。

5-3

指定地域内における特定建設作業に関する記述として、「騒音規制法」上、**正しい(適当)**か、**誤り(不適当)**か、判断しなさい。

※災害その他非常時の場合や他の法令等による条件が付されている場合は除くものとする。

Check □□□

問題1

電動機以外の原動機の定格出力が15k W以上の空気圧縮機を使用する作業は、特定建設作業に該当する。

Check □□□

問題2

圧入式くい打くい抜機を使用する作業は、特定建設作業に該当する。

Check □□□

問題3

くい打機をアースオーガーと併用する作業は、特定建設作業の実施の届出が必要である。

Check □□□

問題4

バックホウを使用する作業は、原動機の定格出力が一定の値以上の場合は、原則として、特定建設作業の実施の届出が必要である。

Check □□□

問題5

著しい騒音を発生する作業であっても、開始したその日に終わるものは、特定建設作業から除かれる。

Check □□□

問題6

特定建設作業を伴う建設工事を施工しようとする者は、作業の実施の期間や騒音の防止の方法等の事項を、市町村長に届け出なければならない。

Check □□□

問題7

著しい騒音を発生する作業として政令で定められた特定建設作業の騒音の測定は、その作業場所の敷地境界線で行う。

Check □□□

問題8

作業に伴って発生する騒音が規制基準に適合しないとき、市町村長は騒音の防止方法の改善を勧告することができる。

Check □□□

問題9

作業は、日曜日以外の休日であれば行うことができる。

解説

問題1　正しい

問題2　誤り

くい打ちくい抜き機のうち、**圧入式**のものは、特定建設作業から**除かれ**ている。

問題3　誤り

くい打機を使用する作業でも、くい打機を**アースオーガーと併用**して使用する場合は、特定建設作業の実施の届出は**必要ない**。

問題4　正しい

問題5　正しい

問題6　正しい

問題7　正しい

問題8　正しい

市町村長は、特定建設作業の場所の周辺の生活環境を著しく損なわれると認められるときは、騒音の防止の方法を改善すべきことを勧告することができる。

改善勧告及び改善命令

市町村長は、指定地域内で行われる特定建設作業に伴って発生する騒音が、規制基準をこえて、周辺の生活環境が著しく損なわれると認める場合は、騒音防止の方法の改善などを勧告あるいは命令することができる。

問題9　誤り

特定建設作業の**騒音**は、日曜日**その他の休日**に発生させてはならない。日曜日以外の休日であっても行ってはならない。

5-4 指定地域内における特定建設作業に関する記述として、「振動規制法」上、**正しい（適当）**か、**誤り（不適当）**か、判断しなさい。

※災害その他の非常時等を除く。

Check □□□

問題1
油圧式くい抜機を使用する作業（当該作業を開始した日に終わらない）は、特定建設作業に該当する。

Check □□□

問題2
くい打くい抜機（圧入式を除く）を使用する作業（当該作業を開始した日に終わらない）は、特定建設作業に該当する。

Check □□□

問題3
圧入式くい打機を使用する作業（当該作業を開始した日に終わらない）は、特定建設作業に該当する。

Check □□□

問題4
手持式のブレーカーを使用する作業（当該作業を開始した日に終わらない）は、特定建設作業に該当する。

Check □□□

問題5
ブレーカーを使用し、作業地点が連続して移動する作業であって、１日における作業に係る２地点間の最大距離が60ｍを超える作業は、特定建設作業である。

Check □□□

問題6
当該作業を開始した日に終わる作業は、特定建設作業から除かれる。

Check □□□

問題7
特定建設作業の実施の届出には、特定建設作業を伴う工程を明示した工事工程表を添付しなければならない。

Check □□□

問題8
特定建設作業を伴う建設工事の施工者は、特定建設作業開始の日の７日前までに実施の届出をしなければならない。

解　説

問題1　誤り

くい抜機を使用する作業は、特定建設作業に該当するが、**油圧式**くい抜機は除かれている。

問題2　正しい

問題3　誤り

くい打機を使用する作業は、特定建設作業に該当するが、もんけん及び**圧入式**くい打機は除かれている。

問題4　誤り

ブレーカーを使用する作業は、特定建設作業に該当するが、**手持式**ブレーカーを使用する作業は除かれている。

問題5　誤り

ブレーカーを使用する作業で、作業地点が連続的に移動する作業にあっては、1日における作業に係る2地点間の最大距離が**50 mを超えない**作業に限る場合を、特定建設作業としている。

振動規制法における特定建設作業

特定建設作業	条　件	適用除外
① **くい打機**、**くい抜機**又は**くい打くい抜機**を使用する作業		・もんけん及び**圧入式**くい打機を除く。 ・**油圧式**くい抜機を除く。 ・圧入式くい打くい抜機を除く。
② 鋼球を使用して建築物その他の工作物を破壊する作業		
③ 舗装版破砕機を使用する作業	・作業地点が連続的に移動する作業にあっては、1日における当該作業に係る2地点間の最大距離が**50 m**を**超えない**作業に限る。	
④ **ブレーカー**を使用する作業	（③と共通）	・ブレーカーが**手持式**のものを除く。

問題6　正しい
問題7　正しい
問題8　正しい

5-5 次の記述のうち、「消防法」上、**正しい（適当）**か、**誤り（不適当）**か、判断しなさい。

Check □□□

問題1
工事中の高層建築物に使用する工事用シートは、防炎性能を有するものでなければならない。

Check □□□

問題2
危険物取扱者免状の種類は、甲種危険物取扱者免状及び乙種危険物取扱者免状の２種類に区分されている。

Check □□□

問題3
消火器などの消火器具は、床面からの高さが1.5m以下の箇所に設ける。

Check □□□

問題4
屋内消火栓は、防火対象物の階ごとに、その階の各部分から一のホース接続口までの水平距離が35m以下となるように設ける。

Check □□□

問題5
屋外消火栓を設置する場合は、建築物の各部分から一のホース接続口までの水平距離が40m以下となるように設ける。

Check □□□

問題6
消防用水は、消防ポンプ自動車が２m以内に接近することができるように設ける。

Check □□□

問題7
消防用水を設置する場合において、１個の消防用水の有効水量は、$20m^3$以上必要である。

Check □□□

問題8
排煙設備には、手動起動装置又は火災の発生を感知した場合に作動する自動起動装置を設ける。

Check □□□

問題9
地階を除く階数が11以上の建築物に設置する連結送水管には、非常電源を附置した加圧送水装置を設ける。

Check □□□

問題10
スプリンクラー設備の設置に係る工事は、甲種消防設備士が行う。

解 説

問題１　正しい

問題２　誤り
　危険物取扱者免状の種類は、**甲種、乙種、**及び**丙種**の**３種類**に区分されている。

問題３　正しい

問題４　誤り
　屋内消火栓は、防火対象物の階ごとに、その階の各部分から一のホース接続口までの水平距離が **25 m** 又は **15 m** 以下となるように設ける。

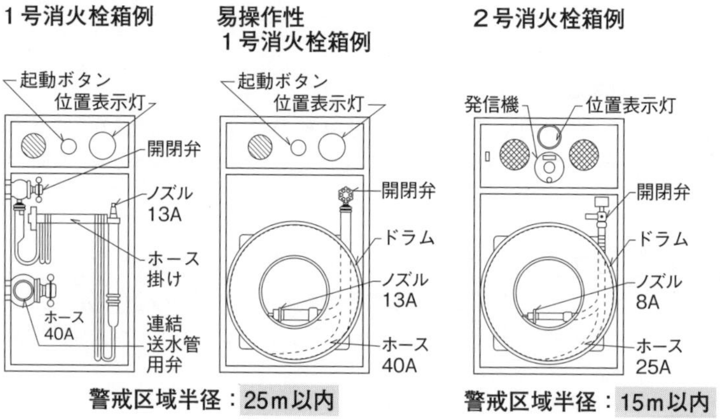

問題５　正しい

問題６　正しい

問題７　正しい

問題８　正しい

問題９　正しい

問題10　正しい

5-6

宅地造成工事規制区域内において行われる宅地造成工事に関する記述として、「盛土規制法」上、**正しい（適当）**か、**誤り（不適当）**か、判断しなさい。

Check □□□

問題1

宅地造成とは、宅地以外の土地を宅地にすることをいい、宅地において行う土地の形質の変更は含まない。

Check □□□

問題2

高さが1mを超える崖を生ずることとなる盛土をする場合においては、崖の上端に続く地盤面には、特別の事情がない限り、その崖の反対方向に雨水その他の地表水が流れるように勾配を付ける。

Check □□□

問題3

擁壁を設置しなければならない崖面に設ける擁壁には、壁面の面積3㎡以内ごとに少なくとも1個の水抜穴を設けなければならない。

Check □□□

問題4

盛土する土地の面積が1,500㎡を超える土地に排水施設を設置する場合は、所定の資格を有する者の設計によらなければならない。

宅地以外の土地を宅地にするため、土地の形質の変更を行う場合、「盛土規制法」上、宅地造成に**該当する**か、**該当しない**か、判断しなさい。

Check □□□

問題5

切土をする土地の面積が300㎡であって、切土をした土地の部分に高さが2.0mの崖を生ずるもの

Check □□□

問題6

切土をする土地の面積が600㎡であって、切土をした土地の部分に高さが1.0mの崖を生ずるもの

Check □□□

問題7

盛土をする土地の面積が600㎡であって、盛土をした土地の部分に高さが1.0mの崖を生ずるもの

Check □□□

問題8

切土と盛土を同時にする土地の面積が300㎡であって、盛土をした土地の部分に高さが1.0mの崖を生じ、かつ、切土及び盛土をした土地の部分に高さが2.5mの崖を生ずるもの

解説

問題1　誤り

宅地造成とは、宅地以外の土地を宅地にするため又は宅地において行う**土地の形質の変更**において政令で定めるものをいう。

問題2　正しい

問題3　正しい

右図参照。→

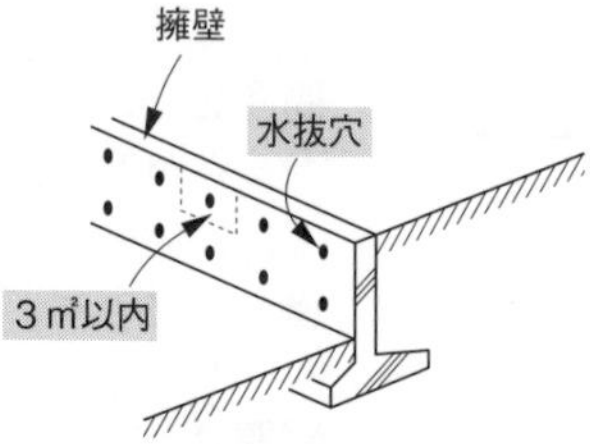

問題4　正しい

問題5　該当しない

切土であって、当該切土をした土地の部分に高さ**2m**を**超える崖**を生ずることとなるもの、切土又は盛土をする土地の面積が**500㎡を超える**ものとあり、高さあるいは面積のどちらかが宅地造成に該当する。

問題6～8　該当する

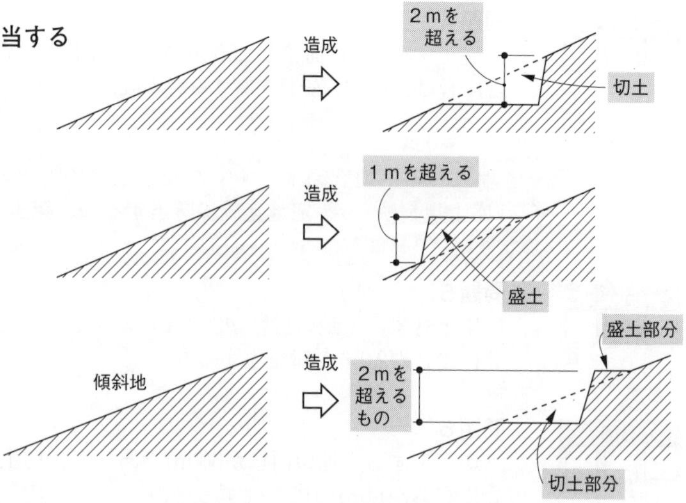

【参考】その他の法令

- 分流式の公共下水道に下水を流入させるために設ける排水設備は、「下水道法」に基づき、汚水と雨水とを分離して排除する構造としなければならない。
- 「駐車場法」に基づき、自動車の駐車の用に供する部分の面積が500㎡以上の建築物である路外駐車場の自動車の駐車の用に供する部分の梁下の高さは、2.1m以上としなければならない。
- 「水道法」に基づき、給水装置の配水管への取付口の位置は、他の給水装置の取付口から30cm以上離さなければならない。
- 工事用板囲を設け、継続して道路を使用しようとする場合は、「道路法」に基づき、**道路管理者**の許可を受けなければならない。

2025年度　日建学院受験対策スケジュール

	1級建築施工管理技術検定 試験日程	日建学院受験者応援サービス －最寄りの各校で受付－	
1月		**願書取寄せサービス** ご自宅や職場へ願書のお届けを いたします。お知り合いの方の分も ご一緒にお取り寄せできます。 ＊願書代金がかかります。 ＊受験申込期間に間に合うよう、 お早めにお申し込みください。	（3月 基本
2月	願書配布・申込み（2月下旬～3月上旬）		（4月 午前
3月			
4月			（6月 午後
5月			（6月 集中
6月	一次試験受検票発送（7月上旬）		
7月	**一次試験日（7月第3日曜日）**	**無料セミナー** 「施工経験記述ポイント講習会」 二次試験のキーポイントとも言える 経験記述に関するポイント解説 7月下旬～8月末	
8月	一次合格発表（8月下旬） 一次合格者二次試験受験料払込 （8月下旬～9月上旬）		
9月	二次試験受検票発送（9月下旬）		
10月	**二次試験日（10月第3日曜日）**		
11月			
12月		**二次本試験問題・ 解答参考例無料進呈** 二次試験を振り返るために最適の資料です。 お近くの各校、またはHPでご請求ください。	
1月	二次合格発表（1月上旬）		
2月			
3月			

【正誤等に関するお問合せについて】

本書の記載内容に万一、誤り等が疑われる箇所がございましたら、**郵送・FAX・メール等の書面**にて以下の連絡先までお問合せください。その際には、お問合せされる方のお名前・連絡先等を必ず明記してください。また、お問合せの受付け後、回答には時間を要しますので、あらかじめご了承いただきますよう、お願い申し上げます。

なお、正誤等に関するお問合せ以外のご質問、受験指導および相談等はお受けできません。そのようなお問合せにはご回答いたしかねますので、あらかじめご了承ください。

お電話によるお問合せは，お受けできません。

[郵送先]

〒171-0014　東京都豊島区池袋2-38-1　日建学院ビル 3F
建築資料研究社 出版部
「改訂七版 1級建築施工管理技士 一次対策項目別ポイント問題」正誤問合せ係

[FAX]

03-3987-3256

[メールアドレス]

seigo@mx1.ksknet.co.jp

【本書の法改正・正誤等について】

本書の発行後に発生しました法改正・正誤等についての情報は、下記ホームページ内でご覧いただけます。

なおホームページへの掲載は、対象試験終了時ないし、本書の改訂版が発行されるまでとなりますので予めご了承ください。

https://www.ksskpub.com ➡ 訂正・追録

改訂七版
1級建築施工管理技士 一次対策項目別ポイント問題

2024年12月10日　初版第1刷発行

編　　著	日建学院教材研究会
発 行 人	馬場 栄一
発 行 所	**株式会社建築資料研究社** 〒171-0014　東京都豊島区池袋2-38-1 日建学院ビル 3F TEL 03-3986-3239　FAX 03-3987-3256 https://www.kskpub.com
表　　紙	齋藤　知恵子（sacco）
印刷・製本	株式会社ワコー